10 18

12, avenue d'Italie — Paris XIIIe

PREMIÈRES NOUVELLES

Sur l'auteur

Anton Tchekhov est né en 1860 à Taganrog, petit port de la mer d'Azov, en Russie. Il passe une enfance rude et douloureuse dans une famille prolétarienne très pauvre avec un père tyrannique et violent. En 1879, il part pour Moscou et s'inscrit à la faculté de médecine. De 1882 à 1887, il collabore à plusieurs revues humoristiques, mais c'est en 1886 qu'il acquiert la célébrité avec un recueil de nouvelles, *Les Récits bariolés*. Peu de temps après, il publie sa première pièce de théâtre, *Ivanov* (1887). Son amitié avec Tolstoï, qu'il rencontre en 1895, aura une grande influence sur son œuvre.

Tchekhov voyage en Europe, en Italie et en France, mais, atteint de tuberculose, il se voit contraint de s'installer à Yalta, en Crimée, pour se soigner. C'est à la fin de sa vie qu'il écrit les quatre pièces qui le consacrent grand dramaturge : *La Mouette* (1896), *Oncle Vania* (1897), *Les Trois Sœurs* (1901) et *La Cerisaie* (1904).

Anton Tchekhov meurt en 1904 à Badenweiler, en Allemagne.

PREMIÈRES NOUVELLES
1880-1882

PAR

ANTON TCHEKHOV

Traduit du russe par Madeleine DURAND
avec la collaboration de E. LOTAR,
Wladimir POZNER et André RADIGUET

« *Domaine étranger* »
dirigé par Jean-Claude Zylberstein

Note de l'éditeur

Ces premiers écrits de Tchekhov que nous publions à l'occasion du centenaire de sa mort (2 juillet 1904) sont le théâtre, si l'on peut dire, d'un double mystère.

Premier mystère, celui de leur création : comme on verra, il s'agit de contes, récits et nouvelles que l'on a unanimement qualifiés d'*humoristiques*. Où le jeune Tchekhov a-t-il trouvé le ressort, l'inspiration, la force d'écrire de telles œuvres, lui qui disait : « Dans mon enfance, je n'ai pas eu d'enfance » ? Voilà qui reste un mystère qu'aucun de ses biographes — du moins ceux dont j'ai pu fréquenter les œuvres — n'a jamais tiré au clair ni analysé vraiment. Petit-fils de serf — qui pour 3 500 roubles avait acheté sa liberté et celle des siens —, son enfance aurait eu de quoi faire pleurer Cosette elle-même ou peu s'en faut.

Car même si les dogmes éducatifs du temps (Tchekhov est né en 1860) n'étaient pas ceux d'aujourd'hui, la férule sous laquelle il vécut ses premières années fut lourde. Le père, tyranneau domestique adonné à la boisson, battait ses enfants comme plâtre lorsqu'il ne se confondait pas en prières à l'église voisine : il attendait, tant de sa femme que de ses enfants, une soumission absolue et, non content de fouetter ces derniers, exigeait — selon la coutume d'alors — qu'ils lui baisent la main après la correction ! Aussi bien Tchekhov se souviendra-t-il en 1892 que son père commença à faire son éducation, c'est-à-dire à le battre, quand il n'avait pas encore cinq ans : « En me réveillant chaque matin, ma première pensée était : serai-je battu aujourd'hui ? » Un peu plus tôt, il avait écrit : « Quand j'étais enfant, on me caressait si rarement que même maintenant, devenu adulte, je reçois les caresses comme quelque chose d'insolite, d'inconnu... notre enfance a été empoisonnée par des choses terribles. »

Alors, humour par compensation ? Lorsque le père était absent, se décidant enfin à s'occuper (mal) de ses affaires, l'atmosphère familiale se détendait, racontent les biographes, et Tchekhov et ses frères se livraient alors d'autant plus aux jeux interdits : le loto, la pantomime, et le petit Anton « d'un naturel gai et boute-en-train, se déchaînait et se laissait aller à toutes sortes de plaisante-ries cocasses, d'inventions et de farces saugrenues »[1].

Tout juste peut-on relever au crédit de Pavel Egoro-vitch (Tchekhov père) un souci forcené de l'éducation de sa progéniture, car outre les interminables heures passées à l'église ou dans la misérable épicerie familiale ou encore aux répétitions de la chorale de Taganrog, le petit port de la mer d'Azov où la famille résidait, Anton devait également prendre des leçons de français, de musique et, pour avoir un métier en main, suivre des cours dans une école professionnelle. Ainsi, à treize ans, Anton Tchekhov dut-il apprendre le métier de tailleur ! C'est à l'automne de 1873 qu'il découvrit un jeu pour grandes personnes qui allait beaucoup plus le passion-ner que ses jeux d'enfant, le théâtre.

Deux ans plus tard, le vaniteux père de Tchekhov, qui avait fait construire sur un terrain reçu de son père une maison où il avait aménagé logis et magasin, dut s'endetter et, l'année suivante, il fit faillite. Craignant la prison pour dettes, il prit la fuite pour Moscou où, peu après, femme et enfants devaient le rejoindre.

« Antocha » (c'était le surnom d'Anton Tchekhov), à seize ans et demi, dut ainsi renoncer à suivre sa famille

1. Cf. *Tchekhov,* de Daniel Gilles, Julliard.

pour terminer dans le lycée de la ville les trois années d'études qu'il lui restait à accomplir avant d'entamer ses études de médecine. Plus tard, il avoua que la pauvreté à cette époque le faisait souffrir comme une « perpétuelle rage de dents », mais, trop fier pour s'en plaindre — même à ses parents —, il s'efforça, lorsqu'il apprit en 1877 dans quel dénuement ils vivaient à Moscou, de leur venir en aide.

Au lycée, il travaillait avec une application redoublée et il lisait — au point d'oublier parfois de déjeuner — les grands auteurs russes, Victor Hugo, Cervantes, Schopenhauer, et, comme il préférait sourire que pleurer, il parcourait aussi chaque semaine à la salle de lecture les feuilles humoristiques de Moscou et de Saint-Pétersbourg, *La Cigale* et *Le Réveil-matin* ; parallèlement, il rédigeait un hebdomadaire manuscrit qu'il envoyait à ses frères.

Ses études terminées, Tchekhov débarqua à Moscou en août 1879. Inscrit à la Faculté de Médecine comme au lycée, il gardait une attitude de réserve, car il était entré à l'Université pour devenir médecin et non révolutionnaire ! Est-ce par besoin de s'exprimer qu'il se mit alors à écrire et chercha à se faire publier, ou simplement pour gagner un peu d'argent ? Somerset Maugham, qui vouait à Tchekhov une admiration quasi filiale, s'est insurgé contre cette hypothèse en objectant non sans logique que les premiers récits d'un auteur — et c'était particulièrement le cas pour Tchekhov — ne sont jamais vraiment « rémunérateurs » ! Après quelques refus, son premier récit, *Lettre à un savant voisin*, parut enfin dans l'hebdomadaire humoristique *La Cigale*. Il n'avait pas vingt ans. Cette publication et les premiers honoraires reçus mirent la famille dans la joie : éperonné par ce premier succès, Tchekhov passera désormais une grande partie de son temps libre à écrire, signant ses billets de divers pseudonymes : *L'Homme sans rate, Le Frère de mon frère, Ulysse, Rouvert* et surtout *Antocha Tchekonte*, nom de plume dont il usera jusqu'en 1885. Sa fécondité fut extraordinaire : 9 récits en 1880, 13 en 1881 et, en 1885, il atteindra le chiffre de 129 récits, articles ou reportages. Elsa Triolet, au sujet de ces premiers écrits, raconte : « Les journaux trouvaient sa collaboration utile, la recherchaient et on dirait que personne ne remarquait — peut-être pas même l'auteur — que ses contes, dès le début, s'attaquaient aux monstruosités de son temps. » Il parlait simplement de ce qu'il connaissait et, dès les premiers contes, fit preuve d'un sens inné de la comédie humaine et sociale. On peut certes s'esclaffer en le lisant — comme le firent sans doute la majorité de ses contemporains —, mais, avec le recul et sachant ce que l'on sait de cette jeunesse, l'exercice n'en est que plus étonnant.

Un second mystère entoure ces contes : c'est leur « disparition » éditoriale. Nous avions eu la chance de les voir paraître dans la grande édition des œuvres de Tchekhov procurée par les Editeurs Français Réunis, mais aucun éditeur depuis (pas même la Pléiade dans son édition en trois volumes des œuvres de Tchekhov) ne les a repris depuis. Conformément à ce qui aura fait une part de ma vocation d'éditeur, il m'a semblé que cette carence-là n'était pas plus tolérable que d'autres. Je me réjouis de ce que, à l'occasion du centenaire que j'ai dit, 10/18 puisse accueillir cette nouvelle édition des premiers écrits d'Anton Tchekhov.

Jean-Claude Z<small>YLBERSTEIN</small>

Œuvres de 1880-1882

1880
LETTRE À UN SAVANT VOISIN

Mon cher voisin !

Maxime... (j'ai oublié votre patronyme et vous prie d'avoir la générosité de m'en excuser). Excusez-moi, pardonnez un méchant petit vieillard et son âme inepte s'il ose vous importuner de son misérable balbutiement épistolaire. Voilà une année entière que vous avez daigné vous installer dans notre partie du monde, dans le voisinage de l'insignifiant homoncule que je suis, et je ne vous connais toujours pas, tout comme vous ne me connaissez, moi, misérable libellule. Permettez donc, inestimable voisin, que je fasse votre connaissance, au moins par le truchement de ces hiéroglyphes séniles, que je serre en pensée votre main savante et vous congratule à l'occasion de votre arrivée de Saint-Pétersbourg dans notre indigne continent, peuplé de moujiks et de la gent paysanne, autrement dit d'éléments plébéiens. J'ai cherché longtemps l'occasion de vous rencontrer, j'en avais soif parce que la science, tout comme la civilisation, est en quelque sorte notre mère nourricière, et aussi parce que, du fond du cœur, je respecte les hommes dont les noms et titres illustres, auréolés de gloire populaire, de lauriers, de cymbales, de décorations, de rubans et de parchemins, résonnent comme le tonnerre et l'éclair à travers toutes les parties du monde visible et invisible, autrement dit sublunaire. J'aime ardemment les astronomes, les poètes, les métaphysiciens, les chimistes et autres pontifes de la science au nombre desquels vous vous rangez par vos faits intelligents et les branches de la science, autrement dit, par vos produits et vos fruits. On dit que vous avez fait imprimer beaucoup de livres pendant vos longs séjours intellectuels avec des tuyaux, des thermomètres et une foule de livres étrangers aux dessins attrayants. J'ai récemment reçu dans ma misérable propriété, dans mes ruines et décombres la visite de mon voisin Guérassimov ; avec le fanatisme qui lui est propre, il a invectivé et critiqué vos idées et pensées concernant l'origine de l'homme et autres phénomènes du monde visible ; il s'est élevé et emporté avec fougue contre votre sphère intellectuelle et l'horizon de votre pensée recouvert d'astres et d'aérolithes. Je ne suis pas d'accord avec lui touchant vos idées intellectuelles, parce que je vis et me nourris uniquement d'une science que la Providence a donnée au genre humain afin d'extraire du sein de l'univers visible et invisible les métaux précieux, métalloïdes et diamants, mais cependant, mon cher, excusez-moi, insecte à peine perceptible, si j'ai l'audace d'apporter le démenti d'un vieil homme à quelques-unes de vos idées touchant l'essence de la nature. Guérassimov m'a communiqué que vous seriez l'auteur d'une œuvre dans laquelle vous avez bien voulu exposer des pensées qui ne sont pas particulièrement substantielles au sujet des hommes, de leur état originel et de leur existence avant le déluge. Vous avez bien voulu écrire que l'homme provenait des tribus simiesques de guenons, d'orangs-outangs, etc. Pardonnez-moi, petit vieillard que je suis, mais je ne suis pas d'accord avec vous sur cette grave question et je suis à même de vous mettre au pied du mur. Car si l'homme, le maître de l'univers, le plus intelligent de tous les êtres qui respirent, descendait d'un singe stupide et ignare, il aurait une queue et une voix de sauvage. Si nous descendions du singe, les

Tziganes nous promèneraient à travers les villes pour nous exhiber et nous payerions de l'argent pour nous voir l'un l'autre dansant au commandement du Tzigane ou enfermés derrière les barreaux d'une ménagerie. Sommes-nous entièrement recouverts de poils ? Ne portons-nous point des habits dont sont privés les singes ? Aimerions-nous, ne mépriserions-nous pas la femme si elle sentait tant soit peu la guenon comme celle que nous voyons tous les mardis chez le président de la noblesse ? Si nos ancêtres descendaient du singe, ils ne seraient pas enterrés dans des cimetières chrétiens ; mon trisaïeul Amvrosi, par exemple, qui vivait autrefois dans le royaume de Pologne a été enseveli non pas comme un singe mais à côté de l'abbé catholique Joachim Chostak, dont les écrits consacrés au climat tempéré et à l'intempérance concernant l'usage des boissons brûlantes sont encore à ce jour conservés chez mon frère Ivan (le commandant). Abbé signifie pope catholique. Excusez un ignorant de se mêler de vos savants travaux, de bavarder à sa façon sénile, de vous imposer ses idées saugrenues et rébarbatives qui se logent chez les hommes savants et civilisés dans le ventre plutôt que dans la tête. Il m'est impossible de me taire ; je ne supporte pas que des savants pensent faussement dans leur esprit et je ne puis m'empêcher de vous faire des objections. Guérassimov m'a appris que vous réfléchissiez faussement au sujet de la lune, c'est-à-dire de l'astre qui nous remplace le soleil aux heures d'obscurité et de ténèbres, quand les gens dorment et que vous transmettez l'électricité d'un endroit à l'autre et laissez divaguer votre imagination. Ne vous moquez pas d'un vieillard parce qu'il écrit si bêtement. Vous écrivez que dans la lune vivent et habitent des hommes et des tribus. Cela n'est pas possible et ne le sera jamais car s'il y avait des gens dans la lune, ils nous cacheraient sa lumière magique et féerique avec leurs maisons et leurs riches pâturages. On ne peut vivre sans pluie, or la pluie descend sur la terre au lieu de se lever vers la lune. Ceux qui vivraient dans la lune tomberaient sur la terre, ce qui n'arrive pas. Les immondices et les eaux de vaisselle de sa population se déverseraient sur notre continent. Des gens peuvent-ils vivre dans la lune, puisqu'elle n'existe que la nuit et disparaît le jour ? Et les gouvernements ne pourraient le tolérer parce que, vu son éloignement et son inaccessibilité, on pourrait y échapper trop facilement aux obligations. Vous vous êtes un peu trompé. Vous avez écrit et fait imprimer dans votre œuvre savante, comme me l'a dit Guérassimov, que le plus grand des astres, le soleil, portait des petites taches noires. Cela n'est pas possible... Comment avez-vous pu voir ces taches puisqu'on ne peut pas fixer le soleil avec de simples yeux d'homme et à quoi bon ces taches puisqu'on peut s'en passer ? De quel corps humide sont-elles faites, ces taches, si elles ne brûlent pas ? Peut-être croyez-vous que les poissons, eux aussi, vivent sur le soleil ? Excusez-moi qui ne suis qu'un étourdi plein de fiel si je fais des plaisanteries stupides. Je suis passionnément dévoué à la science. Le rouble, cette voile du XIXe siècle, n'a aucune valeur pour moi, la science l'a éclipsé à mes yeux de ses ailes ultimes. Toute découverte me torture comme un clou dans le dos. J'ai beau être un ignorant, un hobereau à l'ancienne mode ; il n'empêche que, vieux bon à rien, je m'occupe de sciences et de découvertes faites de mes propres mains, et que je remplis ma sotte caboche, mon crâne fruste de pensées et d'un assortiment de plus hautes connaissances. Notre mère la nature est un livre qu'il faut lire et regarder. J'ai fait, à l'aide de mon propre esprit, de nombreuses découvertes, des découvertes qu'aucun réformateur n'a encore inventées. Je dirai sans me vanter que je ne suis pas des derniers quant à l'instruction que j'ai acquise à la force du poignet et non à l'aide de la fortune des parents, père, mère ou tuteurs, qui perdent souvent leurs enfants grâce à la richesse, au luxe et à des maisons de six étages avec des esclaves et des sonnettes électriques. Voilà ce que mon esprit de quatre sous a trouvé. J'ai découvert que, une fois par an, à l'aube, notre grande chlamyde ardente et lumineuse, le soleil, se pare, d'une façon curieuse et pittoresque, de couleurs variées et produit par son merveilleux scintillement une impression joyeuse. Autre découverte. Pour quelle raison le jour est-il court en hiver alors que la nuit est longue, et inversement en été ? Le jour est court en hiver parce que, conformément aux autres objets visibles et invisibles, il se ratatine sous l'influence du froid et parce que le soleil se couche tôt ; quant à la nuit, soumise à l'embrasement des flambeaux et des lanternes, elle se dilate car elle se réchauffe. Puis, j'ai encore découvert qu'au printemps les chiens mangent de l'herbe comme les brebis, que le café est mauvais pour les hommes sanguins parce qu'il cause des vertiges et fait voir trouble, et ainsi de suite, etc. J'ai fait beaucoup d'autres découvertes bien que je n'aie pas d'attestations et de certificats. Venez me voir, cher voisin, parole d'honneur. De concert, nous trouverons quelque chose, nous ferons de la littérature et vous m'apprendrez à moi, être pitoyable, à faire toutes sortes de calculs.

J'ai lu récemment dans le livre d'un savant français que la gueule du lion ne ressemblait pas du tout à la face humaine, contrairement à ce que pensent les savants. Nous en parlerons également. Venez, faites-moi cet honneur. Venez demain, par exemple. En ce moment, nous faisons maigre, mais pour vous, nous préparerons des plats gras. Ma fille, Natacha, vous demande d'apporter quelques livres intelligents. C'est une émancipée, à ses yeux tous sont des imbéciles ; il n'y a qu'elle pour avoir de la tête. La jeunesse d'aujourd'hui, croyez-moi, a son mot à dire. Que Dieu la protège ! Nous attendons dans une semaine mon frère Ivan (le commandant). C'est un brave homme, mais, entre nous, un butor qui n'aime pas la science. Cette lettre doit vous être remise par mon domestique Trofime, à huit heures du soir précises. S'il vous l'apporte plus tard, flanquez-lui des gifles professorales : ce n'est pas la peine de faire des cérémonies avec cette engeance. S'il arrive en retard, c'est que le vaurien aura été au cabaret. La coutume de rendre visite à ses voisins n'a pas été inventée par nous et ne se terminera pas avec nous, venez donc sans faute avec des instruments et des livres. Je serais bien allé chez vous moi-même, mais je suis très timide et je manque d'audace. Excusez un propre à rien pour le dérangement.

Je reste votre très respectueux voisin, adjudant des Cosaques du Don en retraite et gentilhomme.

Vassili Sémi-Boulatov

CE QUI SE RENCONTRE LE PLUS SOUVENT DANS LES ROMANS, NOUVELLES, ETC.

Un comte, une comtesse avec des traces d'une ancienne beauté, un baron du voisinage, un homme de lettres d'opinions libérales, un gentilhomme ruiné, un musicien étranger, des gouvernantes, des valets stupides, un intendant allemand, un esquire et un héritier venant d'Amérique. Des personnages sans beauté mais sympathiques et attirants. Un héros qui sauve l'héroïne d'un cheval emballé, homme plein de courage et capable de montrer en toute occasion la force de ses poings.

Altitude céleste, lointains impénétrables, incommensurables, en un mot : la nature ! ! !

Des amis blonds et des ennemis roux.

Un oncle riche, libéral ou conservateur, selon les circonstances. Moins utile au héros par des sermons que par sa mort.

Une tante à Tambov.

Un docteur au visage soucieux, qui donne l'espoir d'une crise ; il a souvent une canne à pommeau et la tête chauve. Là où l'on parle de docteur, il y a rhumatismes causés par de justes travaux, migraines, congestions cérébrales, soins à quelque blessé en duel et l'inévitable conseil d'aller aux eaux.

Un domestique qui avait déjà servi les vieux maîtres, prêt à faire n'importe quoi pour ses patrons, même à se jeter dans le feu. Un extraordinaire faiseur de bons mots.

Un chien auquel il ne manque que la parole, un perroquet et un rossignol.

Une villa aux environs de Moscou et un domaine hypothéqué dans le Sud.

L'électricité dont on parle dans la plupart des cas sans aucun rapport avec l'histoire.

Serviette en cuir de Russie, porcelaine de Chine, selle anglaise, revolver qui ne fait jamais faux feu, décoration à la boutonnière, ananas, champagne, truffes et huîtres.

Une indiscrétion fortuite qui provoque de grandes découvertes.

Des interjections en quantité et des tentatives d'utiliser à bon escient des termes techniques.

De fines allusions à d'assez gros événements.

Très fréquemment, l'absence de conclusion.

Les sept péchés capitaux pour commencer et un mariage pour terminer.

Fin.

DEVOIRS DE VACANCES

de la pensionnaire Nadenka N.

LANGUE RUSSE

a) Cinq exemples de « propositions coordonnées » :

1) « Récemment la Russie s'est battue avec l'étranger à l'occasion de quoi on a tué beaucoup de Turcs. »

2) « Le chemin de fer siffle, transporte les gens, et il est fait en fer et en matériaux. »

3) « Le beefsteak se fait avec des bœufs et des vaches, le gigot avec des brebis et des agneaux. »

4) « On a négligé papa au travail et on ne lui a pas donné de décoration, alors il s'est mis en colère et a démissionné pour raison de famille. »

5) « J'adore mon amie Dounia parce qu'elle est appliquée et attentive pendant les leçons et sait imiter le hussard Nicolas Spiridonytch. »

b) Exemples sur l'accord des mots :

1) « Pendant le carême, les prêtres et les diacres ne veulent pas unir les jeunes mariés. »

2) « Les paysans vivent à la campagne en hiver et en été, battent les chevaux, mais sont affreusement sales parce qu'ils sont criblés de goudron et qu'ils n'engagent pas de femmes de chambre ni de portiers. »

3) « Les parents marient leurs filles avec des militaires qui possèdent une fortune et une maison. »

4) « Petit garçon, respecte ton père et ta mère et cela te rendra mignon et tu seras aimé par le monde entier. »

5) « Il n'avait pas poussé un cri que l'ours fonçait déjà sur lui. »

c) Rédaction :

Comment j'ai passé les vacances :

« Aussitôt que j'ai fini mes examens, je suis partie de suite avec maman, les meubles et mon frère Ivan, élève de quatrième, pour m'installer dans la villa. Sont venus chez nous : Katia Kouzévitch avec ses parents, Zina, le petit Georges, Natacha et beaucoup d'autres de mes amies, qui se sont promenées avec moi et ont brodé en plein air. Il y avait beaucoup d'hommes, mais nous, les jeunes filles, nous nous tenions à l'écart et ne faisions pas du tout attention à eux. J'ai lu beaucoup de livres, entre autres : Mechtcherski, Maïkov, Dumas, Livanov, Tourgueniev et Lomonossov. La nature était dans toute sa splendeur. Les jeunes arbres poussaient très serrés, aucune hache n'avait encore touché leurs troncs svelets ; une ombre légère projetée par leurs petites feuilles couvrait presque entièrement l'herbe tendre et mince, toute parsemée de petites têtes dorées des boutons d'or, des points blancs de clochettes des bois et de minuscules étoiles cramoisies des œillets sauvages (copié sur *Un coin de campagne* de Tourgueniev). Le soleil se levait puis se couchait. A l'endroit où le soleil se levait, une volée d'oiseaux prenait son vol. Quelque part, un berger gardait ses troupeaux et quelques nuages passaient rapidement un peu plus bas que le ciel. J'aime terriblement la nature. Mon père se sentait soucieux tout l'été : une vilaine banque voulait on ne sait pourquoi vendre notre maison et maman ne le quittait pas d'une semelle et redoutait qu'il attente à ses jours. Et si j'ai passé de bonnes vacances, c'est parce que j'ai fait des sciences et que je me suis bien conduite. Fin. »

Problème : Trois marchands ont apporté à une entreprise commerciale un capital qui, au bout d'un an, a produit huit mille roubles de bénéfice. On demande combien recevra chacun d'eux si l'apport du premier est de 35 000 r., celui du second 50 000 r., celui du troisième 70 000 r. ?

Solution : Pour résoudre ce problème, il faut d'abord savoir lequel des trois a le plus versé et pour cela il faut soustraire un de l'autre les trois chiffres des apports et nous trouverons, par conséquent, que le troisième marchand a apporté plus que les autres parce qu'il a donné non pas 35 000 ni 50 000, mais 70 000. Bien. Maintenant, nous saurons combien chacun d'eux a reçu et pour cela nous partageons 8 000 en trois parties, de façon à ce que la plus grosse revienne au troisième. Divisons : en 8 combien de fois 3, 2 fois qui font 3 x 2 = 6. Bien. Enlevons 6 de 8 et nous trouvons 2. Reportons un zéro. Enlevons 18 de 20 et nous trouvons encore une fois 2. Reportons un zéro et ainsi de suite jusqu'à la fin. Il en résulte que nous avons 2 666 2/3 et c'est ce qu'il fallait démontrer, c'est-à-dire que chaque marchand a reçu 2 666 2/3 roubles, et le troisième sans doute un peu plus.

Pour copie conforme, Tchékhonté.

PAPA

Maman, plate comme un hareng-saur, entra dans le bureau de papa, gros et rond comme un hanneton, et toussota. En l'apercevant la femme de chambre s'envola des genoux de papa et se glissa derrière le rideau. Maman n'y attacha aucune importance car elle s'était depuis longtemps habituée aux petites faiblesses de papa et les considérait en femme d'esprit, consciente des raffinements de son époux.

— Je viens te demander conseil, papouche, mon chéri, dit-elle en s'installant sur les genoux de papa. Essuie ta bouche, je veux t'embrasser.

Papa clignota des yeux et s'essuya les lèvres avec sa manche.

— Qu'est-ce que tu veux ? demanda-t-il.

— Voilà, papa. Que faut-il faire avec notre fils ?

— Mais qu'est-ce qu'il y a ?

— Tu ne sais donc pas ? Mon Dieu ! Vous autres, pères, comme vous êtes insouciants. C'est affreux ! Papouche, sois au moins un père si tu ne veux pas... si tu ne peux pas être un mari.

— Encore ! J'ai déjà entendu ça un millier de fois !

Il eut un geste d'impatience et maman faillit tomber par terre.

— Les hommes sont tous les mêmes, ils n'aiment pas entendre la vérité.

— Est-ce que tu es venue me parler de la vérité ou de notre fils ?

— Bon, bon, laissons ça... Papouche, notre fils a encore ramené de mauvaises notes du lycée.

— Et alors ?

— Comment, alors ? Mais on ne le laissera pas se présenter à l'examen ! Il ne passera pas en troisième !

— Eh bien, il ne passera pas. Ce n'est pas un malheur. Pourvu qu'il fasse ses études et ne traîne pas à la maison.

— Mais il a quinze ans, papa ! Est-il possible d'être en quatrième à cet âge ? Figure-toi que cet ignoble professeur d'arithmétique lui a encore collé un 2... A quoi ça rime, voyons ?

— Il lui faut une fessée, voilà à quoi ça rime.

Maman promena son petit doigt sur les lèvres charnues de papa et eut l'impression qu'elle fronçait les sourcils d'un air coquet.

— Non, papouche, ne me parle pas de punitions... Ce n'est pas la faute de notre fils... Il y a une intrigue là-dessous. Sans fausse modestie, le petit est tellement développé qu'on ne peut croire qu'il ne comprenne pas cette arithmétique stupide. Il sait tout parfaitement bien, j'en suis convaincue.

— Un charlatan, voilà ce qu'il est ! S'il s'amusait moins et travaillait davantage... Assieds-toi donc sur la chaise, mon amie... Je ne pense pas que tu te sentes bien à ton aise sur mes genoux.

D'un mouvement léger, elle s'échappa de sa place et se dirigea vers le fauteuil d'un pas qui lui sembla celui d'un cygne.

— Dieu, quelle insensibilité ! murmura-t-elle en fermant les yeux. Non, tu n'aimes pas ton fils ! Il est si bon, si intelligent, si beau... C'est une intrigue, une intrigue ! Non, il ne doit pas redoubler son année. Je ne l'admettrai pas !

— Tu seras bien obligée de l'admettre si ce propre à rien travaille mal. Ah, ces mères !... Allons, laisse-moi, je dois m'occuper de... quelque chose...

Il se tourna vers la table, se pencha sur une feuille de papier et regarda de biais le rideau comme un chien qui louche vers son assiette.

— Je ne m'en irai pas, je ne m'en irai pas ! Je vois bien que je t'assomme, mais aie un peu de patience... Ecoute, papa, tu dois aller voir le professeur d'arithmétique et lui ordonner de mettre une bonne note à notre fils... Tu lui expliqueras que notre fils sait très bien l'arithmétique, qu'il a une mauvaise santé et, pour cette raison, ne peut pas faire des courbettes à tout le monde. Force-le, ce professeur. Un homme peut-il rester en quatrième ? Fais un effort, papouche ! Figure-toi, Sophia Nicolaïevna trouve que notre fils ressemble à Pâris !

— C'est très flatteur pour moi, mais je n'irai pas ! Je n'ai pas le temps de battre le pavé.

— Si, papa, tu iras !

— Je n'irai pas... C'est mon dernier mot... Allons laisse-moi, ma chérie... Je voudrais m'occuper de ce travail...

— Tu iras !

Elle s'était levée et venait de hausser le ton.

— Je n'irai pas !

— Tu iras ! cria maman, et si tu n'y vas pas, si tu n'as pas de pitié pour ton fils unique, alors...

Elle poussa un cri perçant et, d'un geste furieux de tragédienne, indiqua le rideau. Papa rougit, se troubla, se mit sans rime ni raison à fredonner une chansonnette et enleva son veston. Il perdait toujours la tête et devenait complètement idiot lorsque maman lui montrait le rideau de sa pièce. Il capitula.

On fit venir le fils et on lui demanda des explications. Le fiston se mit en colère, fronça les sourcils, se renfrogna et dit qu'en arithmétique il en savait plus long que son maître et que ce n'était pas de sa faute si, en ce bas monde, seules les filles, les richards et les lèche-bottes avaient les meilleures notes. Puis il éclata en sanglots et donna l'adresse détaillé de son professeur. Le père se rasa, promena un peigne sur sa calvitie, s'habilla convenablement et s'en alla « avoir pitié de son fils unique ».

Comme la plupart des pères de famille, il entra chez le professeur sans se faire annoncer. Que ne voit-on, que n'entend-on pas en entrant à l'improviste ? Il entendit le professeur qui disait à sa femme : « Tu me coûtes cher, Ariane ! Tes caprices n'ont pas de bornes ! » Et il entendit celle-ci qui répondit en se jetant au cou de son mari : « Pardonne-moi. Tu ne me coûtes pas cher, mais je t'apprécie à ta juste valeur. »

Papa trouva la femme du professeur très jolie et pensa que si elle avait été vêtue davantage elle aurait été moins charmante.

— Bonjour, dit papa en s'approchant des époux d'un air désinvolte et claquant des talons.

Le professeur éprouva un moment de désarroi tandis que sa femme rougit et, prompte comme l'éclair, disparut dans la chambre voisine.

— Excusez-moi, commença papa avec le sourire. Je vous ai peut-être en quelque sorte dérangé ? Je le comprends très bien. Comment va la santé ? J'ai l'honneur de me présenter. Comme vous voyez, je ne suis pas n'importe qui. Un fonctionnaire, moi aussi, ha ! ha ! ha ! Mais ne vous inquiétez pas.

Le professeur eut un léger sourire de politesse et indiqua courtoisement une chaise. Papa fit une pirouette et s'assit.

— Je suis venu, continua-t-il en faisant voir au professeur sa montre en or, causer un peu avec vous. Eh, oui ! Il faut m'excuser, je ne suis pas fort en langage savant. Chez nous, tout est à la bonne franquette ! Hi, hi. Vous avez fait vos études à l'Université ?

— Oui, à l'Université.

— Je vois... Eh, oui... Il fait chaud aujourd'hui ! Ainsi, Ivan Fédorytch, vous avez collé des mauvais points à mon gamin. Oui, oui... Ça n'a pas d'importance, vous savez. A chacun selon ses mérites ! Un tribut reste un tribut, une leçon, une leçon. N'empêche que c'est désagréable. Est-ce possible que mon fils comprenne si mal l'arithmétique ?

— Comment dire ? Ce n'est pas qu'il soit mauvais, mais, voyez-vous, il ne travaille pas. Oui, il n'est pas fort.

— Pourquoi ça ?

Le maître ouvrit de grands yeux.

— Comment, pourquoi ? dit-il. Parce qu'il n'en sait rien et ne travaille pas.

— Voyons, Ivan Fédorytch ! Mon fils travaille très bien ! Je m'en occupe moi-même... Il y passe ses nuits... Il sait tout à la perfection. Et s'il chahute un peu... C'est de son âge... Qui de nous n'a pas été jeune ? Je ne vous ai pas dérangé ?

— Pensez-vous. Je vous suis même très reconnaissant. Les parents d'élèves viennent nous voir si rarement, nous autres, professeurs. Du reste, cela prouve que vous avez entièrement confiance en nous. Or, l'essentiel en tout, c'est la confiance.

— Bien entendu... L'essentiel, c'est que nous, nous ne nous en mêlions pas. Donc, mon fils ne passera pas en troisième ?

— Non. Ce n'est pas seulement en calcul qu'il a 2 de moyenne.

— Je pourrai passer voir également les autres professeurs. Alors, en ce qui concerne l'arithmétique ? Heu, heu ! Vous arrangerez cela ?

— Je ne peux pas. (Le professeur sourit.) Je ne peux pas !... Je voulais que votre fils passe, j'ai fait tout ce que j'ai pu, mais il ne travaille pas, il est insolent... J'ai eu des ennuis avec lui, à plus d'une reprise.

— Il est jeune ! Que faire ? Mais vous irez bien jusqu'à un 3 ?...

— Je ne peux pas !

— Voyons, ce n'est pas une affaire !... Qu'est-ce que vous me racontez ? Comme si je ne savais pas ce qui est possible et ce qui ne l'est pas. C'est possible, Ivan Fédorytch.

— Je ne peux pas ! Que diraient les autres élèves qui ont la même note ! Tournez l'affaire comme vous voudrez, ce serait injuste. Parole d'honneur, je ne peux pas.

Papa cligna de l'œil.

— Vous pouvez, Ivan Fédorytch ! Ivan Fédorytch !... Assez de discours. Le jeu ne vaut pas la chandelle. Dites-moi plutôt ce qu'est, à votre avis éclairé, la justice ? Nous ne savons que trop ce qu'elle vaut, votre justice. Hé-hé-hé. Parlez sans détour, sans équivoque. Vous lui avez mis un 2 exprès. Voyons, où est la justice là-dedans ?

Le professeur ouvrit de grands yeux, et ce fut tout. Quant à savoir pourquoi il ne se fâcha pas, à tout jamais cela restera pour moi un mystère, mystère d'un cœur de professeur.

— Exprès, continuait papa. Vous attendiez une visite. Ha ! ha ! ha ! Soit, si vous voulez ! Je suis d'accord. Un tribut est un tribut. Je connais la musique. C'est beau, le progrès, mais les vieux usages sont encore les meilleurs, les plus sûrs. On donne selon ses moyens.

Papa soupira et sortit son portefeuille. Un billet de vingt-cinq roubles s'avança vers la main du professeur.

— Je vous en prie.

Le maître rougit, se ratatina... et c'est tout. Pourquoi ne montra-t-il pas la porte à papa, cela restera à tout jamais pour moi un mystère d'un cœur de professeur.

— Ne vous gênez pas, continua papa. Je comprends les choses. Quiconque prétend refuser est celui qui ne

refuse pas. Qui oserait refuser par les temps qui courent ?
Ce serait impossible, mon cher. Vous n'avez pas encore
pris le pli ! Je vous en prie...

— Non, pour l'amour de Dieu...

— C'est trop peu ? Je ne peux pas faire plus... Vous
ne les voulez pas ?

— De grâce !...

— Comme vous voudrez... Mais rectifiez quand
même le 2... J'y tiens moins que sa mère... Elle pleure,
savez-vous... Palpitations de cœur et compagnie.

— Je compatis tout à fait avec votre épouse, mais je
n'y peux rien.

— Si mon fils ne passe pas en troisième, alors...
qu'est-ce qui arrivera ? Ouais... Mais non, vous le ferez
passer !

— J'en aurais été heureux... mais je ne peux pas...
Voulez-vous une cigarette ?

— *Grand merci**. Ce ne serait pas mal de le faire
passer... Quel grade avez-vous[1] ?

— Conseiller titulaire... Du reste, vu mon poste, je
suis du huitième échelon. Hum !...

— Bon... De toute façon, nous allons nous entendre... D'un seul trait de plume, hein ? D'accord ? Hé-
hé !...

— Je ne peux pas, pour rien au monde, je ne peux
pas !

Papa se tut un petit instant, réfléchit et repartit à
l'assaut de M. le professeur. Le siège dura encore fort
longtemps. Le maître dut répéter une vingtaine de fois
son invariable « je ne peux pas ». A la fin, papa embêta
le professeur et lui devint maladivement insupportable.

---

* Les mots en italique suivis d'un astérisque sont en français dans
le texte.

1. Echelon de la hiérarchie administrative telle qu'elle avait été
organisée par Pierre le Grand. Elle comptait 14 *tchines* allant pour
les civils du grade de régistrateur de collège aux fonctions de chan-
celier de l'Empire.

Surtout quand papa se mit à l'embrasser, le pria de lui faire passer à lui un examen de calcul et lui raconta des histoires cochonnes le traitant avec familiarité. Le professeur en avait la nausée.

— Vania, il est temps que tu partes ! cria sa femme qui se trouvait dans la pièce voisine.

Papa comprit de quoi il retournait et, de sa large carrure, barra la porte à M. le professeur. A bout de forces, ce dernier se mit à geindre. Subitement, il eut l'impression d'avoir une idée géniale.

— Eh bien voilà, dit-il à papa. Je ne corrigerai la moyenne de votre fils que lorsque mes collègues en auront fait autant.

— Parole d'honneur ?

— Oui, je rectifierai sa note à condition qu'ils le fassent.

— A la bonne heure ! Votre main ! Vous êtes un chic type ! Je leur dirai que vous avez déjà corrigé la note. L'affaire est dans le sac ! Je paye une bouteille de champagne. Et quand est-ce que je peux les trouver chez eux ?

— Mais tout de suite.

— Maintenant, bien entendu, nous restons amis. Passez donc un de ces jours en toute simplicité.

— Avec plaisir. Au revoir.

— *Au revoir**. Hé-hé-hé... hum !... Oh ! jeune homme, jeune homme ! Adieu ! Je transmettrai à messieurs vos collègues vos bons souvenirs, comptez sur moi. Mes respectueux hommages à votre femme. Passez nous voir !

Papa claqua les talons, mit son chapeau et disparut.

« Un brave homme, songea le professeur suivant des yeux papa qui s'en allait. Un brave homme, le cœur sur la main. Simple et bon, ça saute aux yeux... J'aime ce genre de personnages. »

Le soir même, maman était de nouveau assise sur les genoux de papa (où devait lui succéder la femme de chambre). Il lui assurait que « notre fils » passerait en troisième et que les hommes de sciences, on arrivait à les convaincre à l'aide moins de l'argent qu'avec de jolies manières et en leur serrant bien poliment la gorge.

MON JUBILÉ

Adolescents et Adolescentes !

J'ai senti voici trois ans s'allumer en moi la même flamme sacrée qui fit enchaîner Prométhée à son rocher... Cela fait trois ans que d'une main généreuse j'expédie aux quatre coins de mon immense patrie des œuvres nées dans le purgatoire de la flamme sus-nommée. J'ai écrit en vers et en prose, je me suis adonné à tous les genres et à tous les rythmes, gratuitement ou moyennant finances, j'ai écrit à tous les journaux et revues mais... hélas ! ! !... Les envieux ont trouvé bon de ne pas publier mes écrits ou de les faire passer au meilleur des cas dans le « courrier des lecteurs ». J'ai semé une cinquantaine de timbres dans *La Glèbe*, j'en ai noyé une centaine dans *La Néva*, il y en a des dizaines qui ont été consumés par *Le Flambeau*, cinq cents qui se sont égarés dans *La Libellule*. Bref, les réponses que j'ai reçues des rédactions depuis le début de mon activité littéraire jusqu'à ce jour atteignent exactement le chiffre de deux mille. J'ai reçu hier la dernière en date et son contenu ne diffère en rien de toutes les autres... Aucune ne contient l'ombre d'un encouragement. Adolescents et adolescentes ! Le prix de chacun de mes envois a été d'au moins dix kopecks ; par conséquent, mon passé littéraire m'a coûté environ deux cents roubles. Deux cents roubles, le prix d'un cheval !

Dire que mon revenu annuel n'est que de huit cents ! Tâchez de comprendre ! J'ai dû crever de faim pour célébrer la nature, l'amour, la beauté féminine, pour décocher des flèches empoisonnées contre la cupidité de l'orgueilleuse Albion, pour faire partager ma flamme à ces Messieurs, les auteurs des réponses négatives... Oui, deux mille réponses, plus de deux cents roubles dépensés, et pas un seul encouragement ! Cela donne matière à réflexion. Adolescents et adolescentes, je célèbre aujourd'hui la réception de la deux millième réponse, je lève ma coupe à la fin de mon activité littéraire et à mon repos sur les lauriers. Faites-moi connaître un homme qui ait reçu en trois ans autant de refus ou érigez pour ma personne un piédestal indestructible !

MILLE ET UNE PASSIONS
OU LA NUIT TERRIBLE

ROMAN EN UNE PARTIE ET UN ÉPILOGUE

Dédié à Victor Hugo

Minuit sonnait à la Tour des Cinq Cent Quarante-Six Martyrs. Je frissonnai. Le moment était venu. Je saisis fébrilement Théodore par la main et nous sortîmes dans la rue. Le ciel était sombre comme l'encre d'imprimerie. Il faisait noir comme dans un chapeau enfoncé sur la tête. La nuit, c'est le jour entouré d'une coquille de noix. Nous nous enveloppâmes dans nos capes et partîmes. Un vent violent nous transperçait. La pluie et la neige — ces frères humides — nous frappaient douloureusement la figure. Bien que nous fussions en hiver, les éclairs sillonnaient le ciel dans toutes les directions. Le tonnerre, ce terrible et majestueux compagnon de l'éclair qui est charmant comme le battement de charmants yeux bleus et rapide comme la pensée, ébranlait les airs de son grondement plein d'épouvante. Les oreilles de Théodore s'illuminèrent d'étincelles électriques. Les feux de Saint-Elme passaient en pétillant au-dessus de nos têtes... Je regardai en l'air. Je frémis. Qui donc ne frémirait devant la majesté de la nature ? Des météores brillants traversaient le ciel. Je me mis à les compter et j'en dénombrai vingt-huit. Je les indiquai à Théodore. « Mauvais présage ! » marmotta-t-il, pâle comme une statue en marbre de Carrare. Le vent gémissait, hurlait, sanglotait. Le gémissement du vent, c'est la plainte d'une conscience sombrée dans des crimes épouvantables. Près de nous, détruite par la foudre, flambait une maison de huit étages. J'entendais les cris qui s'en échappaient. Nous passâmes. Que m'importait cette maison en flammes quand il en brûlait cent cinquante dans ma poitrine ? Quelque part dans l'espace résonnait le son d'une cloche, lugubre, lent, monotone. Les éléments étaient en lutte. Des forces inconnues se conjuguaient, semblait-il, pour produire l'effrayante harmonie de la nature. Quelles étaient ces forces ? L'homme le saura-t-il un jour ?

Quel rêve craintif mais téméraire ! ! !

Nous hélâmes un cocher. Dès que nous fûmes montés la voiture s'élança. Le cocher est le frère du vent. Nous allions comme la pensée hardie vole à travers les mystérieuses circonvolutions du cerveau. Je glissai une bourse d'or dans la main du cocher. L'or aida le fouet à doubler la vitesse des sabots du cheval.

— Où m'emmènes-tu, Antonio ? gémit Théodore. Tu as l'air d'un mauvais génie... L'enfer brille dans tes yeux noirs... Je commence à avoir peur...

Misérable lâche ! ! ! Je répondis par le silence. Il éprouvait de l'amour pour *elle*. *Elle* l'aimait passionnément. Je devais le tuer parce que je l'aimais, elle, plus que la vie. Elle avait mon amour, lui, je lui réservais ma haine. Il devait mourir en cette nuit terrible, payant son amour par la mort. L'amour et la haine bouillonnaient en moi. Ils faisaient partie de ma personne. Ces deux sœurs, lorsqu'elles vivent sous la même enveloppe, dévastent tout sur leur passage, ce sont des vandales spirituels.

— Arrête, dis-je au cocher quand la voiture arriva au but.

Théodore et moi sautâmes à terre. La lune nous regarda froidement à travers les nuages, elle qui assiste impartiale et silencieuse aux doux instants d'amour et de vengeance, elle qui devait être le témoin de la mort d'un de nous deux. Devant nous s'ouvrait un gouffre, un précipice sans fond comme le tonneau des filles criminelles de Danaé. Nous nous tenions sur le bord du cratère d'un volcan éteint. A son propos, d'effroyables légendes courent parmi les populations. Je fis un mouvement du genou et Théodore disparut dans l'horrible gouffre. Le cratère du volcan est l'antre de la terre.

— Que tu sois damné ! ! cria-t-il en réponse à ma malédiction.

Un homme fort qui, pour les beaux yeux d'une femme, précipite son ennemi dans le cratère d'un volcan est un tableau sublime, grandiose et instructif ! Il ne manquait que la lave !

Passons au cocher. Le cocher est une statue érigée en l'honneur de l'ignorance par le destin. Loin de nous la routine ! Le cocher suivit Théodore. J'eus le sentiment que seul l'amour demeurait dans mon cœur. Je tombai la face contre terre et je me mis à pleurer d'extase. Les larmes d'extase sont le produit d'une réaction divine dans les profondeurs d'un cœur amoureux. Les chevaux hennissaient gaiement. Qu'il est pénible d'être inhumain ! Je les libérai de leur douloureuse existence animale. Je les tuai. La mort est à la fois la chaîne de l'esclavage et l'affranchissement.

J'entrai à l'auberge de *L'Hippopotame violet* et bus cinq verres de bon vin.

Trois heures après la vengeance, j'étais à l'entrée de « son » appartement. Un poignard, ami de la mort, m'avait aidé à atteindre sa porte en enjambant les cadavres. Je tendis l'oreille. Elle ne dormait pas. Elle rêvait. J'écoutai. Elle était silencieuse. Son silence dura quatre heures. Pour un amoureux, quatre heures valent quatre dix-neuvièmes siècles. Enfin, elle appela la femme de chambre. Celle-ci passa devant moi. Je lui lançai un coup d'œil démoniaque. Elle surprit mon regard. Sa raison l'abandonna. Je la tuai. Mieux vaut mourir que vivre fou.

— Annette ! cria ma bien-aimée. Pourquoi Théodore ne vient-il pas ? L'angoisse ronge mon cœur. Un lourd pressentiment m'oppresse. Ô Annette ! Va le chercher ! Il est certainement en train de faire la fête avec ce terrible mécréant d'Antonio !... Dieu, que vois-je ? Antonio !

J'entrai. Elle pâlit...

— Allez-vous-en ! s'écria-t-elle, et l'effroi déforma ses beaux et nobles traits.

Je la contemplai. Le regard est le glaive de l'âme. Elle chancela. Dans mes yeux, elle avait tout aperçu : la mort de Théodore, la passion démoniaque, et mille désirs humains... Mon attitude était pleine de grandeur. L'électricité scintillait dans mes prunelles. Mes cheveux s'agitaient et se dressaient sur ma tête. Elle voyait devant elle le démon dans son enveloppe terrestre. Je compris qu'elle m'admirait. Un silence sépulcral et une contemplation mutuelle durèrent quatre heures. Le tonnerre gronda et elle se laissa choir sur ma poitrine. La poitrine de l'homme est la forteresse de la femme. Je la serrai dans mes bras. Nous poussâmes tous deux un cri. Ses os craquèrent. Un courant galvanique parcourut nos corps. Un baiser ardent...

Elle fut séduite en moi par le démon. J'aurais voulu qu'en ma personne elle aimât l'ange. « Je donnerai un million et demi de francs aux pauvres ! » dis-je. Elle aima l'ange et se mit à pleurer. Je pleurai aussi. Oh, ces larmes ! ! ! Un mois après, on célébrait notre union solennelle en l'église de Saint-Titus-et-Hortense. Je m'unis à elle. Elle s'unit à moi. Les pauvres nous bénissaient. Elle me supplia de pardonner à mes ennemis que j'avais préalablement tués. Je pardonnai... Je partis pour l'Amérique avec ma jeune épouse. Femme jeune et aimante, elle fut un ange dans les forêts vierges de l'Amérique, un ange devant lequel s'inclinaient tigres et lions. Moi-même, j'étais un jeune tigre. Trois ans après notre mariage, le vieux Sam prenait déjà soin d'un gamin bouclé. L'enfant ressemblait davantage à sa mère qu'à moi. Cela m'irritait. Hier est né un deuxième fils... et je me suis pendu de joie... Mon deuxième fils tend les bras aux lecteurs et leur demande de ne pas croire son papa, parce que ce dernier ne manque pas seulement d'enfant, mais n'a même pas d'épouse. Son papa redoute le mariage autant que le feu. Mon fils ne ment pas. C'est un enfant. Croyez-le. L'enfance est un âge sacré. Rien de tout cela n'est jamais arrivé... Bonne nuit.

POUR DES POMMES

Entre le Pont-Euxin et Solovki, sous le degré de longitude et de latitude correspondant, vit depuis toujours, sur ses terres fertiles, le petit propriétaire Trifon Sémionovitch. Son nom de famille est long comme le terme « physico-entomologiste » et provient d'un mot latin fort sonore qui désigne une des innombrables vertus de l'espèce humaine. La superficie de ses terres est de trois mille déciatines[1]. La propriété, car c'est une propriété comme lui est un propriétaire, est hypothéquée et mise en vente. Cette opération, commencée quand il n'avait encore aucune trace de calvitie, traîne toujours et, grâce à la crédulité d'une banque et à la débrouillardise de l'intéressé, se présente sous les plus mauvais auspices. Cette banque finira un jour par sauter, car Trifon Sémionovitch, semblable en cela à ses pareils, dont le nom est légion, a emprunté des roubles mais ne paie pas les intérêts ; s'il lui arrive de le faire, il y met autant de cérémonies que les bonnes gens qui donnent un kopeck pour le repos d'une âme et la construction d'une église. Si ce monde n'était pas ce qu'il est, et qu'on désignât les choses par leur nom, Trifon Sémionovitch ne s'appellerait pas Trifon

1. Une *déciatine* égale un hectare.

40

Sémionovitch, mais Skotina ; on le nommerait de la même façon que les chevaux et les vaches[1]. A dire vrai, c'est une brute de premier ordre. Je l'engage à en convenir lui-même. Si cette suggestion lui parvient (il lit parfois *La Libellule*), il ne se fâchera sans doute pas, car, étant un homme compréhensif, il sera pleinement d'accord avec moi ; peut-être même m'enverra-t-il, par bonté d'âme, l'automne venu, une dizaine de pommes reinettes pour me remercier de ne pas avoir étalé au grand jour son interminable nom de famille et de m'être borné cette fois à ses seuls prénoms et patronyme. Je ne parlerai pas de toutes ses vertus : c'est une longue histoire. Pour faire le tour de Trifon Sémionovitch, tête et pieds compris, il faudrait passer autant de temps qu'il en a fallu à Eugène Sue pour écrire son *Juif errant*, bien long et bien épais. Je ne parlerai pas de ses façons de tricher à la préférence, ni de sa politique, grâce à laquelle il ne paie ni dettes ni intérêts, je ne parlerai pas des tours qu'il joue au pope et au sacristain, ni même de ses chevauchées à travers le village en un costume de l'époque d'Adam et d'Abel ; je me bornerai à décrire une petite scène qui caractérise son attitude envers les gens à la louange desquels, guidé par trois quarts de siècle d'expérience, il avait inventé ce proverbe : « Marauds, gros nigauds, corniauds, pauvres sots perdent même aux dominos. »

Par une matinée splendide à tous égards (on était à la fin de l'été), Trifon Sémionovitch se promenait dans les allées longues et courtes de son parc luxuriant. Tout ce qui inspire Messieurs les poètes était répandu à foison autour de lui, d'une main généreuse, et semblait dire et chanter : « Sers-toi, homme ! Délecte-toi tant que l'automne n'a pas commencé ! » Mais Trifon Sémionovitch ne jouissait de rien, parce qu'il est loin d'être poète et que de plus, ce matin-là, son âme était profondément plongée dans un engour-

1. *Skotina* veut dire « brute » ou « bête de somme ».

dissement glacial, ce qui lui arrivait chaque fois qu'il avait éprouvé des pertes. Il était suivi par Karpouchka, son fidèle serviteur, petit bonhomme d'une soixantaine d'années qui jetait des coups d'œil furtifs de tous les côtés. C'est tout juste si, à en juger par ses vertus, Karpouchka ne surpassait Trifon Sémionovitch lui-même. Il cirait les bottes à la perfection, pendait encore mieux les chiens errants, chapardait et n'avait pas son pareil pour l'espionnage. Tout le village l'appelait selon l'expression du secrétaire de mairie « le garde-chiourme ». Il ne se passait guère de journée sans que paysans et voisins ne vinssent se plaindre au maître des us et coutumes de Karpouchka, mais ces plaintes restaient sans effet parce que cet homme était irremplaçable. Quand il allait se promener, Trifon Sémionovitch emmenait son fidèle Karp, ce qui rendait la promenade plus sûre et plus gaie. Karpouchka était une inépuisable source de toute sorte de récits, de bons mots, de fables, et ne savait pas se taire. Il avait toujours une aventure à raconter et ne s'interrompait que pour écouter quelque chose d'intéressant. Ce matin-là, il marchait derrière son maître et lui débitait une longue histoire où il était question de deux lycéens en casquettes blanches qui, passant en voiture devant le parc armés de leurs fusils, l'avaient prié lui, Karpouchka, de les autoriser à y chasser, avaient tenté de le soudoyer avec une pièce de cinquante kopecks, mais lui, qui connaissait bien son maître, avait refusé cette pièce avec indignation et lancé les chiens Kachtan et Sérok sur les deux lycéens. L'histoire achevée, il allait se mettre à dépeindre d'une façon haute en couleur l'existence révoltante de l'aide-médecin du village, mais il ne put y arriver car d'un emmêlement de pommiers et de poiriers, un bruit suspect parvint à ses oreilles. Karpouchka retint sa langue et dressa l'oreille. Il constata qu'en fait un bruit résonnait et qu'il était suspect. Il tira Trifon Sémionovitch par le pan de sa redingote et partit comme un trait en direction du verger. Son patron, qui savourait d'avance un esclandre, s'anima, tricota de ses petites jambes de vieillard et courut sur les traces de Karp. Le spectacle en valait la peine...

En bordure du jardin, sous un vénérable pommier branchu, une jeune paysanne mâchait quelque chose ; à genoux, à côté d'elle, un jeune gaillard aux larges épaules ramassait par terre des pommes que le vent avait fait tomber ; il jetait les vertes dans les buissons et, de sa large main grisâtre, présentait gentiment les fruits mûrs à sa dulcinée. Dulcinée ne manifestait apparemment aucune crainte pour son estomac : elle mangeait les pommes sans s'interrompre et de bon appétit, tandis que le garçon les ramassait à quatre pattes, préoccupé uniquement par sa belle.

— Si tu en prenais une sur l'arbre ! le provoqua-t-elle à voix basse.

— J'ai peur.

— Peur de quoi ? Le garde-chiourme est sûrement au bistrot.

Il se redressa, sauta en l'air, cueillit une pomme et la tendit à la jeune fille. Mais, tout comme jadis à Adam et Eve, cette pomme ne leur porta pas bonheur. A peine venait-elle d'en mordre un morceau et de le donner au garçon, à peine avaient-ils senti sur la langue la saveur aigrelette du fruit, que leurs visages se contractèrent, s'allongèrent, blémirent... non pas que la pomme fût acide, mais parce qu'ils aperçurent devant eux la mine patibulaire de Trifon Sémionovitch et le museau de Karpouchka au sourire perfide.

— Bonjour, mes pigeons ! dit Trifon Sémionovitch en s'approchant du jeune couple. Alors on mange des pommes ? Je ne vous dérange pas ?

Le gars enleva son bonnet et baissa la tête. La fille se mit à étudier son tablier.

— Eh bien, comment te portes-tu, Grigori ? dit Trifon Sémionovitch se tournant vers le garçon. Qu'est-ce que tu deviens, mon petit gars ?

— J'en ai pris une seule, bredouilla le garçon. Elle était par terre.

— Et toi, ma belle, dit le vieux en s'adressant à la jeune fille, comment va la santé ?

Elle s'appliqua encore davantage à l'examen de son tablier.

— Alors, et ce mariage, il n'a pas encore eu lieu ?

— Pas encore... Mais je le jure, Monsieur, nous n'en avons pris qu'une seule, et encore... comme ça...

— Bon, bon. Bravo. Tu sais lire ?

— Non... mais je vous le jure, Monsieur, on n'en a pris qu'une et encore, par terre.

— Tu ne sais pas lire, mais tu sais voler. C'est déjà quelque chose. Le savoir ne pèse pas lourd sur les épaules. Il y a longtemps que tu t'es mis à voler ?

— Mais est-ce que j'ai volé ?

— Et ta charmante fiancée, fit Karpouchka, pourquoi est-ce qu'elle réfléchit si tristement ? Serait-ce que tu l'aimes mal ?

— Silence, Karp, fit Trifon Sémionovitch. Eh bien, Grigori, raconte-nous un conte...

Le gars toussota et sourit.

— Je n'en connais pas, Monsieur, dit-il. Est-ce que j'en ai besoin, moi, de vos pommes ? Je peux en acheter si j'en ai envie.

— Enchanté, mon cher, que tu aies tant d'argent. Voyons, raconte-nous un conte à ton choix. Je t'écouterai, Karp aussi, et ta jolie fiancée en fera autant. Ne te trouble pas, courage ! Un voleur doit avoir du cran ! Pas vrai, mon ami ?

Et Trifon Sémionovitch fixa le fautif de ses yeux sournois. La sueur perla sur le front du jeune homme.

— Forcez-le plutôt à chanter, Monsieur. Est-ce qu'il sait raconter des contes, cet idiot ? chevrota Karp de sa vilaine voix de ténor.

— Silence, Karp, un conte d'abord. Vas-y, mon cher !

— Je ne sais pas raconter.

— C'est vrai que tu ne sais pas ? Mais pour ce qui est de voler, tu sais le faire. Que dit le huitième commandement ?

— Que me demandez-vous ? Est-ce que je sais ? Je vous le jure, Monsieur, nous n'avons mangé qu'une seule pomme et encore elle était par terre...

— Un conte !

Karp se mit à arracher des orties. Le jeune gars en comprit parfaitement la raison. Comme tous ses pareils, Trifon Sémionovitch se faisait fort bien justice à lui-même. Il enfermait le voleur dans une cave pendant vingt-quatre heures, ou bien il le fouettait avec des orties, ou encore lui rendait la liberté après l'avoir entièrement dévêtu... C'est du nouveau pour vous ? Pourtant il existe des gens et des lieux où ces usages sont habituels et vieux comme le monde. Grigori loucha du côté des orties, se tortilla, toussota et entreprit le récit d'un conte qu'il ânonnait plus qu'il ne le racontait. Il suait, toussait, se mouchait sans arrêt, tout en racontant comment jadis les preux russes pourfendaient les fantômes et épousaient de belles jeunes filles. Debout, Trifon Sémionovitch l'écoutait sans le quitter des yeux.

— Assez ! fit-il quand, vers la fin, le gars commença à s'embrouiller et à bafouiller. Tu racontes bien, mais tu voles encore mieux. (Puis, se tournant vers la jeune fille :) Voyons un peu, ma belle, récite donc *Notre Père* !

Elle rougit et, la respiration coupée, récita son *Pater* d'une voix qu'on entendait à peine.

— Voyons, que dit le huitième commandement ?

— Vous pensez que nous en avons pris beaucoup, pas vrai ? demanda le garçon avec un geste désespéré. Je jure sur la croix si vous ne me croyez pas !...

— C'est mal, mes petits amis, de ne pas savoir les commandements. Il vous faut une leçon. Ma belle, c'est bien lui qui t'a appris à voler ? Pourquoi ce silence, mon ange ? Il faut répondre. Parle ! Tu te tais ? Le silence est un aveu. Eh bien, ma belle, bats ton amoureux pour t'avoir appris à voler !

— Je ne le ferai pas, murmura-t-elle.

— Bats-le un peu. Il faut dresser les idiots. Bats-le, ma douce ! Tu ne veux pas ? Eh bien, je vais donner l'ordre à Karp et à Matvéï de te faire tâter des orties... Tu ne veux pas ?

— Non !

— Karp, viens ici !

La jeune fille se jeta à corps perdu vers le garçon et lui donna une gifle... Le garçon sourit d'un air stupide et éclata en sanglots.

— Bravo, ma belle ! A présent, tire-lui les cheveux ! Vas-y carrément, ma douce ! Tu ne veux pas ? Karp, viens ici !

Elle saisit son fiancé par les cheveux.

— Ne te cramponne pas, ça lui fait davantage mal ! Tire !

Elle obéit. Karp, fou de joie, riait à gorge déployée.

— Assez ! dit Trifon Sémionovitch. Merci, ma petite, d'avoir châtié le mal. Maintenant, fit-il en s'adressant au garçon, donne une leçon à ta promise... Elle t'a rossé, à présent c'est ton tour...

— Qu'allez-vous imaginer là, Monsieur... Pourquoi vais-je la battre ?

— Comment, pourquoi ? Elle t'a bien battu ? C'est ton tour ! Ça lui fera du bien. Tu refuses ? Dommage. Karp, appelle Matvéï !

Le garçon se racla la gorge, cracha, saisit la tresse de sa fiancée et se mit à châtier le mal. Tout en le faisant, il se laissa malgré lui entraîner par l'action et oublia qu'il ne battait pas Trifon Sémionovitch mais sa fiancée. Elle hurlait. Il la battit longtemps. Je ne sais pas comment toute cette histoire se serait terminée, si la fille de Trifon Sémionovitch, la jolie Sachenka, n'avait surgi de derrière les buissons.

— Papa, viens prendre ton thé, cria-t-elle, et elle éclata de rire à la vue de la farce imaginée par son père.

— Assez ! s'exclama Trifon Sémionovitch. Vous pouvez disposer, mes pigeons. Adieu ! Je vous enverrai des pommes pour votre mariage.

Et il salua poliment le couple qu'il avait châtié.

Le garçon et la fille rajustèrent leurs vêtements et s'en allèrent. Le jeune homme tourna à droite et la jeune fille à gauche... Ils ne se sont jamais revus. Si Sachenka n'était arrivée à temps, qui sait, le garçon et sa fiancée auraient sans doute goûté aux orties... Ainsi s'amuse Trifon Sémionovitch sur ses vieux jours. Sa petite famille avance sur ses traces. Ses filles ont l'habitude d'accrocher des oignons au bonnet des hôtes de « basse origine » et d'écrire à la craie dans leur dos, s'ils ont bu, le mot « âne » ou « crétin ». Quant à Mitia, son rejeton, sous-lieutenant en retraite, un hiver il a même dépassé son papa ; il a badigeonné de goudron le portail d'un vieux soldat qui n'avait pas voulu lui faire cadeau d'un louveteau et qui avait soi-disant mis ses filles en garde contre les pains d'épice et les bonbons que M. le sous-lieutenant en retraite venait leur apporter.

Après cela, appelez donc Trifon Sémionovitch par son nom !

AVANT LA NOCE

Jeudi dernier, au domicile de ses honorables parents, la demoiselle Podzatylkine devenait la fiancée du jeune fonctionnaire Nazariev. Les accordailles se déroulèrent au mieux. On vida deux bouteilles de champagne de Lanine et deux seaux et demi de vodka ; les demoiselles burent une bouteille de château-lafite. Les papas et les mamans des fiancés pleurèrent en temps voulu, les futurs s'embrassèrent sans se faire prier ; un lycéen de première prononça avec brio un discours où entraient les mots : *O tempora, o mores !*[1] et *Salvete, boni futuri conjuges*[2]. Le rouquin Vanka Smyslomalov, qui s'adonnait à l'oisiveté complète en attendant l'heure du service militaire, manifesta au bon moment une attitude tragique : les cheveux en bataille sur sa grosse tête, il asséna un grand coup de poing sur son genou et s'exclama : « Crénom ! je l'aimais et je l'aime encore ! » ce qui causa aux jeunes filles un plaisir extrême.

La demoiselle Podzatylkine n'est remarquable que par le fait de n'avoir rien de remarquable. Son intelligence, personne ne l'a vue, personne ne la connaît, aussi n'en parlerons-nous pas. Son aspect est des plus communs : elle a le nez de son papa, le menton de sa

1. Ô temps, ô mœurs !
2. Vivent les futurs bons époux !

48

maman, des yeux de chat, une poitrine quelconque. Elle joue du piano, mais sans notes, aide sa maman à faire la cuisine, porte toujours un corset, ne peut faire maigre, place l'alpha et l'oméga du savoir dans l'assimilation de l'orthographe et aime par-dessus tout les hommes bien faits et le prénom de « Roland ».

M. Nazariev est de taille moyenne, a un visage blême et dénué d'expression, des cheveux crépus et la nuque plate. Il est employé quelque part et touche des appointements dérisoires qui suffisent tout juste à payer son tabac ; il sent la savonnette aux œufs et le phénol, se prend pour un irrésistible don Juan, parle fort, semble éternellement ébahi et postillonne en parlant. Il a grand soin de sa mise, considère ses parents de haut et ne laisse passer aucune jeune fille sans lui dire : « Comme vous êtes naïve ! Vous devriez lire de la littérature ! » Par-dessus tout, il aime son écriture, la revue *Divertissement*, les bottes qui craquent, mais plus encore sa propre personne, surtout au moment où, entouré de jeunes filles, il boit du thé bien sucré et nie avec véhémence l'existence des démons.

Tels étaient la demoiselle Podzatylkine et M. Nazariev.

Le lendemain des accordailles, la demoiselle, à peine levée, fut appelée chez sa mère par la cuisinière. La maman, encore au lit, lui adressa le sermon suivant :

— En quel honneur as-tu mis aujourd'hui ta robe de lainage ? Aujourd'hui, tu n'avais qu'à mettre ta robe de barège. J'ai un affreux mal de tête ! Hier soir, ce singe pelé, je veux dire ton père, était en veine de plaisanterie. J'avais bien besoin de ses blagues stupides. Il m'apporte quelque chose dans un verre... « Bois ! » qu'il dit. J'ai cru que c'était du vin et j'ai bu, mais c'était du vinaigre avec de l'huile où avaient mariné des harengs. Il plaisantait, ce mufle d'ivrogne ! Il ne sait que vous faire honte, le baveux ! Je suis fort surprise et étonnée de t'avoir vue hier toute joyeuse : tu n'as même pas pleuré.

Qu'est-ce qui te réjouissait ? Aurais-tu trouvé un magot ? Je n'en reviens pas. Tout le monde a pensé que tu étais heureuse de quitter la maison paternelle. Il faut croire que c'est vrai. Comment ? L'amour ? Il s'agit bien d'amour ! Ce n'est pas par amour que tu l'épouses, tu cours tout simplement après son grade ! Quoi, ce n'est pas vrai ? C'est bien la vérité. Quant à moi, ma petite, il ne me plaît pas, ton futur. Il est trop arrogant et il se donne des airs. Rabats-lui un peu le caquet. Q-uoi-oi-oi ? Qu'est-ce que tu te figures ? Dans un mois vous allez vous battre ; vous êtes ainsi faits tous les deux. Le mariage ne séduit que les jeunes filles, il n'a rien de bon. J'ai passé par là, j'en sais quelque chose. Tu le verras par toi-même. Ne te tortille pas comme ça, j'ai la tête qui tourne sans toi ! Tous les hommes sont des imbéciles et ce n'est pas drôle de vivre avec eux. Il a beau fanfaronner, le tien est un imbécile comme les autres. Ne lui obéis pas trop, ne suis pas ses caprices et ne le respecte pas outre mesure, il n'y a pas de quoi. Demande toujours conseil à ta mère. Qu'il arrive la moindre des choses, viens me trouver. Ne fais rien sans ta mère, que Dieu t'en garde ! Ton mari ne te donnera pas de bons conseils, il ne t'apprendra rien de propre et ne pensera qu'à son profit. Sache-le ! Ton père, ne l'écoute pas trop non plus. Ne lui propose pas de venir habiter chez toi ; tu es bien capable de faire cette sottise. Il n'a qu'une idée en tête : vous exploiter. Il restera chez vous du matin au soir : à quoi cela vous avance-t-il ? Il réclamera de la vodka et fumera le tabac de ton mari. Il a beau être ton père, c'est un homme mauvais et dangereux. Il a un bon visage, le propre à rien, mais une âme perfide. S'il essaye de vous emprunter de l'argent, ne lui en donnez pas : tout fonctionnaire qu'il est, c'est un filou. Le voilà justement qui crie, il t'appelle. Vas-y ! Mais ne lui répète pas ce que je viens de te dire sur son compte. Sinon, il va venir me tarabuster, ce rebut de la chrétienté, que la peste l'étouffe ! Va,

tant que j'ai le cœur en place. Vous êtes mes ennemis !
Quand je serai morte, vous vous souviendrez de mes
paroles ! Bourreaux !

La demoiselle Podzatylkine quitta sa mère et se dirigea vers la chambre de son père qui, assis sur le lit, sau-
poudrait son oreiller d'insecticide.

— Ma fille ! lui dit le papa. Je suis heureux que tu
sois décidée à convoler avec un homme aussi intelligent
que M. Nazariev, j'en suis très heureux et j'approuve
entièrement ce mariage... Epouse-le, mon enfant, et ne
crains rien ! Le mariage est un acte si solennel que... à
quoi bon s'étendre là-dessus ? Vivez, croissez, multi-
pliez-vous ! Que Dieu te bénisse ! Je me... je... pleure.
Du reste, les larmes ne mènent à rien. Qu'est-ce que les
larmes humaines ? Une lâche psychiatrie et rien d'autre !
Ecoute mon conseil, ma fille ! N'oublie pas tes parents !
Pour toi, un mari ne sera pas meilleur que des parents,
crois-moi ! Il ne tient qu'à ta beauté matérielle, tandis qu'à
nous, tu nous plais tout entière. Pourquoi ton mari
t'aimera-t-il ? Pour ton caractère ? Pour ta bonté ? Pour la
beauté des sentiments ? Non ! Il t'aimera pour ta dot.
C'est que nous ne te donnons pas quelques sous, ma
petite fille, mais mille roubles bien comptés ! Tu dois
t'en rendre compte ! M. Nazariev est un très gentil
monsieur, mais ne va pas le respecter plus que ton
père. Il s'accrochera à toi mais il ne sera pas ton véritable ami. Il y aura des moments où il... Non, ma fille,
j'aime mieux me taire. Ecoute ta mère, mon enfant,
mais avec circonspection. C'est une brave femme, mais
un faux-jeton, une forte tête, une frivole et une minau-
dière. Elle est distinguée et honnête, mais... que le diable l'emporte ! Elle ne peut pas te donner les conseils
que te donne ton père, l'auteur de tes jours. Ne la prends
pas chez toi. Les maris n'adorent pas les belles-mères.
Même moi, je n'aimais pas la mienne, je l'aimais si peu
que je lui ai mis plus d'une fois du liège grillé dans son
café, ce qui donnait lieu à des démonstrations d'assez

haute qualité. A cause de sa belle-mère le sous-lieutenant Zumboumbountchikov a été déféré au tribunal militaire. Tu ne te souviens pas de cette histoire ? Du reste, tu n'étais pas encore née. Le plus important, toujours et partout, c'est le père. Sache-le et n'écoute que lui. Ensuite, ma fille... La civilisation européenne a créé parmi les femmes une opposition, comme quoi plus elles ont d'enfants, plus ça va mal. Mensonges ! Balivernes ! Plus les parents ont d'enfants, mieux ça vaut. D'ailleurs, non ! Ce n'est pas ça. C'est le contraire ! Je me suis trompé, mon âme ! Moins il y a d'enfants, mieux ça vaut. Je l'ai lu hier dans un article de journal. C'est un certain Malthus qui l'a inventé. Voilà. Quelqu'un vient d'arriver... Tiens ! Mais, c'est ton fiancé ! Il a du chic, la canaille, le coquin ! Quel homme ! Un véritable Walter Scott ! Va le recevoir, petite, pendant que je m'habille !

M. Nazariev était venu en voiture. La fiancée l'accueillit et lui dit :

— Asseyez-vous sans façon !

Il claqua deux fois du talon droit et s'assit à côté d'elle.

— Comment allez-vous ? dit-il avec sa désinvolture habituelle. Avez-vous bien dormi ? Savez-vous que je n'ai pas fermé l'œil de la nuit. Je lisais Zola et je rêvais à vous. Avez-vous lu Zola ? Non ? Est-ce possible ! Sapristi ! Mais c'est un crime ! Il m'a été prêté par un ami fonctionnaire. Il écrit richement ! Je vous le donnerai à lire. Ah ! si vous pouviez comprendre. J'éprouve des sentiments comme vous n'en avez jamais ressenti. Permettez-moi de vous donner un petit baiser.

M. Nazariev se souleva et posa un baiser sur la lèvre inférieure de la demoiselle Podzatylkine.

— Où sont les vôtres ? continua-t-il avec encore plus de désinvolture. Il faut que je les voie. J'avoue que je suis un peu fâché contre eux. Ils m'ont sérieusement roulé. Notez-le... Votre papa m'avait dit qu'il était conseiller à la cour, mais je m'aperçois à présent qu'il est en tout et pour tout conseiller titulaire. Hum... Est-ce que c'est permis ? Puis... Il était question d'une dot de quinze cents roubles, mais votre maman m'a dit hier que je ne toucherai pas plus de mille. N'est-ce pas un tour de cochon ? Les Circassiens sont un peuple sanguinaire et pourtant même eux n'agissent pas ainsi. Je ne permettrai pas qu'on me roule ! Qu'on fasse ce qu'on veut mais qu'on ne touche pas à ma dignité et à mon désintéressement. Ce n'est pas civilisé ! Ce n'est pas rationnel ! Je suis honnête, je ne peux donc souffrir les gens malhonnêtes. J'admets tout, mais je n'aime pas qu'on triche, ni qu'on essaye de m'avoir : avant tout, la conscience ! Pas vrai ? Leurs figures elles-mêmes ont quelque chose de mal dégrossi. Qu'est-ce que c'est comme figures ? Ce ne sont pas des figures humaines ! Excusez-moi, mais je n'éprouve aucun sentiment filial à leur égard. Dès que nous serons mariés, nous les mettrons au pas. Je n'aime pas l'insolence et la barbarie ! Je ne suis ni cynique ni sceptique, mais je m'y connais en instruction. Nous les mettrons au pas ! Mes parents à moi, il y a longtemps qu'ils l'ont bouclé. Vous avez déjà pris votre café ? Non ? Alors je vais en prendre avec vous. Allez me chercher du tabac pour rouler une cigarette, j'ai oublié le mien à la maison.

La fiancée sortit.

C'était avant la noce... Quant à la suite des événements... les prophètes et les somnambules ne sont pas seuls à les connaître.

1881
LA SAINT-PIERRE

Il était là, le matin tant désiré, le jour dont on rêvait depuis si longtemps — hourra, messieurs les chasseurs ! — le 29 juin était arrivé... C'était un de ces jours qui font oublier les dettes, les hannetons, le prix exorbitant des denrées alimentaires, les belles-mères et même les jeunes épouses, un de ces jours où l'on peut faire un pied de nez à M. le chef de la police qui interdit l'usage des armes à feu...

Les étoiles pâlissaient et s'estompaient... De-ci, de-là, retentirent des voix. Les cheminées du village crachèrent une fumée âcre et bleutée. Le sacristain à moitié endormi monta au clocher gris pour sonner la messe... On entendait le ronflement du veilleur de nuit allongé sous un arbre. Les martinets, éveillés, s'agitaient et volaient d'un bout du jardin à l'autre en élevant leur importun, leur insupportable pépiement... Un loriot chantait sur un prunelier... Les sansonnets et les huppes s'affairaient au-dessus des communs. Le concert matinal et gratuit battait son plein...

Deux troïkas s'arrêtèrent devant la maison délabrée, au perron mangé par les orties, d'Egor Egorovitch Obtemperanski, un cornette de la garde en retraite. Aussitôt un remue-ménage épouvantable envahit la villa et la cour. Tous ceux qui vivaient autour d'Egor

Egorovitch se déplacèrent, coururent et firent du bruit dans les escaliers, les remises et les écuries... On changea un des chevaux de l'attelage. Les casquettes s'envolaient de la tête des cochers ; un cocard garnit le nez du valet de chambre, amoureux de Katia ; les cuisinières se faisaient traiter de fripouilles ; tout le monde évoquait Satan et sa suite... En cinq minutes, les voitures se remplirent de tapis, de couvertures, de sacs à provisions, d'étuis à fusils.

— C'est prêt ! dit la voix de basse d'Avakoum.

— Je vous en prie ! C'est prêt ! cria Egor de sa petite voix doucereuse, et une nombreuse compagnie apparut sur le perron.

Le jeune docteur sauta le premier dans la voiture. Un bourgeois d'Arkhangelsk, Cosma Bolva, petit vieillard orné dans le cou de taches d'un jaune verdâtre, chaussé de bottes sans talon, coiffé d'un haut-de-forme roux et armé d'un fusil à deux canons pesant dans les vingt-cinq livres, monta à son tour. Bolva était un plébéien ; toutefois, par respect pour son grand âge (il était né à la fin du siècle précédent) et son adresse à faire mouche sur une pièce de vingt kopecks lancée en l'air, messieurs les hobereaux ne dédaignaient pas sa plébéienne compagnie et l'emmenaient à la chasse.

— Je vous en prie, Excellence ! dit Egor Egorytch à un petit gros aux cheveux grisonnants, vêtu d'une tunique blanche à boutons brillants et qui portait au cou la croix de Sainte-Anne. Poussez-vous, docteur !

Le général ahana, posa un pied sur la marche et, soutenu par Egor Egorytch, repoussa le docteur d'un coup de ventre, puis s'assit lourdement près de Bolva. Son petit chien et le setter d'Egor Egorytch bondirent après lui dans la voiture.

— M-m-m... Vania, mon garçon, dit le général à son neveu, jeune lycéen qui portait en bandoulière un long fusil à canon unique. Tu peux t'asseoir ici, à côté de moi. Viens là ! Oui... Ici. Ne fais pas de bêtises, mon ami ! Le cheval pourrait prendre peur !

Après avoir lancé une dernière bouffée de tabac dans les naseaux du cheval, le jeune homme sauta dans la voiture, repoussa Bolva qui se trouvait à côté du général, tourna de part et d'autre et s'installa. Egor Egorytch fit le signe de la croix et s'assit à côté du docteur. M. Mangé, professeur de mathématiques et de physique au lycée de Vania, homme maigre et sec, se casa sur le siège avant, à côté d'Avakoum.

La première voiture était pleine. Maintenant, c'était le tour de la deuxième.

— Nous sommes prêts ! cria Egor Egorytch quand, après de longues discussions et des manœuvres autour de la deuxième voiture, les huit personnes et les trois chiens qui restaient furent enfin casés.

— Nous sommes prêts ! reprirent les invités.

— Alors, Excellence, on peut y aller ? Que Dieu nous garde ! En route, Avakoum !

La première voiture s'ébranla et démarra. La seconde, qui contenait les chasseurs les plus enragés, fit quelques soubresauts, grinça désespérément, vira un peu de côté, prit la tête et roula vers le portail. Les chasseurs sourirent tous à la fois et applaudirent avec enthousiasme. Ils étaient au septième ciel mais, oh !... sort perfide !... ils n'étaient pas sortis de la cour qu'un scandale terrible éclata...

— Arrête ! Attends ! Arrête ! criait derrière eux une voix perçante de ténor.

Les chasseurs se retournèrent et pâlirent. Le frère d'Egor, Mikheï Egorytch, capitaine de frégate en retraite, connu dans tout le département pour son sale caractère, courait derrière les troïkas. Il agitait désespérément les bras. Une voiture s'arrêta.

— Qu'est-ce que tu veux ? demanda Egor Egorytch.

Mikheï s'approcha, sauta sur le marchepied et menaça son frère d'un geste. Les chasseurs s'exclamèrent.

— Qu'est-ce qu'il y a ? fit Egor Egorytch en rougissant.

— Il y a, hurla Mikheï, que tu es un Judas, un salaud, un cochon !... Un cochon, Votre Excellence ! Pourquoi ne m'as-tu pas réveillé, espèce d'âne ! Je ne ferai rien... Je veux seulement lui donner une leçon ! Pour quelle raison ne m'as-tu pas réveillé ? Tu ne veux pas m'emmener ? Je te gênerai ? Tu m'as saoulé exprès hier soir et tu pensais que je dormirais jusqu'à midi ! Que pensez-vous de cet individu ? Excellence, permettez... Je lui donne une seule gifle... Permettez !

— Fichez-nous la paix ! cria le général en écartant les bras. Vous ne voyez donc pas qu'il n'y a pas de place ? Vous y allez... un peu fort.

— Tu as tort de gueuler, Mikheï, dit Egor Egorytch. Je ne t'ai pas réveillé parce que tu n'avais aucune raison de venir avec nous... Tu ne sais pas te servir d'un fusil. A quoi bon nous accompagner ? Pour nous gêner ? Puisque tu ne sais pas tirer !

— Je ne sais pas tirer ! Moi, je ne sais pas tirer ! hurla Mikheï d'une voix si forte que Bolva lui-même se boucha les oreilles. Mais alors, pourquoi diable le docteur est-il de la partie ? Est-ce qu'il sait tirer ? Est-ce qu'il tire mieux que moi ?

— Il a raison, messieurs, dit le docteur. Je ne sais pas tirer, je ne sais même pas tenir un fusil... Et j'ai horreur des coups de feu... Je ne comprends pas pourquoi vous tenez à m'emmener... Pourquoi diable ? Qu'il prenne ma place ! Je reste ! Voilà une place, Mikheï Egorytch.

— Tu entends, tu entends ? Pourquoi l'emmènes-tu ?

Le docteur se leva avec l'intention évidente de quitter la voiture. Egor Egorytch le saisit par le pan de son vêtement et s'y agrippa de toutes ses forces.

— Ne déchirez pas ma redingote ! Elle m'a coûté trente roubles... Lâchez-moi ! Et puis, messieurs, je vous prie de ne pas discuter avec moi aujourd'hui... Je suis de mauvaise humeur et pourrais, sans faire exprès, provoquer un incident. Lâchez-moi, Egor Egorytch !

Mikheï Egorytch, prenez ma place ! Je vais aller dormir !

— Il faut que vous veniez, docteur ! fit Egor Egorytch sans lâcher la basque de la redingote. Vous avez donné votre parole d'honneur !

— On me l'a extorquée ! Voyons, pourquoi irais-je, pourquoi ?

— Pour ne pas rester avec sa femme ! susurra Mikheï Egorytch. Voilà la raison ! Il est jaloux de vous, docteur ! N'allez pas à la chasse, mon cher ! N'y allez pas, rien que pour le faire enrager ! Il est jaloux, je vous jure qu'il est jaloux !

Egor Egorytch devint tout rouge et serra les poings.

— Hé ! là ! cria-t-on de l'autre voiture. Assez radoté, Mikheï Egorytch ! Venez par ici, on a trouvé une place !

Il sourit d'un air sournois.

— Eh bien, requin, dit-il. Qui a gagné ? Tu as entendu ? Il y a une place ! J'irai rien que pour t'embêter ! J'irai et vous en ferai voir de toutes les couleurs ! Parole d'honneur, je vous en ferai voir ! Tu reviendras bredouille ! Quant à vous, docteur, ne venez pas. Il n'a qu'à crever de jalousie !

Egor Egorytch se leva et brandit les poings. Ses yeux étaient injectés de sang.

— Fripouille ! dit-il s'adressant à Mikheï. Tu n'es plus mon frère ! Ce n'est pas pour rien que notre défunte mère t'a maudit ! Ta conduite immonde a fait mourir notre père avant l'âge.

— Messieurs... s'interposa le général. Je crois que ça suffit. Des frères, de vrais frères !

— C'est un vrai âne, Votre Excellence, et non pas un frère ! Restez, docteur, ne venez pas !

— En route, que le diable vous emporte... Ah... Quelle histoire ! En route ! cria le général en assénant un coup de poing dans le dos d'Avakoum. En route !

Avakoum fouetta les chevaux et la troïka s'ébranla. Dans la deuxième voiture, le capitaine Kardamonov, un écrivain, prit deux chiens sur ses genoux et fit s'installer à leur place l'irascible Mikheï Egorytch.

— Il a de la chance qu'on ait pu me caser ! dit-il en s'asseyant. Sinon, je l'aurais... Kardamonov, vous devriez faire le portrait de ce brigand !

L'an passé, Kardamonov avait envoyé à la revue *La Moisson* un article intitulé « Un intéressant exemple de la prolificité au sein de la population rurale ». Ayant lu dans la rubrique « Correspondance » une réponse déplaisante pour son amour-propre d'auteur, il s'en était plaint aux voisins et acquit la réputation d'un homme de lettres.

D'après le plan de campagne, on devait d'abord gagner les prairies appartenant aux paysans et situées à sept verstes du domaine d'Egor Egorytch, afin d'y chasser la caille. Arrivés sur les lieux, les chasseurs quittèrent les voitures et se divisèrent en deux groupes. Le premier, qui avait à sa tête le général et Egor, se dirigea à droite ; le deuxième, dirigé par Kardamonov, prit à gauche. Bolva demeura en arrière et s'en alla tout seul. A la chasse, il aimait le calme et le silence. Musicien partit de l'avant en aboyant et, un instant plus tard, leva une caille. Vania tira mais manqua l'oiseau.

— J'ai visé trop haut, que le diable m'emporte ! grommela-t-il.

Lorsqu'il entendit pour la première fois de sa vie un coup de feu, le petit chien que le général avait emmené pour le dresser se mit à aboyer et fila vers les voitures, la queue entre les pattes. Mangé tira et toucha une alouette.

— Ce petit oiseau me plaît ! dit-il en le montrant au docteur.

— Fichez-moi la paix ! répondit ce dernier. En règle générale, je vous prie de ne pas me faire la conversation. Je suis de mauvaise humeur. Laissez-moi seul !

— Vous êtes un sceptique, docteur.

— Moi ? Hum... sceptique, qu'est-ce que ça veut dire ?

Mangé se plongea dans la réflexion.

— Sceptique signifie anthro... anthrope... misanthrope, dit-il.

— Mensonge ! N'employez pas des mots que vous ne comprenez pas. Eloignez-vous de moi. Je suis capable de faire une sottise sans le vouloir... Je suis de mauvais poil.

Musicien tomba en arrêt. Le général et Egor Egorytch pâlirent et retinrent leur souffle.

— Je vais tirer ! murmura le général. Je... permettez ! C'est la deuxième fois que vous...

L'arrêt du chien fut sans résultat. Le docteur, désœuvré, visa Musicien avec un caillou et le toucha entre les oreilles... L'animal poussa un glapissement et sursauta. Le général et Egor Egorytch se retournèrent. Un bruissement se fit entendre dans l'herbe et un gros oiseau s'envola. Le deuxième groupe s'agita en se montrant la proie. Le général, Mangé et Vania visèrent. Ce dernier tira, quant au fusil de Mangé, il s'enraya... Trop tard ! L'oiseau s'était envolé derrière un tumulus et s'était posé dans le seigle.

— Je pense, docteur, que... ce n'est pas le moment de plaisanter, dit le général. Pas le moment !

— Hein ?

— Pas le moment de plaisanter !

— Je ne plaisante pas.

— C'est gênant, docteur ! observa Egor Egorytch.

— Il ne fallait pas m'emmener. Qui vous a demandé de le faire ? Du reste... je n'ai pas envie de m'expliquer... Je suis de mauvais poil aujourd'hui...

Mangé tua une autre alouette. Vania leva un jeune freux, tira, mais rata son but.

— J'ai visé trop haut, que le diable m'emporte ! grommela-t-il.

On entendit deux coups de feu successifs derrière le monticule ; de son lourd fusil à deux canons, Bolva avait touché deux cailles et les avait enfouies dans sa poche.

Egor Egorytch leva une caille, tira. L'oiseau blessé tomba dans l'herbe. Le chasseur triomphant le ramassa et le présenta au général.

— Touchée à l'aile, Votre Excellence ! Elle est encore vivante...

— Ou... i... Vivante... Il faut l'achever tout de suite.

Le général approcha la caille de ses lèvres et lui trancha la gorge d'un coup de canines. Mangé tua une troisième alouette. Musicien tomba de nouveau en arrêt. Le général enleva sa casquette, épaula... — Feu ! Une grosse caille s'envola, mais l'infâme docteur rôdait exactement dans le champ de tir, presque devant le canon du fusil.

— Arrière ! hurla le général.

Le docteur fit un bond de côté, le général tira ; bien entendu, le coup partit trop tard.

— C'est révoltant, jeune homme ! fulminait-il.

— Qu'est-ce qu'il y a ? s'informa le médecin.

— Vous nous gênez ! Vous êtes là pour nous gêner ! Si je l'ai ratée, c'est à cause de vous ! C'est une cochonnerie, j'en ai assez !

— Qu'avez-vous à crier ? Pff... vous ne me faites pas peur ! Je ne crains pas les généraux, Votre Excellence, et surtout les généraux en retraite. Du calme, je vous en prie.

— Quel homme épatant ! Il se promène pour nous gêner, il se promène pour nous gêner : de quoi faire perdre patience à un ange.

— Ne criez pas, général, je vous en prie ! Ou alors, criez après Mangé ! Lui, c'est quelqu'un qui a peur des généraux. Rien ne peut déranger un bon chasseur. Avouez plutôt que vous ne savez pas tirer !

— Ça suffit ! On vous dit un mot, vous en dites dix...
Donne-moi ma poire à poudre ! fit le général en s'adressant à Vania.

— Pourquoi as-tu invité cette brute à la chasse ?
demanda le docteur à Egor Egorytch.

— Impossible de faire autrement, mon vieux ! Impossible de ne pas l'emmener. C'est que... heu... je lui dois...
huit mille... Hé, oui, vieux frère ! Sans ces maudites
dettes...

Il n'acheva pas et fit un geste désabusé.

— Est-ce vrai que tu es jaloux ?

Egor Egorytch se détourna et visa un vautour qui
volait très haut.

— Tu l'as perdue, blanc-bec ! résonna la voix tonitruante du général. Tu l'as perdue ! Elle valait cent
roubles, petit cochon !

Egor Egorytch s'approcha pour savoir ce qui se passait. Il s'avéra que Vania avait perdu la cartouchière de
son oncle. On se mit à la recherche de l'objet égaré et
la chasse fut interrompue. Les recherches durèrent une
heure et quart mais elles furent couronnées de succès.
La cartouchière retrouvée, les chasseurs s'assirent pour
se reposer.

Dans le deuxième groupe, la chasse aux cailles n'était
pas particulièrement heureuse. Mikheï s'y conduisait
aussi mal, plus mal encore que le docteur dans le premier groupe. Il arrachait les fusils des mains des chasseurs, hurlait des injures, battait les chiens, répandait la
poudre, en un mot faisait le trublion... Après un tir malheureux sur les cailles, Kardamonov et ses chiens se
mirent à la poursuite d'un jeune vautour. Ils le touchèrent, mais ne purent le retrouver. D'un coup de
pierre, le capitaine de deuxième classe tua un mulot.

— Messieurs, disséquons le mulot, proposa le secrétaire du président de la noblesse Nékritchikhvostov.

Les chasseurs s'assirent dans l'herbe, sortirent leurs
canifs et se plongèrent dans l'anatomie.

— Je ne vois rien dans cet animal, dit Nékrit-chikhvostov, quand la bête fut coupée en petits morceaux. Même pas de cœur. Des boyaux, il y en a. Savez-vous, messieurs ? Si nous allions un peu dans les marais ? Que pouvons-nous tuer par ici ? La caille, c'est pas du gibier ; ça ne se compare pas aux courlis et aux bécasses... Hein ? Allons-y !

Les chasseurs se levèrent pour se diriger paresseusement vers les voitures. Comme ils s'en approchaient, ils tirèrent une salve contre des pigeons domestiques et en abattirent un.

— Votre Excel... Egorygortch ! ! Votre... Egorch..., se mit à crier le second groupe en apercevant les chasseurs au repos. Holà ! Holà !

Le général et Egor Egorytch se retournèrent. Les autres agitèrent leurs casquettes.

— Qu'est-ce qu'il y a ? cria Egor Egorytch.

— Il y a de quoi faire ! On a tué une outarde ! Venez vite !

Le premier groupe ne crut pas à l'histoire de l'outarde mais s'approcha tout de même des voitures. Après s'y être installés, les chasseurs décidèrent de laisser les cailles en paix et de faire cinq verstes de plus pour se rendre dans les marais.

— La chasse m'excite terriblement, dit le général au docteur quand les voitures eurent parcouru environ deux verstes. Terriblement. Je tuerais mon propre père... Faites un effort... excusez un vieil homme !

— Hum...

— Le coquin, voilà qu'il fait maintenant patte de velours ! chuchota Egor Egorytch à l'oreille du médecin... Faut croire que c'est la mode à présent de marier ses filles avec des docteurs. Il est malin, le général ! Hé-hé-hé...

— On dirait que nous avons plus de place ! observa Vania.

— Oui.

— Comment ça ? On n'est plus serrés du tout.

— Messieurs, et Bolva, où est-il ? fit Mangé.

Les chasseurs se regardèrent.

— Où est Bolva ? répéta Mangé.

— Il doit être dans l'autre voiture. Messieurs, cria Egor Egorytch, Bolva est avec vous ?

— Non, non ! répondit Kardamonov.

Les chasseurs se creusèrent le cerveau.

— Eh bien, que le diable l'emporte ! décida le général. On ne peut tout de même pas retourner le chercher !

— Il faudrait le faire, Excellence ! Il est trop faible, sans eau il mourra. Il ne pourra jamais faire le chemin à pied.

— S'il en a envie, il pourra.

— Il va mourir, le petit vieux ! C'est qu'il a quatre-vingt-dix ans !

— Des blagues !

Les hommes arrivèrent aux marais et leurs figures s'allongèrent. L'endroit était surchargé de chasseurs et ça ne valait pas la peine de descendre de voiture. Une brève réflexion, et ils décidèrent de rouler cinq verstes de plus pour se rendre dans les forêts domaniales.

— Qu'est-ce que vous allez tuer là-bas ? demanda le docteur.

— Des merles, des aigles... Et puis, des coqs de bruyère.

— D'accord, mais que deviennent en attendant mes pauvres malades ? Et pourquoi m'avez-vous emmené, Egor Egorytch ? Oh, là, là !

Il soupira et se gratta la nuque. A la première forêt venue, les chasseurs descendirent des voitures pour tenir conseil : qui prendrait à droite, qui à gauche ?

— Savez-vous, messieurs ? proposa Nékritchikhvostov. Compte tenu pour ainsi dire de cette loi de la nature selon laquelle le gibier ne peut pas nous échapper... Hum... Le gibier ne nous échappera pas, messieurs ! Avant tout, nous devons restaurer nos forces ! Du vin,

de la vodka, du caviar... de l'esturgeon... Ici même !
Docteur, qu'en pensez-vous ? Vous qui êtes médecin,
vous le savez mieux que tout le monde. Il faut bien
reprendre des forces ?

La proposition de Nékritchikhvostov fut acceptée.
Avakoum et Firs étendirent deux tapis et posèrent tout
autour les sacs de provisions et les bouteilles. Egor
Egorytch débita des rondelles de saucisson, du fromage
et de l'esturgeon. Nékritchikhvostov déboucha les bouteilles, Mangé coupa le pain... Les chasseurs s'allongèrent en se léchant les babines.

— Eh bien, Excellence ! Un petit verre...

Chacun but et avala un petit morceau. Le docteur se
versa immédiatement un autre verre qu'il vida. Vania
suivit son exemple.

— On est en droit de supposer que par ici il y a des
loups, remarqua sentencieusement Kardamonov en louchant du côté des arbres.

Les chasseurs réfléchirent, discutèrent pour décider
au bout de dix minutes qu'il n'y avait probablement pas
de loups.

— Eh bien ! Encore un verre ? Il passera bien ! Egor
Egorytch, surveillez le service !

Ils burent à nouveau.

— Jeune homme ! dit Egor Egorytch à Vania. A quoi
rêvez-vous ?

Le lycéen secoua la tête.

— En ma présence, tu peux, fit le général. Ne bois
pas sans moi, mais quand je suis là... Bois un petit coup.

Vania remplit son verre et le vida.

— Eh bien ? Un troisième coup ? Votre Excellence...

Ils burent une troisième tournée. Le docteur en était
à la sixième.

— Jeune homme !

Vania secoua la tête.

— Buvez donc, Amphithéatrov ! dit Mangé d'un air
protecteur.

— Devant moi, tu peux, mais sans moi... Un tout petit coup !

Vania vida un nouveau verre.

— Pourquoi le ciel est-il si bleu aujourd'hui ? s'informa Kardamonov.

Les chasseurs se mirent à réfléchir, à discuter et décidèrent au bout d'un quart d'heure qu'ils ne savaient pas pourquoi le ciel était si bleu.

— Un lièvre... un lièvre... un lièvre ! ! ! Attrape ! ! !

L'animal apparut derrière la butte. Il était poursuivi par deux cabots. Les chasseurs bondirent et saisirent leurs fusils. Le lièvre passa en trombe devant eux et disparut dans la forêt, suivi par les deux cabots, Musicien et ses compagnons. Le petit chien du général réfléchit un instant, regarda son maître d'un air défiant et se lança, lui aussi, à la poursuite du lièvre.

— Un gros !... Si on avait pu l'avoir... Comment l'avons-nous... laissé filer ?

— Eh oui ! Qu'est-ce qu'elle fait là, cette bouteille... C'est vous qui n'avez pas bu, Excellence ? Tiens, tiens... C'est comme ça que vous buvez ? Bon !

On vida le quatrième verre. Le docteur, qui en était au neuvième, se racla rageusement la gorge et prit le chemin de la forêt. Après avoir choisi l'endroit le plus ombragé, il se coucha dans l'herbe, posa la tête sur sa redingote et s'endormit instantanément.

Vania était gris. Il avala un petit verre de plus, se mit à la bière et prit feu. Il se mit à genoux et déclama une vingtaine de vers d'Ovide. Le général fit observer que le latin ressemblait beaucoup au français. Egor Egorytch partagea son opinion et ajouta que pour étudier le français, il était indispensable de connaître le latin qui lui ressemblait. Mangé ne fut pas de cet avis et fit remarquer qu'il était inopportun de parler des langues en présence d'un physico-mathématicien et d'une telle quantité de bouteilles, en ajoutant que son fusil avait coûté très cher et qu'actuellement il était impossible de trouver un bon fusil, que...

— Une huitième tournée, messieurs ?

— Ce ne sera pas de trop ?

— Allons ! Pensez-vous ! Depuis quand huit c'est beaucoup ? Vous n'avez donc jamais bu ?

Ils vidèrent le huitième verre.

— Jeune homme !

Vania secoua la tête.

— Allez ! En avant comme un militaire ! Vous tirez si bien...

— Buvez, Amphithéatrov ! dit Mangé.

— Quand je suis là, tu peux boire, mais sans moi... Un petit coup !

Vania laissa la bière de côté et avala un nouveau verre de vodka.

— Messieurs, la neuvième ? Qu'en pensez-vous ? Je ne peux pas souffrir le chiffre huit. Mon père est mort le huit du mois... Fédor, c'est-à-dire Ivan... Egor Egorytch ! Versez !

Ils burent la neuvième tournée.

— Il fait chaud quand même.

— Oui, très chaud, mais ce n'est pas ça qui nous empêchera de boire la dixième.

— Mais...

— Je m'en fiche, de la chaleur ! Messieurs, prouvons aux éléments déchaînés qu'ils ne nous font pas peur ! Jeune homme, donnez l'exemple... Faites honte à votre tonton ! Nous ne craignons ni le froid ni la chaleur...

Vania vida son verre. Les chasseurs crièrent « hourra » et suivirent son exemple.

— On pourrait attraper une insolation, dit le général.

— Mais non !

— Ça n'arrive pas... dans notre climat.

— Il y a pourtant eu des cas... Mon parrain est mort d'une insolation...

— Qu'en pensez-vous, docteur ? Peut-on attraper des... insolations dans notre climat, hein ? Docteur !

Il n'y eut pas de réponse.

— Vous n'avez pas eu l'occasion d'en soigner, hein ? Nous parlons de coups de soleil... Docteur ! Où est-il ?

— Où est le docteur ? Docteur !

Les chasseurs regardèrent autour d'eux. Le médecin avait disparu.

— Où est-il ? Volatilisé ! Comme de la cire devant une flamme ! Ha-ha-ha...

— Il est allé retrouver la femme d'Egor ! lança Mikheï.

Egor pâlit et laissa tomber une bouteille.

— Il est allé chez sa femme, continua Mikheï tout en mangeant de l'esturgeon.

— Pourquoi mentez-vous ? demanda Mangé. Vous l'avez vu ?

— Oui, je l'ai vu. Un moujik passait dans sa charrette... alors il est monté et il est parti. Je le jure. La onzième tournée, messieurs ?

Egor Egorytch se dressa et brandit les poings.

— Je lui demande : « Où allez-vous ? », continua Mikheï. « Aux fraises, qu'il me dit. Pour astiquer les cornes. Je les ai déjà plantées et maintenant, je vais les astiquer. Adieu, qu'il dit, cher Mikheï Egorytch ! Bonjour au beau-frère Egorytch ! » Et il m'a cligné de l'œil. A votre santé... Hé, hé, hé.

— Des chevaux ! lança Egor Egorytch, et il courut en titubant vers les voitures.

— Dépêche-toi, tu seras en retard ! cria Mikheï.

Egor Egorytch hissa Avakoum sur le siège, monta à son tour et se mit en route après avoir menacé les chasseurs du poing.

— Qu'est-ce que cela signifie, messieurs ? demanda le général quand la casquette blanche d'Egor eut disparu. Il est parti. Comment, diable, vais-je pouvoir rentrer chez moi ? Il est parti avec ma voiture ! Je veux

69

dire, pas la mienne mais celle qui devait me ramener...
C'est étrange... Hum... quel culot...

Vania eut mal au cœur. La vodka, mélangée à de la bière, avait agi comme un vomitif... Il fallait l'aider à rentrer chez lui. Après la quinzième tournée, les chasseurs décidèrent de céder la troïka au général mais à la condition expresse que, dès son arrivée, il allait la renvoyer avec des chevaux frais, pour chercher le reste de la bande.

Le général prit congé.

— Transmettez-lui, messieurs, dit-il, que seuls les cochons agissent de la sorte.

— Excellence, faites protester ses traites ! conseilla Mikheï Egorytch.

— Comment ? Ses traites ? Ou... i... i. Il est temps qu'il... Il ne faut pas abuser... J'ai trop attendu et, à la fin des fins, j'en ai assez. Dites-lui que le protêt... Adieu, messieurs ! Passez me voir ! Quant à lui, c'est un cochon !

Après avoir serré la main du général, les chasseurs l'installèrent dans la voiture, à côté de Vania, de plus en plus malade.

— En route !

Ils s'en allèrent.

Après le dix-huitième verre, les chasseurs retournèrent dans la forêt. Ils tirèrent à la cible, puis s'allongèrent pour faire un somme. Vers le soir, l'attelage frais du général vint les chercher. Firs remit à Mikheï une lettre destinée à son frère. Elle contenait une sommation et une menace d'huissier au cas de non-satisfaction. Après la troisième tournée (au réveil, ils avaient recommencé un nouveau compte), les cochers du général empilèrent les chasseurs dans les voitures et les ramenèrent à leurs domiciles respectifs.

En arrivant chez lui, Egor Egorytch fut accueilli par Musicien et le petit chien du général qui, sous prétexte de poursuivre le lièvre, avaient regagné le logis. Après avoir jeté un regard menaçant sur sa femme, il s'adonna aux recherches. Il perquisitionna dans le garde-manger, fouilla les armoires, les coffres, les commodes, mais ne trouva pas le docteur. Il devait trouver quelqu'un d'autre : sous le lit de sa femme se cachait le bedeau Fortounatov...

Il faisait déjà noir quand le docteur se réveilla... Il erra un peu dans la forêt, puis, s'étant souvenu qu'il était à la chasse, il jura à haute voix et se mit à appeler. Bien entendu, ses cris restèrent sans réponse et il décida de rentrer à pied. La route était bonne, sûre, claire. Il abattit vingt-quatre verstes en quatre heures pour atteindre l'hôpital à la pointe du jour. Après s'être bien querellé avec les infirmiers, la sage-femme et les malades, il se mit à écrire une interminable lettre à Egor Egorytch. Il exigeait des « explications sur ses actes répréhensibles », insultait les maris jaloux et jurait de ne plus jamais remettre les pieds à la chasse, jamais, même pas le 29 juin.

LE JUGEMENT

Nous sommes dans l'isba de Kouzma Egorov, l'épicier. Il fait chaud, on étouffe. D'insupportables nuées de moustiques et de mouches tourbillonnent autour des yeux, des oreilles, vous excèdent... Un nuage de tabac ; mais il flotte moins une odeur de tabac que de poisson salé. Il y a une sorte d'angoisse dans l'air, sur les visages, dans le chant des moustiques.

Une grande table ; sur elle une soucoupe avec des coquilles de noix, une paire de ciseaux, un petit pot de pommade verte, des casquettes, des bouteilles vides. Tout autour siègent Kouzma Egorov en personne, le maire, l'infirmier Ivanov, Féofan Manafouilov, le bedeau, la basse Mikhaïlo, le compère Parfenti Ivanytch et le gendarme Fortounatov, venu de la ville pour voir sa tante Anissia. A une distance respectueuse de la table se tient Sérapion, le fils de Kouzma, qui travaille au chef-lieu dans un salon de coiffure et qui passe les fêtes chez son père. Il se sent très mal à l'aise et tiraille sa moustache d'une main tremblante. L'isba d'Egorov est provisoirement louée pour servir de « dispensaire », et en ce moment des malades attendent dans le vestibule. On vient d'amener d'on ne sait où une paysanne qui a une côte cassée... Elle est étendue et gémit en attendant que l'infirmier veuille bien lui accorder sa bienveillante attention. Derrière les fenêtres s'entassent des gens, venus voir comment Kouzma va fouetter son fils.

— Vous répétez tout le temps que je mens, dit Sérapion. Je n'ai donc pas l'intention de discuter avec vous ; les mots, papa, ne vous procurent rien au XIXe siècle parce que, comme vous n'êtes pas sans le savoir, la théorie ne peut exister sans la pratique.

— Silence ! répond sévèrement Kouzma Egorov. Ne cherche pas midi à quatorze heures et parle de façon sensée : qu'as-tu fait de mon argent ?

— L'argent ? Hum... Vous êtes un homme intelligent et devriez comprendre vous-même que je n'y ai pas touché. Vos gros sous, ce n'est pas pour moi que vous les entassez... C'est un péché que de...

— Soyez franc, Sérapion ! dit le bedeau. Pourquoi vous posons-nous ces questions ? Nous voulons vous faire entendre raison, vous mettre sur le chemin de la vertu. Votre père ne pense qu'à votre bien... C'est ce qu'il nous a demandé de faire, à nous aussi... Soyez donc sincère... Qui est sans péché ? Est-ce vous qui avez pris à votre père les vingt-cinq roubles qu'il gardait dans une commode ou n'est-ce pas vous ?

Le fils crache de côté et se tait.

— Mais parle donc ! crie Kouzma, et il donne un coup de poing sur la table. Parle, est-ce toi, oui ou non ?

— Comme il vous plaira... Soit...

— D'accord, corrige le gendarme.

— D'accord, c'est moi qui l'ai pris... D'accord ! Seulement, vous avez tort de gueuler, papa ! Ça ne sert à rien de taper sur la table. Vous aurez beau cogner, vous ne l'enfoncerez pas sous terre. Je n'ai jamais pris votre argent : et si je l'ai fait quelquefois, c'était par nécessité... Je suis un être vivant, un substantif animé et j'ai besoin d'argent. Je ne suis pas de pierre !...

— Essaie d'en gagner si tu en as besoin ; ce n'est pas une raison pour me plumer. Tu n'es pas seul à la maison, j'en ai sept comme toi !

— Cela, je le comprends sans vos sermons, mais vu ma santé délicate, je ne peux pas, comme vous le savez parfaitement, gagner ma vie. Et puisque vous me reprochez à présent un morceau de pain, eh bien, vous en répondrez devant Dieu...

— Une santé délicate ! Pas fatigant, ton travail. Tu coupes les cheveux et tu en recoupes. Même cet effort-là, tu le fuis.

— Vous appelez ça du travail ? Ce n'est pas du travail, c'est une simple velléité. Je n'ai pas l'instruction qu'il faut pour pouvoir en subsister.

— Vous raisonnez mal, Sérapion Kouzmitch, dit le bedeau. Votre métier est un métier respectable, intellectuel, puisque vous travaillez dans un chef-lieu et que vous tondez et rasez des gens cultivés et nobles. Les généraux eux-mêmes ne dédaignent pas votre métier.

— En ce qui concerne les généraux je peux, si vous le désirez, vous éclaircir la question.

L'infirmier Ivanov a légèrement bu.

— Selon notre point de vue médical, dit-il, tu n'es que de la térébenthine et rien de plus.

— Nous la connaissons, votre médecine... Qui donc, permettez-moi de vous le demander, a failli autopsier l'année dernière un charpentier saoul à la place d'un cadavre ? Si l'ivrogne ne s'était pas réveillé, vous lui auriez bien ouvert le ventre. Et qui donc mélange l'huile de ricin avec de l'huile de chanvre ?

— C'est inévitable en médecine.

— Et qui a envoyé Malania dans l'autre monde ? Vous lui avez administré un purgatif, ensuite un sédatif, puis de nouveau un purgatif, et elle n'a pas tenu le coup. Ce n'est pas des gens que vous devriez soigner, mais, sauf votre respect, des chiens.

— Quant à Malania, paix à son âme ! dit Kouzma. Qu'elle repose en paix ! Ce n'est pas elle qui a pris l'argent, inutile de parler d'elle... Dis donc, toi... Tu l'as porté à Aliona ?

— Hum... à Aliona !... Vous devriez au moins avoir honte en présence du clergé et de M. le gendarme.

— Et toi, réponds : c'est toi qui as pris l'argent, oui ou non ?

Le maire sort péniblement de derrière la table, fait craquer une allumette sur son genou et l'approche avec respect de la pipe du gendarme.

— Fi !... ronchonne le gendarme. Il m'a rempli le nez de soufre !

Il tire sur la pipe, se lève, s'approche de Sérapion, l'examine de ses yeux fixes et méchants, et crie d'une voix perçante :

— Qui es-tu ? Qu'est-ce que c'est que ça ? Pourquoi, hein ? Qu'est-ce que ça signifie ? Pourquoi ne réponds-tu pas ? De la rébellion ? Prendre l'argent d'autrui ? Silence ! Réponds ! Parle ! Réponds !

— Si...

— Silence !

— Si... Du calme ! Si... Je n'ai pas peur ! Vous ne savez rien de vous-même ? Un imbécile, voilà ce que vous êtes, et rien de plus ! Si mon père veut me faire mettre en pièces, je suis prêt... Lacérez-moi ! Battez-moi !

— Silence ! Assez parlé ! Je les connais, tes pensées ! Un voleur ! Rien d'autre ! Tais-toi ! Sais-tu devant qui tu te trouves ? Ne discute pas !

— Une punition s'impose, dit le bedeau en poussant un soupir. S'il ne veut pas atténuer sa faute en l'avouant, il est indispensable de le fouetter, Kouzma Egorovitch. Voilà mon avis : c'est indispensable.

— Une bonne raclée, dit la basse Mikhaïlo d'une voix si profonde que tous les présents ont un mouvement de frayeur.

— Pour la dernière fois : est-ce toi, oui ou non ? demande Kouzma Egorov.

— Comme il vous plaira... D'accord... Torturez-moi ! Je suis prêt...

— Fouettons-le ! décide le père, et il se lève de table, le sang à la tête.

Les spectateurs s'agrippent aux fenêtres. Les malades se pressent aux portes et dressent la tête. Même la paysanne à la côte cassée se soulève pour voir.

— Couche-toi, dit Kouzma Egorov.

Sérapion enlève son veston, fait le signe de la croix et, résigné, se couche sur le banc.

— Torturez-moi ! dit-il.

Kouzma Egorov ôte sa ceinture, contemple brièvement les spectateurs comme s'il attendait de l'aide, puis commence.

— Une ! Deux ! Trois ! compte Mikhaïlo de sa voix de basse profonde. Huit ! Neuf !

Le bedeau se tient dans un coin, les yeux baissés, et feuillette un livre...

— Vingt ! Vingt et un !

— Assez ! dit Kouzma Egorov.

— Encore ! marmonne le gendarme Fortounatov. Encore ! Encore ! Bien fait pour lui !

— Il me semble qu'il est indispensable de continuer encore un peu ! dit le bedeau en s'arrachant à son livre.

— Il n'a même pas pipé, s'étonne la foule.

Les malades s'écartent, et la femme de Kouzma Egorov entre dans la pièce en faisant crisser ses jupons empesés.

— Kouzma ! dit-elle à son mari. Qu'est-ce que c'est que cet argent que j'ai trouvé dans ta poche ? C'est pas celui que tu cherchais tout à l'heure ?

— C'est bien le même... Lève-toi, Sérapion ! L'argent est retrouvé... Je l'avais mis hier dans ma poche et je l'avais oublié...

— Encore ! marmonne Fortounatov. Une bonne raclée ! Bien fait pour lui !

— L'argent est retrouvé ! Debout !

Sérapion se lève, met son veston et s'assied à la table. Le silence se prolonge. Le bedeau est confus, il se mouche.

— Excuse-moi..., bredouille Kouzma Egorov. Ne te fâche pas... Qui diable aurait pu penser qu'on le retrouverait ? Pardon !

— Ça ne fait rien. J'ai l'habitude. Ne vous inquiétez pas. Je suis toujours prêt à tous les supplices.

— Bois un coup... Ça fait passer le feu...

Sérapion boit, lève en l'air son petit nez bleu et sort de l'isba en héros. Quant au gendarme Fortounatov, il marche longuement dans la cour, rouge, les yeux exorbités, et répète :

— Encore ! Encore ! Bien fait pour lui !

LE PÊCHEUR DE TOLÈDE

Traduit de l'espagnol

« Celui qui nous indiquera le lieu où se trouve actuellement la sorcière du nom de Maria Spalanzo, celui qui l'amènera morte ou vivante devant l'assemblée des juges, recevra l'absolution de ses péchés. »

Le présent avis était signé par l'évêque de Barcelone et par quatre inquisiteurs au cours d'une de ces journées du temps passé qui resteront à jamais comme des taches ineffaçables dans l'histoire de l'Espagne et, peut-être, de l'humanité.

Tout Barcelone avait lu l'avis. Les recherches commencèrent. Soixante femmes qui ressemblaient à la sorcière poursuivie furent arrêtées, ses parents, soumis à la torture. Il existait une croyance aussi profonde que ridicule selon laquelle les sorcières avaient la faculté de se transformer en chats, chiens ou autres animaux à condition qu'ils fussent noirs ; on racontait que, très souvent, un chasseur attaqué par un animal et qui coupait sa patte et l'emportait en guise de trophée ne découvrait plus, en ouvrant sa gibecière, qu'une main ensanglantée : il la reconnaissait pour être celle de sa femme. Les habitants de Barcelone tuèrent tous les chats et tous les chiens noirs, mais ne reconnurent pas Maria Spalanzo au milieu de ces victimes inutiles.

Maria Spalanzo était la fille d'un gros commerçant de Barcelone. Son père était français, sa mère espagnole. Elle tenait de son père l'insouciance gauloise et cette gaieté sans réserve qui est si attirante chez les Françaises, de sa mère un corps purement espagnol. Belle, toujours pleine d'entrain, intelligente, entièrement consacrée à la joyeuse indolence et aux arts d'Espagne, jusqu'à l'âge de vingt ans, elle n'avait jamais versé une larme... Elle était heureuse comme une enfant... Le jour même de ses vingt ans, elle épousait Spalanzo, un marin connu à Barcelone, très beau et, disait-on, fort savant. Elle se mariait par amour. Son mari lui jura de se tuer s'il ne réussissait pas à la rendre heureuse. Il l'aimait à la folie.

Deux jours après le mariage, son destin fut fixé.

Vers le soir, elle quitta la maison de son mari pour aller voir sa mère, et s'égara. Barcelone est immense, et peu d'Espagnols sauraient vous indiquer le plus court chemin d'une extrémité de la ville à l'autre. Maria croisa un jeune moine.

— Comment aller rue Saint-Marc ? lui demanda-t-elle.

Il s'arrêta et, d'un air pensif, se mit à l'examiner... Déjà le soleil s'était couché. La lune se levait et éclairait de sa froide clarté le beau visage de Maria. Ce n'est pas par hasard que les poètes qui chantent les femmes parlent de la lune : elle les rend cent fois plus belles. Les magnifiques cheveux noirs de Maria s'étaient répandus sur ses épaules et sur sa poitrine soulevée d'un souffle profond... Elle maintenait sa mantille sur son cou, montrant ainsi ses bras nus jusqu'au coude...

— Je jure sur le sang de saint Janvier que tu es une sorcière ! dit au hasard le jeune moine.

— Si tu n'étais pas moine, je penserais que tu es saoul ! répondit-elle.

— Tu es une sorcière !

Le moine marmotta entre ses dents une formule d'exorcisme.

— Où est le chien qui courait à l'instant devant moi ? Ce chien a pris ta forme. J'ai vu !... Je sais... Je n'ai pas encore vingt-cinq ans et j'ai déjà démasqué cinquante sorcières !... Tu es la cinquante et unième ! Je suis Augustin...

Puis, il se signa, rebroussa chemin et disparut.

Maria connaissait Augustin... Elle en avait beaucoup entendu parler par ses parents... Elle le connaissait comme le plus ardent exterminateur de sorcières et auteur d'un ouvrage savant. Dans ce livre, il maudissait les femmes et haïssait l'homme parce qu'il était né de la femme. Un peu plus loin, Maria rencontra Augustin de nouveau. Quatre silhouettes noires sortirent de la porte cochère d'une grande maison qui portait une longue inscription latine. Elles laissèrent passer Maria et lui emboîtèrent le pas. Dans l'une des silhouettes, elle reconnut Augustin. Elle fut suivie jusqu'à sa demeure.

Trois jours après cette rencontre, un homme vêtu de noir, au visage bouffi et rasé — selon toute apparence un juge — se fit annoncer chez Spalanzo. Il lui donna l'ordre de se présenter immédiatement chez l'évêque.

— Ta femme est une sorcière ! déclara le prélat à Spalanzo.

Le jeune homme pâlit.

— Remercie le Seigneur ! poursuivit l'évêque. Un homme que Dieu a gratifié du don de reconnaître l'esprit impur parmi les hommes a ouvert nos yeux et les tiens. Il a vu l'esprit se transformer en chien noir, et ce chien prendre la forme de ta femme.

— Elle n'est pas une sorcière, elle est... ma femme, marmotta Spalanzo atterré.

— Elle ne peut être l'épouse d'un catholique ! C'est la femme de Satan ! Infortuné, n'as-tu pas déjà remarqué qu'elle t'a trompé plus d'une fois avec l'esprit impur ? Retourne chez toi et amène-la aussitôt ici...

L'évêque était un homme fort érudit. Il affirmait que le mot « femina » provenait de « fe » et « minus », sous prétexte que la femme possédait moins de foi que l'homme.

Spalanzo devint plus pâle qu'un mort. Il sortit de l'évêché et se serra la tête entre les mains. Où donc aller, à qui dire maintenant que Maria n'était pas une sorcière ? Qui mettrait en doute ce que croyaient les moines ? Tout Barcelone était maintenant persuadée que sa femme était une sorcière ! Barcelone tout entière ! Rien n'est plus facile que de persuader un imbécile d'une histoire imaginaire, et les Espagnols sont tous des imbéciles !

— Il n'y a pas de gens plus bêtes que les Espagnols ! avait dit, sur son lit de mort, le père de Spalanzo qui était médecin. Méprise-les et ne crois pas à ce qu'ils croient.

Tout en partageant leurs croyances, Spalanzo n'ajouta pas foi aux paroles de l'évêque. Il connaissait trop bien Maria et était persuadé que les femmes ne deviennent sorcières que sur leurs vieux jours...

— Les moines veulent te brûler, Maria ! lui dit-il en revenant de chez l'évêque. Ils disent que tu es une sorcière et m'ont donné l'ordre de te conduire *là-bas*... Ecoute-moi, femme ! Si vraiment tu es une sorcière, tant pis pour toi, transforme-toi en chat noir et fuis n'importe où ; mais si l'esprit impur ne t'habite pas, je ne te livrerai pas aux moines... Ils te mettraient dans un carcan et ne te laisseraient pas dormir avant que tu n'aies menti sur ton propre compte. Fuis donc si tu es une sorcière !

Maria ne se transforma pas en chat noir et ne s'enfuit pas... Elle ne fit que pleurer et pria Dieu.

— Ecoute, dit Spalanzo à sa femme éplorée. Feu mon père me disait que l'heure était proche où l'on se moquerait de ceux qui croient à l'existence des sorcières. Mon père ne croyait pas en Dieu, mais il disait toujours la vérité. Il faut donc te cacher quelque part et attendre ce moment... C'est très simple. Le bateau de mon frère Christophe est en réparation dans le port. Je te cacherai à bord et tu n'en sortiras pas tant que l'heure dont parlait mon père ne sera venue... Selon ses dires, elle est proche...

Le soir même, Maria était installée dans la soute du bateau ; tremblant de froid et de terreur, elle prêtait l'oreille à la rumeur des vagues et attendait avec impatience l'époque inimaginable dont avait parlé le père de Spalanzo.

— Où est ta femme ? demanda l'évêque.

— Elle s'est transformée en chat noir et a pris la fuite ! mentit le mari.

— Je m'y attendais, je l'avais prévu. Cela ne fait rien. Nous la retrouverons... Augustin possède un don immense ! Un don miraculeux ! Va en paix et une autre fois n'épouse pas une sorcière ! Il y a eu des exemples où les esprits impurs se sont transportés de la femme chez le mari... L'an dernier, j'ai brûlé un bon catholique qui, pour avoir touché une femme impure, avait livré malgré lui son âme au diable... Va !

Maria resta longtemps à bord du bateau. Son mari lui rendait visite toutes les nuits et lui apportait tout ce qui lui était indispensable. Elle attendit un mois, deux mois, trois mois, mais le temps désiré n'arrivait toujours pas. Le père de Spalanzo avait eu raison, mais il ne suffit pas de quelques mois pour faire mourir les préjugés... Ils sont vivaces comme des poissons et il leur faut des siècles entiers pour disparaître... Maria s'était habituée à son nouveau genre de vie et commençait à se moquer des moines qu'elle appelait des corbeaux... Elle aurait encore vécu longtemps, peut-être serait-elle partie à bord du bateau réparé pour de lointaines contrées dont parlait Christophe, loin de cette stupide Espagne, s'il ne s'était produit un terrible et irrévocable malheur.

La proclamation de l'évêque qui circulait parmi les habitants de Barcelone et était placardée sur toutes les places et dans les marchés, tomba sous les yeux de Spalanzo. Il la lut et se mit à réfléchir. L'absolution des péchés qu'on promettait à la fin du texte le laissa rêveur.

— Comme il serait bon d'être absous ! soupira-t-il.

Spalanzo se considérait comme un grand pécheur. Une multitude de fautes qui avaient conduit de nombreux catholiques au bûcher, à la torture et à la mort pesaient sur sa conscience. Sa jeunesse s'était écoulée à Tolède. Cette ville était alors le point de ralliement des magiciens et des sorciers... Aux XIIe et XIIIe siècles, les mathématiques y fleurissaient plus que partout ailleurs en Europe. Des mathématiques à la magie, en Espagne il n'y a qu'un pas. Sous la direction de son père, Spalanzo s'était autrefois adonné à ces pratiques. Il avait disséqué des animaux et collectionné des plantes rares... Un jour qu'il pilait quelque chose dans un mortier de fer, un esprit en était sorti avec un bruit terrible sous la forme d'une flamme bleuâtre. La vie à Tolède était entièrement faite de semblables péchés. Après la mort de son père, Spalanzo avait quitté la ville et fut pris bientôt d'affreux remords de conscience. Un vieux moine très savant lui avait dit que ses péchés ne lui seraient pas pardonnés tant qu'il n'aurait pas reçu l'absolution en échange de quelque exploit particulier. Il était prêt à tout pour se faire absoudre et libérer son âme des souvenirs de la vie honteuse de Tolède, pour éviter l'enfer. Il aurait donné la moitié de sa fortune si, en ce temps-là, les indulgences s'étaient vendues en Espagne... Il se serait rendu en Terre sainte à pied si ses affaires ne l'eussent point retenu.

« Si je n'étais pas son mari, je la livrerais... », se dit-il après avoir lu la proclamation de l'évêque.

Il n'avait qu'un mot à dire pour recevoir l'absolution : cette pensée s'était ancrée dans sa tête et ne lui laissait aucun repos, ni jour, ni nuit... Il aimait sa femme... il l'aimait profondément... Si l'amour, cette faiblesse tant méprisée par les moines et même par les docteurs de Tolède, ne s'y opposait pas, peut-être aurait-il pu... Il montra l'affiche à son frère Christophe.

— Je l'aurais livrée, dit le frère, si c'était une sorcière et si elle n'était pas si belle... L'absolution est une bonne chose... Du reste, nous ne perdrons rien si nous attendons la mort de Maria et ne la livrons que morte à ces corbeaux... Qu'ils brûlent son cadavre... Les morts ne souffrent pas... Elle mourra quand nous serons vieux, et c'est justement dans notre vieil âge que nous aurons besoin d'absolution...

En disant cela, Christophe éclata de rire et tapa son frère sur l'épaule.

— Je peux mourir avant elle, observa Spalanzo. Mais je jure sur Dieu que je la livrerais si je n'étais pas son mari.

Une semaine après cette conversation, Spalanzo arpentait le pont du navire et marmottait :

— Oh ! si elle était morte ! Jamais je ne la livrerai vivante, jamais ! Mais si je livrais son cadavre, ces maudits corbeaux seraient trompés et moi, j'aurais mon indulgence.

Et le stupide Spalanzo empoisonna sa pauvre femme.

Il porta lui-même devant l'assemblée des juges le cadavre de Maria qui fut livré aux flammes.

Spalanzo reçut l'absolution pour ses péchés de Tolède. On lui pardonna d'avoir appris à soigner les hommes et de s'être initié à la science qui, par la suite, fut appelée chimie. L'évêque le complimenta et lui fit don d'une de ses propres œuvres. Dans ce livre, le savant ecclésiastique expliquait que les démons habitent, le plus souvent, le corps des femmes brunes parce que les cheveux noirs ont la couleur de Satan.

1882
LA VIE EN QUESTIONS
ET EN EXCLAMATIONS

ENFANCE

Qu'est-ce que le Seigneur nous a donné, un fils ou une fille ? A quand le baptême ? Quel gros garçon ! Ne le laisse pas tomber, nourrice ! Ah ! Ah ! Il va tomber ! A-t-il percé ses dents ? Serait-il scrofuleux ? Chassez le chat, il va se faire griffer ! Tire les moustaches de tonton ! Comme ça ! Ne pleure pas ! Gare au loup ! Il sait déjà marcher ! Emportez-le ; il est mal élevé ! Qu'est-ce qu'il vous a fait ? Pauvre redingote ! Ce n'est rien, nous la ferons sécher ! Il a renversé l'encrier ! Dors, mon gros ! Il parle déjà ! Ah, quelle joie ! Eh bien, dis-nous quelque chose ! Il a failli être écrasé par une voiture ! Il faut chasser la nourrice ! Ne reste pas dans le courant d'air ! N'avez-vous pas honte, est-ce qu'on peut battre un petit comme lui ? Ne pleure pas ! Donnez-lui du pain d'épice !

ADOLESCENCE

Arrive ici que je te fouette ! Où t'es-tu cassé le nez ? Ne dérange pas maman ! Tu n'es plus un enfant ! N'approche pas de la table, on te servira après ! Lis ! Tu ne sais pas ? Au coin ! Zéro ! Ne mets pas de clous dans ta poche ! Pourquoi n'obéis-tu pas à maman ? Mange comme il faut ! Ne mets pas les doigts dans le nez ! C'est toi qui as battu Mitia ? Garnement ! Récite-moi « La cigale et la fourmi » ! Quel est le nominatif pluriel ? Additionne et soustrais ! Il est temps d'aller te coucher ! Il est déjà neuf heures ! Ce n'est que devant les invités qu'il fait des sottises ! Tu mens ! Peigne-toi ! Sors de table ! Voyons, montre-nous un peu tes notes ! Tu as déjà déchiré tes chaussures ? C'est honteux de pleurer, un grand garçon comme toi ! Où as-tu sali ton uniforme ? Il n'y en aura jamais assez pour vous ! Encore un zéro ? Quand pourrai-je enfin cesser de te fouetter ? Si tu fumes, je te fiche à la porte de la maison ! Quel est le superlatif de *facilis*[1] ? *Facilissimus* ? C'est faux ! Qui a bu ce vin ? Les enfants, on a amené un singe dans la cour ! Pourquoi faites-vous redoubler mon fils ?

JEUNESSE

Tu es encore trop jeune pour boire de la vodka ! Parlez-moi de la concordance des temps ! Trop tôt, trop tôt, jeune homme ! A votre âge, je ne connaissais encore rien de pareil ! Tu as encore peur de fumer en présence de ton père ? Ah ! quelle honte ! Nina t'envoie ses amitiés ! Passons à Jules César ! Ici *ut consecutivum*[2] ? Ah ! mon chou ! Laissez-moi, monsieur, sinon... je le dirai à votre père ! Eh bien, eh bien... Fripon ! Chic, mes moustaches poussent déjà ! Où ? C'est toi qui les as dessinées, elles ne poussent pas du tout ! Nadine a un menton adorable ! Dans quelle classe êtes-vous maintenant ? N'êtes-vous pas d'accord, papa, que je ne peux pas me passer d'argent de poche ! Nathalie ? Je connais ! J'ai été chez elle ! C'était donc toi ? Ah ! sainte-nitouche ! Donnez-moi une cigarette ! Oh ! si tu savais comme je l'aime !

1. Facile.
2. Tournure grammaticale avec la conjonction *ut*.

Elle est divine ! Je termine mon lycée et je l'épouse ! Ça ne vous regarde pas, maman ! Je vous dédie mes vers ! Laisse-moi fumer un peu ! Je suis ivre après trois petits verres ! Bis ! Bis ! Braaavo ! Est-il possible que tu n'aies pas lu Born[1] ? Non, pas cosinus, mais sinus ! Où est la tangente ? Sophie a de vilaines jambes ! Peut-on vous embrasser ? Buvons un coup ! Hourraah, j'ai fini mes études ! Inscrivez à mon compte ! Prêtez-moi vingt-cinq roubles ! Père, je me marie ! Mais j'ai donné ma parole ! Où as-tu passé la nuit ?

ENTRE VINGT ET TRENTE ANS

Prêtez-moi cent roubles ! Quelle faculté ? Ça m'est égal ! Combien coûtent les cours imprimés ? C'est vraiment bon marché ! A *Strelna*[2], et retour ! Bis ! Bis ! Combien je vous dois ? Venez demain ! Que joue-t-on aujourd'hui au théâtre ? Oh ! Si vous saviez comme je vous aime ! Oui ou non ? Oui ? Oh, mon ange ! Par la peau du cou ! Garçon ! Vous buvez du xérès ? Marie, donne-moi de la marinade de concombres au sel ! Le rédacteur est chez lui ? Je n'ai pas de talent ? Bizarre ! De quoi vais-je vivre ? Prêtez-moi cinq roubles ! Au *Salon*[3] ! Il commence à faire jour, messieurs ! Je l'ai plaquée ! Prêtez-moi un habit ! Une boule jaune dans le coin ! Je suis déjà assez saoul ! Je meurs, docteur ! Prêtez-moi de l'argent pour les médicaments ! J'ai failli mourir ! J'ai maigri ? On va chez Iar ? Ça vaut le coup ! Donnez-moi donc du travail ! Je vous en prie ! Hééé... mais vous êtes un fainéant. Peut-on être en retard à ce point ? L'argent ne fait pas le bonheur ! Si, c'est bien l'argent ! Je me brûle la cervelle ! Foutu ! Que le diable emporte tout cela ! Adieu, sale vie ! Du reste... non. C'est toi, Lisa ? Ma vie est finie, maman ! J'ai fait mon temps ! Accordez-moi un emploi, mon oncle ! Votre

1. Ecrivain allemand.
2. Restaurant, dans la banlieue de Moscou.
3. Cabaret de Moscou.

voiture est avancée, *ma tante* !* Merci, *mon oncle* !* J'ai changé, n'est-il pas vrai, *mon oncle* !* Cesse de courir comme un chien ? Ha ! ha ! ha ! Rédigez ce papier ! Me marier ? Jamais ! Elle... hélas, elle est mariée ! Votre Excellence ! Serge, présente-moi à ta grand-mère ! Vous êtes ravissante, princesse ! Vieille ? Allons donc ! Vous voulez qu'on vous fasse des compliments ? Un fauteuil au deuxième rang, s'il vous plaît !

ENTRE TRENTE ET CINQUANTE

Raté ! Y a-t-il une place vacante ? Neuf, sans atout ! Sept de cœur ! A vous de donner, mon oncle ! Vous êtes terrible, docteur ! J'ai la cirrhose du foie ? Des blagues ! Comme ces médecins sont chers ! Et à combien s'élève sa dot ? Pour l'instant vous ne l'aimez pas, avec le temps vous l'aimerez ! Félicitations, à l'occasion de votre mariage ! Je ne peux pas cesser de jouer, ma chère ! Embarras gastrique ? Un fils ou une fille ? Son père tout craché ! Hé, hé, hé... Je ne savais pas ! J'ai gagné au jeu, ma chérie ! Ah, diable, j'ai de nouveau perdu ! Un fils ou une fille ? Tout à fait... son père ! Je t'assure que je ne la connais pas ! Cesse d'être jalouse ! Fanny, en voiture ! Un bracelet ? Du champagne ? Compliments pour votre promotion ! Merci ! Que faut-il faire pour maigrir ? Je suis chauve ? Ne me cassez pas les oreilles, belle-maman ! Un fils ou une fille ? Je suis ivre, Caroline ! Permets que je t'embrasse, petite Allemande ! De nouveau cette canaille chez ma femme ! Combien avez-vous d'enfants ? Venez en aide à un pauvre homme ! Que votre fille est charmante ! Ils l'ont dénoncé dans les journaux, ces démons ! Viens que je te fouette, sale gamin ! C'est toi qui as abîmé ma perruque ?

VIEILLESSE

On va faire une cure ? Epouse-le, ma fille ! Il est stupide ? Voyons ! Elle danse mal, mais quelles jolies jambes ! Cent roubles pour... un baiser ? Ah, toi, petite diablesse ! Hé, hé, hé ! Tu veux une gélinotte, petite ? Toi, mon fils, tu es... tu es immoral ! Vous vous oubliez, jeune homme ! Pst ! Pst ! J'aime la musique ! Cham... cham... pagne ! Tu lis *Le Bouffon* ? Hé, hé, hé ! J'apporte des bonbons à mes petits-enfants ! Mon fils est bien, mais moi j'étais mieux que lui ! Où est-il, le temps passé ? Toi, Emotchka, je ne t'ai pas oubliée non plus sur mon testament ! Tu vois comme je suis ! Papa, donne-moi ta montre ! Hydropisie ? Est-ce possible ? Qu'il repose en paix ! La famille pleure ? Le deuil lui va bien ! Il commence à sentir mauvais ! Repose en paix, honnête travailleur !

UNE CONFESSION
OU OLIA, GÉNIA, ZOÏA

Lettre

Ma chère*, ma précieuse et inoubliable amie, vous me demandez dans votre aimable lettre pourquoi je ne suis pas encore marié malgré mes trente-neuf ans.

Ma chère amie ! J'aime de tout cœur la vie de famille et si je ne suis pas marié c'est simplement parce que cela n'a pas plu à cette canaille de destin. J'ai été sur le point de le faire une quinzaine de fois, mais si je ne me suis pas marié c'est parce que tout, en ce bas monde, et en particulier ma vie, dépend du hasard et lui obéit. C'est un despote. Et si mes jours s'écoulent jusqu'à ce jour dans une méprisable solitude, c'est dû à certains faits que je vais vous relater.

Première aventure

C'était une ravissante matinée de juin. Le ciel était limpide comme le bleu d'outremer le plus pur. Le soleil se jouait dans la rivière et ses rayons glissaient sur l'herbe recouverte de rosée. Les eaux et la verdure semblaient parsemées de diamants précieux. Les oiseaux chantaient leurs chants les plus savants. Nous marchions le long d'une petite allée recouverte de fin sable jaune et nos poitrines gonflées de bonheur humaient le parfum de cette matinée de juin. Les arbres nous regardaient tendrement et nous murmuraient des choses sans doute très bonnes et tendres... La main d'Olia Grouzdovskaïa (qui est mariée à l'heure actuelle au fils de votre chef de police) reposait dans ma main et son minuscule petit doigt tremblait sur mon pouce... Ses joues étaient en feu et quant à ses yeux... Oh ! ma chère, c'étaient de si beaux yeux ! Que de charme, de franchise, d'innocence, de gaieté, de naïveté enfantine brillait dans ces yeux bleus ! J'admirais ses nattes blondes et les traces menues que laissaient dans le sable ses petits pieds mignons.

— Ma vie, Olga Maksimovna, je l'ai vouée à la science, lui murmurais-je, tout en craignant que son petit doigt ne glissât de mon pouce. Plus tard, j'aurai une chaire à la Faculté. Je m'intéresse à... des questions... scientifiques... Je mène une existence laborieuse, pleine de hautes préoccupations... comment dirai-je... Voilà : en un mot, je serai professeur... Je suis un homme d'honneur, Olga Maksimovna... Je n'ai pas de fortune, mais... Il me faut une compagne qui, par sa présence (Olia rougit et baissa les yeux ; son petit doigt se mit à trembler), qui, par sa présence... Olia ! Regardez ce ciel ! Il est pur... ma vie, tout comme lui, est pure et sans limites...

Ma langue n'avait pas eu le temps de se dépêtrer de ce galimatias qu'Olga avait levé la tête, retiré son petit doigt et s'était mise à battre des mains. Des oies et des oisons venaient à notre rencontre. Elle courut vers eux et leur tendit les bras en riant bien fort... Oh, *ma chère**, quels bras !

— Ter... ter... ter..., firent les volatiles, dressant le cou et la regardant de côté.

— Petits, petits, petits, cria-t-elle en essayant de saisir un oison.

L'oiseau était d'une intelligence au-dessus de son âge. Il fuit la main d'Olia, se réfugia auprès de son père, un gros jars stupide, et lui fit apparemment ses doléances.

Le jars écarta les ailes. L'espiègle Olia voulut s'emparer d'un autre oison. A ce moment, il se passa quelque chose d'épouvantable. Le jars baissa le cou vers le sol et, d'un air menaçant, se dirigea vers la jeune fille en sifflant comme un serpent. Olia poussa un cri perçant et battit en retraite. Le jars la poursuivait toujours. Olia se retourna, pâlit et cria encore plus fort. Son joli minois juvénile était défiguré par l'effroi et le désespoir. On eût dit qu'elle était poursuivie par trois cents démons.

Je courus à son aide et assénai un coup de canne sur la tête de l'oiseau. Le maudit jars réussit tout de même à pincer le bord de la robe d'Olia. Les yeux exorbités, le visage grimaçant, tremblant de tous ses membres, elle tomba sur ma poitrine...

— Que vous êtes froussarde ! lui dis-je.

— Battez le vilain jars ! dit-elle, et elle se mit à pleurer.

Son petit visage effrayé exprimait moins la naïveté enfantine que la bêtise ! Je ne pus souffrir, *ma chère*,* la pusillanimité. Je n'arrive pas à m'imaginer marié avec une femme lâche et pleureuse.

Le jars avait tout gâché... Après avoir calmé Olia, je rentrai chez moi, mais le minois apeuré jusqu'à la sottise se grava dans ma mémoire... Olia avait perdu tout son charme. Je renonçai à elle.

Deuxième aventure

. Bien entendu, mon amie, vous savez que je suis écrivain. Les dieux ont allumé la flamme sacrée dans ma poitrine et je considère que je n'ai pas le droit d'abandonner la plume. Je suis prêtre d'Apollon... Tous les battements de mon cœur — jusqu'au plus faible —, tous mes soupirs, en bref tout mon être, je l'ai déposé sur l'autel des muses. J'écris, j'écris, j'écris... Enlevez-moi la plume, je suis mort. Vous riez, vous ne me croyez pas... Je jure que c'est vrai !

92

Pourtant, vous savez sûrement, ma chère, que le globe terrestre est un lieu peu propice aux arts. La terre est immense, abondamment pourvue, mais il n'y a pas de place pour l'écrivain. L'écrivain, c'est l'éternel paria, le proscrit, le bouc émissaire, l'enfant sans protection... L'humanité, je la divise en deux catégories, celle des écrivains et celle des envieux. Les premiers écrivent, les seconds crèvent de jalousie et font toutes sortes de crasses aux premiers. J'ai péri, je péris, et je périrai à cause des envieux. Ils ont gâché ma vie. Ils ont pris en main les rênes du pouvoir en ce qui nous concerne, ils s'intitulent rédacteurs, éditeurs et s'acharnent de toutes leurs forces à torpiller notre confrérie. Qu'ils soient maudits !

Ecoutez...

Pendant quelque temps, j'ai fait la cour à Génia Pchikova. Vous vous souvenez certainement de cette charmante et rêveuse enfant brune... Elle est aujourd'hui mariée à votre voisin Karl Ivanovitch Wanze (*à propos**, en allemand Wanze signifie... punaise. Ne le dites pas à Génia, elle serait vexée). Elle aimait en moi l'écrivain. Elle croyait à ma vocation aussi profondément que moi-même. Elle vivait de mes espoirs, mais elle était jeune ! Elle ne pouvait encore comprendre cette division de l'humanité en deux camps. Elle ne croyait pas à cette division ! Elle n'y croyait pas, et un beau jour nous... en avons péri.

J'habitais la villa des Pchikov. On nous considérait, Génia et moi, comme des fiancés. J'écrivais, elle lisait. Quel esprit critique, *ma chère** ! Elle était juste comme Aristide, mais sévère comme Caton. Je lui dédiai mes œuvres... L'une d'elles lui plut beaucoup. Elle désira la voir paraître. Je l'envoyai à une revue humoristique. Je la postai le 1er juillet et espérai recevoir la réponse deux semaines plus tard. Le 15 juillet arriva. Génia et moi reçûmes le numéro tant attendu. Nous l'ouvrîmes en toute hâte et trouvâmes une réponse dans la rubrique « correspondance ». Elle rougit, je blêmis. Voici les lignes qui me concernaient : « Village de Chlendovo. M.M.B. Vous n'avez pas un brin de talent. Au diable votre gribouillage ! Ne gâchez pas des timbres pour rien et fichez-nous la paix. Occupez-vous d'autre chose. »

— Voilà qui est stupide... On voit tout de suite que c'est rédigé par des imbéciles.

— Mmmmmmmm..., articula Génia.

— Les misérables ! ! ! bredouillai-je. Qu'en dites-vous ? Alors, Génia, allez-vous encore vous moquer de ma division ?

Elle resta un instant songeuse et bâilla.

— Eh bien, dit-elle, il se peut en effet que vous n'ayez aucun talent ! A eux de savoir. L'an dernier, Fédor Fédossiévitch a passé tout l'été à pêcher à la ligne avec moi, tandis que vous ne faites qu'écrire, écrire tout le temps... C'est lassant !

Qu'en pensez-vous ? Et cela après des nuits blanches passées ensemble à écrire et à lire ! Après notre commun sacrifice aux Muses... ! Hein ?

Génia était déçue par mon œuvre, donc par moi. Ce fut la rupture. Il ne pouvait en être autrement.

Troisième aventure

Vous savez certainement, mon inoubliable amie, que j'aime la musique à la folie. La musique est ma passion, mon élément... Pour moi, Mozart, Beethoven, Chopin, Mendelssohn, Gounod ne sont pas des hommes mais des titans ! J'aime la musique classique ! L'opérette me déplaît autant que le vaudeville. Je suis un des plus fidèles spectateurs de l'Opéra. Je considère Khokhlov, Kotché-tova Bartzal, Oussatov, Korsov[1] comme des divinités. Que je regrette de ne pas connaître des chanteurs ! Si je pouvais les approcher, mon cœur aurait été intarissable dans l'expression de ma gratitude. L'hiver dernier, j'étais spécialement assidu à l'Opéra. Je n'y allais pas

1. Chanteurs de l'époque.

seul, mais avec les Pepsinov. Dommage que vous n'ayez jamais rencontré cette gentille famille. Ils louent tous les hivers une loge à l'Opéra et sont dévoués à la musique du fond de leur âme. L'ornement de la famille est Zoïa, la fille du colonel Pepsinov. Quelle jeune fille, ma chère ! Ses lèvres roses auraient suffi toute seules à rendre fou un homme de mon genre. Svelte, belle, intelligente... Je l'aimais... Je l'aimais ardemment, passionnément, terriblement ! Mon sang bouillonnait quand j'étais assis près d'elle. Vous souriez, ma chère... Souriez ! L'amour d'un écrivain vous est inconnu, étranger... L'amour d'un écrivain : l'Etna plus le Vésuve. Zoïa m'aimait. Ses yeux cherchaient les miens qui ne la quittaient pas... Nous étions heureux... Il ne restait plus qu'un pas jusqu'au mariage.

Mais nous sombrâmes.

On jouait *Faust*. Ma chère, c'est l'œuvre de Gounod, et Gounod est un musicien de génie. Alors que j'allais au théâtre, je décidai de faire ma déclaration à Zoïa pendant le premier acte que je ne comprends pas... Le grand Gounod a eu tort d'écrire ce premier acte !

Le spectacle commença. Zoïa et moi étions seuls au foyer. Assise près de moi, tremblante d'espoir et de bonheur, elle jouait machinalement de l'éventail. Les lumières du soir la rendaient belle, *ma chère**, terriblement belle !

— L'ouverture, commençai-je pour lui dire mon amour, m'a amené à quelques réflexions, Zoïa Egorovna. Que de sentiments, que de... On écoute et on brûle d'envie... On brûle d'envie vague et on écoute...

J'eus un hoquet et continuai :

— L'envie de quelque chose de particulier. On a soif de quelque chose de surhumain... D'amour ? De passion ? Oui, peut-être... d'amour... (Un hoquet.) Oui, sans doute, d'amour...

Zoïa sourit, rougit et agita frénétiquement son éventail. Encore un hoquet ! J'ai horreur du hoquet !

— Zoïa Egorovna, dites-moi, je vous en supplie !
Ce sentiment vous est-il familier ? (Un hoquet.) Zoïa
Egorovna ! J'attends votre réponse !

— Je... je... ne vous comprends pas...

— J'ai une crise de hoquet... Ça passera... Je parle de
ce sentiment qui vous submerge, qui... Que le diable
l'emporte !

— Buvez de l'eau !

Je vais faire ma déclaration et après j'irai au buffet,
pensai-je, et je continuai :

— Je serai bref, Zoïa Egorovna... Vous avez certainement remarqué...

J'eus un hoquet et me mordis la langue de dépit.

— Vous avez certainement remarqué… (Un hoquet.)
Vous me connaissez depuis près d'un an… Hum… Je
suis un honnête homme, Zoïa Egorovna. Un travailleur !
Je ne suis pas riche, c'est vrai, mais…

Encore un hoquet. Je me levai d'un bond.

— Buvez donc un peu d'eau ! conseilla-t-elle.

Je fis quelques pas près du divan, me pressant la
gorge avec le doigt, et eus un nouveau hoquet. *Ma
chère**, j'étais dans une situation effroyable ! Zoïa se
leva et se dirigea vers la loge. Je la suivis. Pendant que
je la faisais entrer je hoquetai et courus au buffet. J'ava-
lai cinq verres d'eau, la crise sembla s'apaiser un peu.
Je fumai une cigarette et retournai dans la loge. Le frère
de la jeune fille se leva pour me céder sa place à côté
de ma Zoïa. Je m'assis et, à l'instant même, un hoquet !
Cinq minutes ne s'étaient pas passées que je hoquetai
d'une façon particulière, accompagnée d'un râle. Je me
levai et restai debout près de la sortie. Mieux vaut, ma
chère, hoqueter devant une porte qu'à l'oreille de sa
bien-aimée. Un lycéen, assis dans la loge voisine, me
regarda et pouffa de rire. Le vaurien s'en donnait à cœur
joie. Pour ma part, j'aurais volontiers arraché l'oreille
avec sa racine à ce satané blanc-bec ! Rire pendant que,
sur scène, on chantait le grand *Faust* ! Quel sacrilège !

Non, *ma chère**, lorsque nous étions petits, nous étions mieux élevés. Pendant que je maudissais le lycéen effronté, je hoquetai une fois de plus. On riait dans les loges voisines.

— Bis ! susurra le gamin.

— C'est une honte ! Vous auriez pu hoqueter à votre aise chez vous, monsieur ! me dit à l'oreille le colonel Pepsinov.

Zoïa rougit. Je laissai de nouveau échapper un hoquet et, les poings serrés, je me précipitai dehors. Je me mis à arpenter le couloir. Je marchai, je marchai, je marchai, toujours secoué de hoquets. Que n'ai-je pas mangé, que n'ai-je bu ! Au début du quatrième acte, j'abandonnai la partie et rentrai chez moi. Comme par un fait exprès, dès mon retour le hoquet cessa... Je me tapai sur la nuque en m'écriant :

— Vas-y maintenant ! Tu peux hoqueter, malheureux fiancé ! Tu n'as pas été sifflé mais... hoqueté !

Le lendemain, j'allai comme de coutume chez les Pepsinov. Zoïa ne parut pas au dîner et me fit dire qu'elle était souffrante et ne pourrait me voir. Pepsinov n'en finissait plus de parler de certains jeunes gens qui ne savaient pas se tenir en société... L'imbécile ! Il ignore que les organes qui produisent le hoquet ne se trouvent pas sous la dépendance des réflexes volontaires. Réflexe, ma chère, en l'occurrence signifie moteur.

— Donneriez-vous votre fille, si vous en aviez une, en mariage à un homme qui se permet de s'adonner en public à l'éructation ? me dit Pepsinov après le repas.

— Je la donnerais..., bafouillai-je.

— Vous auriez tort !

Zoïa était perdue pour moi. Elle n'a pas su me pardonner mon hoquet. C'en était fait de moi !

Dois-je vous décrire également les douze autres aventures ?

Je le ferais bien, mais... en voilà assez. Les veines se gonflent sur mes tempes, les larmes giclent de mes yeux et mon foie me fait souffrir... Frères écrivains, la fatalité pèse sur notre destin ! Permettez-moi, *ma chère**, de vous souhaiter beaucoup de bonheur ! Je vous serre la main et salue votre Paul. J'ai entendu dire qu'il était un excellent mari et un bon père... Qu'il soit loué ! C'est dommage qu'il boive ferme (ce n'est pas un reproche, *ma chère**). Portez-vous bien, soyez heureuse et n'oubliez pas que je suis votre humble serviteur.

Makar BALDASTOV.

LE CAP VERT

Un petit roman

CHAPITRE IER

Au bord de la mer Noire, en un coin qui, dans mon journal intime et dans ceux de mes héros et héroïnes, porte le nom de « Cap Vert », se trouve une charmante villa. Pour un architecte, amateur de sobriété, de rigueur, de style, il est possible qu'elle ne représente rien, mais pour un poète, pour un peintre, c'est un enchantement. Elle me plaît par son charme modeste, par sa beauté qui n'écrase pas celle des alentours, et aussi parce qu'elle ne respire ni le froid du marbre, ni la majesté des colonnes. Elle a un aspect aimable, accueillant, romantique. Derrière les peupliers argentés et sveltes, elle a quelque chose de médiéval avec ses tourelles, ses flèches, ses créneaux, ses mâts. Quand je la regarde, je songe à des romans allemands sentimentaux avec leurs chevaliers, leurs châteaux forts, leurs docteurs en philosophie et leurs mystérieuses comtesses. La villa se dresse sur une hauteur : autour d'elle un parc touffu, plein d'allées, de petites fontaines et de serres ; au pied de la colline, la mer, sombre et bleue. Une brise légère et capricieuse, les chants variés des oiseaux, le ciel éternellement limpide, les ondes transparentes : quel site délicieux.

La propriétaire de la villa, Maria Egorovna Mikcha-dzé, veuve d'un petit prince d'origine géorgienne ou cir-cassienne, était une dame d'une cinquantaine d'années, grande, forte, et qui devait passer naguère pour une beauté. Une femme bonne, accueillante, hospitalière, mais sévère. Du reste, moins sévère que capricieuse. Elle nous faisait manger parfaitement bien, nous donnait admirablement à boire, nous prêtait de l'argent à tour de bras et, en même temps, nous tourmentait terriblement. L'étiquette était sa marotte, l'origine princière de son époux en était une autre. A force d'enfourcher ses deux dadas, elle passait toute mesure. Par exemple, elle ne souriait jamais, considérant sans doute que pour elle et pour les grandes dames en général il était indécent de sourire. Quiconque avait un an de moins qu'elle était un blanc-bec. La noblesse, à ses yeux, était une vertu en comparaison de laquelle le reste ne comptait que pour bien peu de chose. Ennemie de l'étourderie, de la frivo-lité, elle aimait le silence, etc., etc. Parfois, nous avions du mal à la supporter. Sans l'existence de sa fille, il est douteux que nous ayons aujourd'hui du plaisir à évoquer le Cap Vert. La brave femme représentait la tache la plus sombre de nos souvenirs. La parure du domaine, c'était la fille de Maria Egorovna, Olia.

C'était une jolie petite blonde élancée de dix-neuf ans. Elle était délurée et point sotte. Olia dessinait joli-ment, s'intéressait à la botanique, parlait bien le fran-çais et mal l'allemand, lisait beaucoup et dansait comme Terpsichore en personne. Elle avait appris la musique au Conservatoire et jouait agréablement du piano. Nous autres hommes aimions cette petite fille, nous n'en étions pas amoureux mais nous l'aimions. Elle nous était proche à tous, elle nous appartenait. Sans elle, le Cap Vert nous aurait semblé inimaginable, privé d'une partie de sa poésie. Olia était la ravissante silhouette féminine qui anime un beau paysage ; or, je n'aime pas les tableaux sans personnages. Le clapotis de la mer, le murmure des feuillages sont par eux-mêmes délicieux, mais si le soprano d'Olia s'y ajoute, soutenu par nos voix de basses ou de ténors et le son du piano, la mer et le jardin deviennent un paradis terrestre... Nous chérissions la petite princesse : il ne pouvait en être autrement. Nous lui donnions le titre de fille de notre régiment. Olia nous aimait, elle aussi. Elle était attirée par notre compagnie masculine et se sentait parmi nous dans son propre élément. En notre absence, elle maigrissait et ne chantait plus. Notre bande se composait d'invités passant l'été au Cap Vert, et de voisins. Parmi les premiers, il y avait le docteur Iakovkine, un journaliste d'Odessa, Moukhine, Fiveïski, agrégé de physique (actuellement maître de conférences), trois étudiants, le peintre Tchékhov, un baron, juriste kharkovien, et moi-même, ancien répétiteur d'Olia (je lui avais enseigné un mauvais allemand et l'art d'attraper des chardonnerets). Tous les ans, au mois de mai, nous arrivions au Cap Vert et prenions possession pour tout l'été de l'ensemble des pavillons et des chambres disponibles dans le manoir médiéval. Nous recevions en mars deux lettres d'invitation : l'une, grave, sévère et moralisante, de la princesse, une autre, très longue, pleine de gaieté et de projets de toutes sortes, d'Olia qui s'ennuyait après nous. Nous arrivions pour rester jusqu'en septembre. Parmi les voisins qui, chaque jour, nous rendaient visite, il y avait Egorov, lieutenant d'artillerie en retraite, jeune homme très cultivé, adorant la lecture, qui avait échoué deux fois à l'examen d'entrée à l'Académie militaire, un étudiant en médecine, Korobov, et sa femme Ekatérina Ivanovna, le hobereau Alioutov et un grand nombre de propriétaires terriens, de militaires en congé ou en activité, de garçons gais ou ennuyeux, de vauriens et de paresseux. Nuit et jour, tant que durait l'été, toute cette bande mangeait, buvait, jouait, chantait, tirait des feux d'artifice, faisait de l'esprit... Olia aimait tout le monde sans réserve.

Elle criait, s'agitait, faisait plus de bruit que les autres, c'était elle le bout-en-train de toute la compagnie.

Chaque soir, la princesse nous réunissait au salon et, le visage cramoisi d'indignation, nous reprochait notre « mauvaise conduite », nous faisait honte et jurait que nous étions responsables de ses maux de tête. Elle aimait faire de la morale et la faisait avec conviction, profondément persuadée que nous allions en profiter. C'était à Olia qu'elle s'en prenait le plus. D'après elle, Olia était responsable de tout. La jeune fille craignait sa mère. Elle l'adorait et écoutait les sermons debout, silencieuse, toute rouge. La princesse la considérait comme une enfant. Elle la mettait au coin, la privait de déjeuner, de dîner. Prendre sa défense eût été jeter de l'huile sur le feu. Si elle avait pu, la princesse nous aurait mis au coin, nous aussi. Elle nous envoyait aux vêpres, nous ordonnait de lire à haute voix la vie des saints, comptait notre linge, se mêlait de nos affaires... Il nous arrivait constamment de perdre ses ciseaux, d'oublier où étaient ses sels, de ne pas réussir à retrouver son dé.

— Jean de la lune ! s'écriait-elle à chaque instant. Tu passes devant, tu fais tomber et tu ne ramasses pas ! Ramasse ! Tout de suite ! Dieu m'a punie en vous envoyant ici... Ne te tiens pas à côté de moi ! Ne reste pas dans le courant d'air !

Parfois, pour s'amuser, l'un de nous se mettait volontairement en faute ; dénoncé, il était convoqué chez la vieille dame.

— C'est toi qui as piétiné la plate-bande ? (Ainsi commençait le jugement.) Comment as-tu osé ?

— Je ne l'ai pas fait exprès.

— Tais-toi ! Comment as-tu osé, je te le demande ?

Les débats judiciaires se terminaient par un pardon, un baisement de main et des rires homériques à la sortie de la salle d'audience. La princesse ne nous témoignait jamais de tendresse. Elle gardait les paroles tendres pour les vieilles femmes et les enfants.

Pas une seule fois je ne l'ai vue sourire. Je l'entendais persuader à voix basse le vieux général qui venait le dimanche jouer au piquet que nous, docteurs, professeurs, barons, peintres, écrivains, nous serions tous perdus sans ses bons conseils... Pourtant nous ne faisions rien pour l'en dissuader... Ça l'amuse, pensions-nous... La princesse aurait été supportable si elle ne nous avait obligés à être debout à huit heures et couchés à minuit au plus tard. La pauvre Olia allait au lit à onze heures. Inutile de protester ! Qu'est-ce que nous nous moquions de la vieille dame pour cette atteinte arbitraire à notre liberté ! Nous allions tous en bande lui demander pardon, nous lui composions des compliments dans le style de Lomonossov, nous dessinions l'arbre généalogique des princes Mikchadzé, etc. Elle prenait tout au sérieux, et nous, nous riions aux éclats. La princesse nous aimait bien... Elle soupirait profondément et très sincèrement lorsqu'elle nous exprimait ses regrets au sujet de nos origines plébéiennes. Elle s'était habituée à nous, comme à ses enfants...

Le seul d'entre nous qu'elle n'aimait pas était le lieutenant Egorov. Elle le haïssait même de tout cœur, nourrissant à son égard une antipathie extraordinaire. Elle le recevait pour l'unique raison qu'elle avait avec lui des affaires d'argent et que la politesse l'y obligeait. Autrefois, le lieutenant avait été son favori. Il était beau, spirituel, souvent silencieux et militaire (ce que la princesse appréciait hautement). Pourtant il était quelquefois sujet à des crises bizarres... Il s'asseyait parfois, la tête appuyée sur les poings, et se mettait à débiter d'horribles méchancetés. Il disait du mal de tous et de tout, n'épargnant ni les vivants, ni les morts. La princesse se mettait en colère et nous chassait tous dès qu'il devenait par trop acerbe.

Un jour, pendant le dîner, Egorov appuya son menton sur le poing et, sans rime ni raison, orienta la conversation sur les princes caucasiens avant de tirer de sa poche un numéro de *La Libellule* et commit l'insolence de lire, en présence de la princesse Mikchadzé, ce qui suit : « Tiflis est une jolie ville. Au nombre des mérites de cette belle cité — où les princes vont même jusqu'à balayer les rues et cirer des bottes dans les hôtels... », etc. La princesse se leva de table et sortit en silence. Elle se mit à haïr Egorov encore davantage lorsque, sur son livre de prières, il eut écrit à la suite de nos prénoms tous nos noms de famille. Ce sentiment était d'autant plus regrettable et mal venu que le lieutenant rêvait d'épouser Olia et qu'Olia en était amoureuse. Il y rêvait passionnément tout en ne croyant guère en l'accomplissement de ses rêves. Elle l'aimait en secret, furtivement, secrètement, timidement, en cachette... L'amour était pour elle un objet de contrebande, un sentiment interdit par un cruel veto. Il ne lui était pas permis d'aimer.

CHAPITRE II

Il s'en fallut de peu pour que le manoir moyenâgeux ne devînt le théâtre d'une stupide aventure médiévale.

Il y a sept ans, alors que le prince Mikchadzé vivait encore, son ami, le prince Tchaïkhidzev, propriétaire d'un domaine près d'Ekaterinoslav, était venu passer quelque temps au Cap Vert. C'était un homme très riche. Toute sa vie il avait fait la noce, une noce carabinée, et malgré cela il nagea dans l'opulence jusqu'à la fin de ses jours. Jadis Mikchadzé avait vidé en sa compagnie plus d'une bouteille. Ils avaient enlevé ensemble une jeune fille qui devint par la suite la princesse Tchaïkhidzev. Cette aventure les avait unis par les liens de la plus solide amitié. Tchaïkhidzev était venu au Cap Vert en compagnie de son fils, jeune lycéen aux yeux à fleur de tête, à la poitrine étroite et aux cheveux noirs. Le premier soin du père fut de se souvenir du passé et de mener joyeuse vie avec Mikchadzé, tandis que le jeune garçon se mit à faire la cour à Olia, alors âgée de treize ans. On remarqua ces assiduités. Les parents échangèrent des clins d'œil et observèrent que les deux jeunes gens ne feraient pas un vilain couple. Les deux princes ivres ordonnèrent à leurs enfants d'échanger un baiser, se serrèrent la main et s'embrassèrent à leur tour. Mikchadzé versa même une larme d'attendrissement. « C'est la volonté de Dieu ! » dit Tchaïkhidzev. « Tu as une fille, j'ai un fils, c'est la volonté de Dieu ! »

On donna des anneaux aux jeunes gens et on les photographia ensemble. Cette image accrochée dans le grand salon tracassa longuement Egorov. Elle servait de cible à d'innombrables plaisanteries. La princesse Maria Egorovna avait donné sa bénédiction solennelle aux futurs époux. Le désœuvrement aidant, elle avait approuvé l'idée des deux pères. Un mois après le départ de Tchaïkhidzev, Olia reçut par la poste un somptueux cadeau. Par la suite, elle en recevait des semblables tous les ans. Le jeune homme avait pris la chose plus au sérieux qu'on ne pouvait s'y attendre. C'était un garçon assez borné. Il venait tous les ans au Cap Vert, y séjournait une semaine sans jamais ouvrir la bouche et faisait parvenir de sa chambre des lettres d'amour à Olia. Elle les lisait en rougissant. La petite fille intelligente s'étonnait qu'un garçon aussi grand pût écrire de telles bêtises. Ce qu'il écrivait était, en effet, très bête... Le prince Mikchadzé était mort depuis deux ans. Avant de s'éteindre, il avait dit à sa fille : « Attention, ne te marie pas avec le premier imbécile venu ! Epouse Tchaïkhidzev. C'est un homme intelligent et plein de mérite. » Olia connaissait l'intelligence de Tchaïkhidzev, mais ne contredit pas son père. Elle lui promit d'épouser Tchaïkhidzev.

— C'est la volonté de papa, nous disait-elle avec un certain orgueil, comme si elle accomplissait un immense exploit.

Elle était fière que son père eût emporté cette promesse dans la tombe. C'était quelque chose de si extraordinaire, de si romanesque.

Mais la nature et la raison gagnaient du terrain : le lieutenant Egorov virevoltait constamment devant ses yeux, tandis que Tchaïkhidzev lui apparaissait chaque année de plus en plus bête...

Quand le lieutenant osa insinuer un jour qu'il l'aimait, elle lui demanda de ne plus parler d'amour, rappela la promesse donnée à son père et pleura toute la nuit. La princesse écrivait toutes les semaines au fiancé qui suivait les cours à l'Université de Moscou et lui ordonna de finir ses études au plus vite. « J'ai des hôtes qui les ont terminées depuis longtemps, sans avoir autant de barbe que toi », lui disait-elle. Il lui répondait respectueusement sur du papier à lettres rose et démontrait sur deux pages qu'il était impossible d'achever son instruction avant la date prévue. Olia lui écrivait, elle aussi. Les lettres qu'elle m'adressait étaient bien plus intéressantes que celles qu'elle envoyait à son fiancé. La princesse était persuadée que la jeune fille deviendrait la femme de Tchaïkhidzev, sinon, elle ne lui aurait jamais permis de se promener et de « passer son temps à des bagatelles » en compagnie de casseurs d'assiettes, d'écervelés, de mécréants qui en plus n'étaient pas des princes... Le doute ne l'effleurait même pas... La volonté de son mari lui semblait une volonté sacrée. Olia croyait elle aussi que le jour viendrait où elle signerait du nom de Tchaïkhidzev...

Il n'en fut rien. Sur le point d'être réalisé, le projet des deux pères échoua. Le roman de Tchaïkhidzev n'aboutit à rien. Il se termina en vaudeville.

L'an dernier, vers la fin juin, le fiancé arriva au Cap Vert. Cette fois, il ne se présentait pas en étudiant, mais en homme muni de ses diplômes. La princesse l'accueillit par de graves embrassades solennelles et un long discours édifiant. Olia avait revêtu une robe coûteuse, cousue spécialement pour l'arrivée du fiancé. On avait fait venir du champagne de la ville, tiré des feux d'artifice, le lendemain, tout le Cap Vert parlait comme un seul homme du mariage qui, paraît-il, était fixé pour la fin de juillet. « Pauvre Olia ! » chuchotions-nous, traînant d'un coin à l'autre et jetant des regards menaçants sur la fenêtre du prince oriental que nous détestions. « Pauvre Olia ! » Elle errait dans le parc, pâle, amaigrie, à moitié morte. « C'est la volonté de papa et de maman », disait-elle quand nous venions l'embêter avec nos conseils d'amis. « C'est bête, c'est sauvage ! » vociférions-nous. Elle haussait les épaules et détournait son visage douloureux, le fiancé restait dans sa chambre, lui faisant parvenir des mots tendres par les domestiques, et s'étonnait en regardant par la fenêtre de l'audace dont nous faisions preuve dans notre attitude et dans nos entretiens avec Olia. Lui ne sortait de chez lui que pour dîner. Il mangeait en silence, ne regardait personne et répondait sèchement à nos questions. Une fois seulement il osa raconter une histoire qui se trouva être usée jusqu'à la corde. Après le dîner, la princesse le faisait asseoir auprès d'elle et lui apprenait à jouer au piquet. Il jouait sérieusement, réfléchissait beaucoup, laissant pendre sa lèvre inférieure, et transpirait abondamment. Une telle attitude envers le piquet plaisait à la princesse.

Un jour, après le dîner, il échappa au jeu de cartes et courut après Olia qui avait gagné le jardin.

— Olga Andréïevna ! commença-t-il. Je sais que vous ne m'aimez pas. Nos fiançailles sont, en vérité, étrangement stupides. Mais je... j'espère que vous m'aimerez un jour...

Ayant dit cela, il sembla tout confus et se dirigea directement du jardin dans sa chambre.

Le lieutenant Egorov restait dans sa propriété et ne se montrait nulle part. Il ne pouvait digérer Tchaïkhidzev.

Un dimanche (le deuxième depuis l'arrivée du fiancé), le 5 juillet, semble-t-il, un étudiant, le neveu des Mikhadzé, vint nous trouver de très bonne heure et nous transmit des ordres. La princesse nous commandait de nous mettre en ordre pour la soirée : nous devions revêtir l'habit noir, nous cravater de blanc, nous ganter, nous étions tenus à être sérieux, sages, spirituels, obéissants et frisés comme des caniches ; ne pas faire de bruit, ranger convenablement nos chambres. Le Cap Vert se disposait à fêter quelque chose de semblable à des fiançailles. On avait apporté de la ville des vins, de la vodka, des hors-d'œuvre... Nos domestiques étaient réquisitionnés et transférés à la cuisine. Les invités commencèrent à venir dans l'après-midi, les arrivées se succédèrent tard dans la soirée. A huit heures, après une promenade en barque, le bal commença.

Nous autres, hommes, nous nous étions réunis avant les danses. Nous décidâmes à l'unanimité de débarrasser Olga de Tchaïkhidzev, à tout prix, si nécessaire au prix du plus grand des scandales. Après notre rencontre, je courus chercher Egorov. Il habitait sa propriété, à une vingtaine de verstes du Cap Vert. Je le trouvai chez lui, mais dans quel état ! Il était ivre mort et dormait comme une souche. Je le secouai, le débarbouillai, l'habillai et, malgré ses coups et ses insultes, je l'emmenai chez nos amis.

A dix heures, le bal battait son plein. On dansait dans quatre salles au son de deux excellents pianos. Pendant les entractes jouait un troisième piano installé dans le jardin, sur une hauteur. La jeune princesse elle-même admira nos feux d'artifice. Nous en tirâmes dans le jardin, au bord de la mer et au loin, dans des barques. Sur le toit du manoir, des feux de Bengale multicolores se succédaient, illuminaient tout le Cap Vert. On buvait ferme aux deux buffets ; l'un était installé sous une tonnelle, au jardin, l'autre dans la maison. Tchaïkhidzev était visiblement le héros de la fête. Les joues tachées de rose, le nez luisant de sueur, sanglé dans un habit trop étroit, il dansait avec Olia et souriait fébrilement, conscient de sa maladresse. Il avançait en surveillant chacun de ses pas. Il avait passionnément envie de briller, mais n'y parvenait aucunement. Olia devait me raconter par la suite qu'elle avait beaucoup plaint ce soir-là le pauvre petit prince. Il pressentait, aurait-on dit, la perte imminente de sa fiancée dont il rêvait naguère pendant chacun de ses cours, en se couchant et en se réveillant. Ses yeux lorsqu'il nous regardait étaient pleins d'angoisse. Il pressentait en nous des rivaux puissants et impitoyables.

Le préparatif des flûtes de champagne, la façon dont la princesse regardait la pendule, nous firent comprendre que le grave moment officiel approchait et qu'à minuit, selon toute vraisemblance, Tchaïkhidzev aurait la permission d'embrasser Olia. Il fallait agir. A onze heures et demie, je me poudrai pour paraître pâle, poussai de côté ma cravate et, le visage préoccupé et les cheveux en bataille, m'approchai d'Olia.

— Olga Andréïevna, commençai-je, saisissant sa main, pour l'amour de Dieu !

— Qu'y a-t-il ?

— Pour l'amour de Dieu... N'ayez pas peur, Olga Andréïevna... Il ne pouvait en être autrement. Il fallait s'y attendre...

— Que se passe-t-il ?

— N'ayez pas peur... C'est que... Pour l'amour du ciel, mon amie ! Egorov...

— Que se passe-t-il ?

Elle pâlit et leva sur moi ses grands yeux confiants, pleins d'amitié...

— Egorov est mourant.

Elle chancela et passa la main sur son front blême.

— Il est arrivé ce à quoi je m'attendais, continuai-je. Il va mourir. Sauvez-le, Olga Andréïevna.

Elle me saisit le bras.

— Il... il... Où est-il ?

— Ici, au jardin, dans le pavillon. C'est affreux, mon amie ! Mais... on nous regarde. Allons sur la terrasse... Il ne vous accuse pas... Il savait que vous le...

— Quoi... Qu'est-ce qu'il a ?

— Ça va mal, très mal ! ! !

— Venez... Je vais le rejoindre... Je ne veux pas qu'à cause de moi... qu'à cause de moi...

Nous sortîmes sur la terrasse. Les genoux d'Olia fléchissaient. Je fis semblant d'essuyer une larme... Pâles et consternés, les membres de notre bande passaient et repassaient devant nous avec des visages effrayés et préoccupés.

— Il ne saigne plus..., murmura à mon oreille le licencié en physique de façon à être entendu par Olia.

— Venez, dit-elle à voix basse en prenant mon bras.

Nous descendîmes de la terrasse... La nuit était sereine et lumineuse... Le son des pianos, le bruissement des feuillages sombres, le chant des grillons caressaient notre oreille ; plus bas, la mer clapotait doucement.

Olia tenait à peine debout... Ses jambes se dérobaient sous elle et s'embarrassaient dans le lourd tissu de sa robe. Elle tremblait et se serrait, terrifiée, contre mon épaule.

— Ce n'est pourtant pas ma faute..., chuchotait-elle. Je vous jure que je suis innocente. C'était le désir de papa... Il aurait dû le comprendre... C'est grave ?

— Je ne sais pas... Mikhaïl Pavlovitch a fait tout son possible. C'est un bon médecin, et il aime Egorov... Nous arrivons, Olga Andréïevna.

— Je... Je ne verrai rien d'épouvantable ? J'ai peur... Je n'ose pas regarder. Pourquoi l'a-t-il fait ?

Elle fondit en larmes.

— Ce n'est pas ma faute... Il aurait dû comprendre. Je lui expliquerai.

Nous approchions du pavillon.

— C'est là, dis-je.

Elle ferma les yeux et s'agrippa à moi des deux mains.

— Je ne veux pas...

— N'ayez pas peur... Egorov, tu n'es pas encore mort ? criai-je en me tournant vers le pavillon.

— Pas encore. Qu'est-ce qu'il y a ?

Sur le seuil du pavillon apparut le lieutenant Egorov, éclairé par la lune, le gilet défait ; il était échevelé, pâle d'avoir tant bu.

— Qu'est-ce qu'il y a ? répéta-t-il.

Olia releva la tête et aperçut Egorov. Son regard se posa sur moi, puis sur Egorov, et de nouveau sur moi... Je me mis à rire... Le visage de la jeune fille s'éclaira. Elle poussa un cri de joie, fit un pas en avant... Je craignais qu'elle ne se mît en colère à notre égard... Mais cette enfant ne savait pas se fâcher... Elle avança encore d'un pas, réfléchit et s'élança vers Egorov. Il boutonna rapidement son gilet et tendit les bras. Elle tomba sur sa poitrine. Il éclata d'un rire joyeux, se détourna pour que son souffle n'atteignît pas Olia et se mit à bredouiller des paroles sans suite.

— Vous n'avez pas le droit... Ce n'est pas ma faute, balbutia-t-elle. Papa et maman le veulent. Etc.

Je fis demi-tour et me dirigeai rapidement vers le manoir illuminé.

Là-bas, l'assistance se préparait à féliciter les fiancés et jetait des regards impatients sur l'horloge... Les domestiques, chargés de plateaux garnis de verres et de bouteilles, se tenaient dans les vestibules. Tchaïkhidzev se pétrissait impatiemment la main droite de la main gauche, en cherchant Olia des yeux. La princesse parcourait les salons en quête de sa fille pour lui donner des instructions sur la façon de se tenir, de répondre à sa mère, etc. Les nôtres souriaient...

— Sais-tu où est Olia ? me demanda-t-elle.

— Je ne sais pas.

— Va la chercher !

Je descendis dans le jardin et, les mains derrière le dos, fis deux fois le tour du manoir. Notre peintre sonna d'une trompette. Cela signifiait : « Tiens-la et ne la lâche pas. » De l'intérieur du pavillon, Egorov répondit par un hululement de chouette. Cela voulait dire : « D'accord ! Je la tiens ! »

Au bout d'un moment, je regagnai la maison. Dans les vestibules, les domestiques avaient posé leurs plateaux sur les tables et, les bras ballants, dévisageaient l'assistance d'un air hébété. De leur côté, les invités, surpris, regardaient la pendule dont la grande aiguille marquait déjà le quart. Les pianos s'étaient tus. Un silence profond, lourd, angoissant, régnait dans les salons.

— Où est Olia ? me demanda la princesse devenue écarlate.

— Je ne sais pas... Elle n'est pas dans le jardin.

Elle haussa les épaules.

— Ne sait-elle pas qu'il est grand temps ? dit-elle, me tirant par la manche.

Je haussai les épaules. Elle s'écarta et chuchota quelque chose à l'oreille de Tchaïkhidzev. A son tour, il haussa les épaules. Elle le tira, lui aussi, par la manche.

— Benêt, grommela-t-elle, et elle courut faire le tour de la maison.

Les femmes de chambre, les lycéens, parents de la princesse, dévalèrent les escaliers et se dirigèrent au fond du jardin pour chercher la fiancée disparue. J'y allai aussi. Je craignais qu'Egorov ne sût retenir Olia et ne fît rater le scandale que nous avions préparé. Je gagnai le pavillon. Mes craintes étaient superflues ! Assise à côté d'Egorov, Olia promenait ses doigts mignons devant les yeux de son compagnon et chuchotait, chuchotait... Quand elle s'interrompait, Egorov se mettait à marmotter. Il insinuait à la jeune fille ce que la princesse appelait des « idées ». Chaque parole, il l'édulcorait à l'aide d'un baiser. Il parlait, l'embrassait à chaque instant et détournait en même temps la bouche de peur qu'Olia ne sentît la forte odeur de vodka qui émanait de lui. Ils étaient heureux tous les deux, avaient visiblement oublié tout au monde et ne remarquaient pas la marche du temps. Je m'arrêtai un moment à l'entrée du pavillon et, le cœur réjoui, retournai au château, ne désirant pas troubler cette paix bienheureuse.

La princesse était hors d'elle et respirait des sels. Elle se perdait en conjectures, se fâchait, éprouvait de la honte devant les invités et le fiancé... Elle qui ne battait jamais personne, elle donna une gifle à la femme de chambre venue lui annoncer que la jeune fille était introuvable. Le champagne et les félicitations n'arrivant pas, les invités se mirent à sourire, à potiner et recommencèrent à danser.

Une heure sonna, mais Olia ne revenait toujours pas. La princesse écumait de rage.

— Tout ça, ce sont vos tours, vitupérait-elle en passant devant l'un d'entre nous. Il lui en cuira ! Où est-elle ?

En fin de compte, une âme charitable lui apprit où se trouvait Olia. En l'occurrence, la charité prit la forme d'un petit lycéen ventru, neveu de la princesse. Il arriva du jardin en courant comme un fou, bondit vers la princesse, s'assit sur ses genoux, approcha sa tête de celle de sa tante et se mit à lui chuchoter à l'oreille... La princesse pâlit et se mordit la lèvre jusqu'au sang.

— Dans le pavillon ? demanda-t-elle.

— Oui.

Elle se leva et annonça aux invités avec une grimace qui simulait un sourire officiel qu'Olia avait mal à la tête et leur présentait ses excuses, etc. Les hôtes exprimèrent leurs regrets, soupèrent rapidement et se dispersèrent.

A deux heures du matin (Egorov avait fait du zèle et retenu la jeune fille jusqu'à deux heures du matin), je me tenais à l'entrée de la terrasse, derrière la haie de lauriers-roses, et attendais le retour d'Olia. Je voulais voir son visage. J'aime les visages féminins heureux.

J'avais envie de voir comment l'amour pour Egorov et la crainte de sa mère se confondraient sur ses traits, et ce qui serait le plus fort : l'amour ou la crainte ? Je ne restai pas longtemps à respirer le parfum des lauriers-roses. Olia apparut bientôt. Je la contemplai. Elle marchait lentement, relevant un peu sa robe et découvrant un peu ses petits souliers. Sa face était parfaitement éclairée par des lampions vénitiens accrochés aux arbres dont la lumière vacillante se confondait avec le clair de lune tout en le dissipant. La jeune fille était sérieuse et pâle. Seules, les lèvres souriaient à peine. Les yeux étaient baissés, songeurs : c'est ainsi qu'on s'efforce d'habitude de résoudre de graves problèmes. Dès qu'elle posa le pied sur la première marche, son regard devint agité, inquiet : elle s'était souvenue de sa mère. Effleurant d'une main légère sa chevelure en désordre, elle s'arrêta indécise sur la première marche, puis secoua la tête et se dirigea hardiment vers la porte... Un spectacle étonnant m'attendait. La porte s'ouvrit toute grande, et une vive lumière éclaira le visage pâle d'Olia. Elle tressaillit, recula d'un pas et se replia légèrement sur elle-même... On eût dit que quelque chose l'écrasait... *Sur le pas de la porte, la tête haute, se tenait la princesse, rouge, tremblante de colère et de honte. Le silence dura deux ou trois minutes.*

— *La fille d'un prince, dit-elle, la fiancée d'un prince va à des rendez-vous avec un lieutenant. Avec cet Egorov ! Misérable !*

Olia se fit aussi petite que possible, palpita, se faufila comme un serpent devant la princesse et se précipita dans sa chambre. Elle s'assit sur son lit et passa toute la nuit, les yeux pleins d'effroi et d'inquiétude fixés sur la fenêtre.

A trois heures du matin, un nouveau conseil nous réunit. Nous nous moquâmes d'Egorov, ivre de joie, et dépêchâmes le baron-juriste de Kharkov auprès de

Tchaïkhidzev. Le prince ne dormait pas encore. Notre envoyé devait lui démontrer la fausseté de sa situation, lui demander d'en prendre conscience en homme distingué, et le prier, entre autres, de pardonner notre ingérence, de la pardonner « amicalement », en sa qualité de personne développée... Tchaïkhidzev répondit au baron qu'il comprenait tout, qu'il n'attachait aucune signification au testament paternel, mais qu'il s'était montré si obstiné uniquement par amour pour Olia. Il serra chaleureusement la main du baron et promit de partir le lendemain.

Le lendemain matin, Olia apparut au petit déjeuner pâle, épuisée, s'attendant au pire ; elle était à la fois honteuse et terrifiée... Son visage s'éclaira lorsqu'elle nous aperçut dans la salle à manger et entendit nos paroles. Toute la bande entourait la princesse et vociférait. Nous criions tous en même temps. Nous avions rejeté nos masques et, à haute voix, nous suggérions à la vieille dame des idées fort semblables à celles qu'Egorov avait développées la veille devant Olia. Nous parlions des droits de la femme, de la légitimité, du libre arbitre, etc. La princesse nous écoutait sombrement, en silence, et lisait une lettre qui lui avait été envoyée par Egorov ; cette missive, fruit d'une collaboration de toute la bande, était remplie de mots : « étant donné la jeunesse », « en raison de l'inexpérience », « avec votre bénédiction », et ainsi de suite. Mme Mikchadzé nous écouta jusqu'au bout, lut jusqu'au bout la longue lettre d'Egorov et dit :

— Ce n'est pas à vous, blancs-becs, de me faire la leçon à moi, vieille femme. Je sais ce que je fais. Finissez votre thé et allez-vous-en tourner d'autres têtes. Vous n'êtes pas faits pour vivre avec une vieille comme moi... Vous êtes intelligents... et moi, je suis une sotte... Bon voyage, mes enfants !... Je vous serai reconnaissante toute ma vie !

Elle nous chassait... Nous rédigeâmes à son intention une lettre de remerciements, lui baisâmes la main et, le cœur serré, partîmes le même jour pour la propriété d'Egorov. Tchaïkhidzev s'en alla en même temps que nous. Chez Egorov, nous passâmes notre temps à faire la noce, à nous ennuyer après Olia et à consoler le maître de maison. Deux semaines se passèrent. Dans le courant de la troisième, notre baron-juriste reçut une lettre de la princesse. Elle le priait de venir au château pour rédiger un certain papier. Il partit. Trois ou quatre jours plus tard, nous le suivîmes soi-disant pour le chercher. Nous arrivâmes au Cap Vert avant le dîner. Sans rentrer dans la maison, nous traînions dans le jardin en louchant du côté des carreaux. La princesse nous aperçut à travers une fenêtre.

— C'est donc vous qui êtes là ? cria-t-elle.

— C'est nous.

— Vous avez à faire ici, n'est-ce pas ?

— On vient chercher le baron.

— Il n'a pas le temps de s'amuser avec vous, gibier de potence ! Il écrit.

Nous enlevâmes nos chapeaux en nous approchant de la fenêtre.

— Comment allez-vous, princesse ? demandai-je.

— Qu'est-ce que vous avez à flâner ? Entrez à l'intérieur.

Nous pénétrâmes dans le salon pour nous installer timidement sur des chaises. Notre humilité plut à la princesse. Elle nous retint à dîner. L'un de nous laissa tomber sa cuillère pendant le repas : elle le traita d'étourdi et nous reprocha notre manque de tenue à table. Nous nous promenâmes avec Olia et passâmes la nuit au Cap Vert. Nous y couchâmes aussi le lendemain et nous restâmes au château jusqu'en septembre. La paix s'était faite d'elle-même.

J'ai reçu hier une lettre d'Egorov. Il m'écrit qu'il a passé l'hiver à essayer de s'attirer les bonnes grâces de

la princesse et réussi à transformer sa colère en bien-
veillance. Elle lui promet le mariage pour l'été.

J'ai reçu encore deux lettres : l'une, sévère et officielle, de la mère, l'autre, pleine de projets, longue et
joyeuse, d'Olia. En mai, je retourne au Cap Vert.

« LE RENDEZ-VOUS
N'A PAS EU LIEU, MAIS... »

Après avoir passé son examen, Gvozdikov prit l'omnibus et, pour six kopecks (il voyageait toujours sur l'impériale), arriva aux portes de la ville. Comme il restait environ trois verstes jusqu'à la villa, il les abattit *pedibus*. La propriétaire, une petite jeune femme, l'accueillit sur le pas de la porte. Il enseignait l'arithmétique au fils de cette dame et recevait en échange le gîte, le couvert, et cinq roubles par mois.

— Alors, comment ça s'est-il passé ? demanda-t-elle en lui tendant la main. Succès ? Vous avez réussi à votre examen ?

— Réussi.

— Bravo, Egor Andréïevitch ! De bonnes notes ?

— Comme d'habitude... Cinq... hum...

Il n'avait pas obtenu un cinq, seulement trois et demi, mais... mais pourquoi ne pas mentir quand c'est possible ? Les candidats aux examens mentent aussi volontiers que les chasseurs. En entrant dans sa chambre, Gvozdikov trouva sur sa table une petite enveloppe qui portait un cachet rose. La lettre sentait le réséda. Il déchira l'enveloppe, avala le cachet et lut ce qui suit :

« Le sort en est jeté. Trouvez-vous à huit heures précises près du ruisseau dans lequel votre chapeau est tombé hier. Je serai assise sur le banc à l'ombre de l'arbre. Moi aussi, je vous aime, seulement ne soyez pas si godiche. Il faut être dégourdi. J'attends ce soir avec impatience. Je vous aime terriblement. Votre S.

« P.-S. Maman est partie et nous nous promènerons jusqu'à minuit. Ah, que je suis heureuse ! Grand-mère dormira et ne s'apercevra de rien. »

Ayant lu la lettre, Gvozdikov sourit jusqu'aux oreilles, sauta en l'air et se mit à arpenter triomphalement la chambre.

— Je suis aimé ! ! aimé ! ! aimé ! ! Sapristi, que je suis heureux ! O-o-o ! Hop ! Là-là !

Gvozdikov relut la lettre, la baisa, la plia soigneusement et la cacha dans la table de dissection. On lui apporta le dîner. L'esprit absorbé par la lettre, ayant oublié le monde entier, il mangea tout ce qu'on lui avait servi : la soupe, la viande et le pain. Le repas terminé, il s'étendit et se mit à rêver à toutes sortes de choses : l'amitié, l'amour, le travail... L'image de Sonia flottait devant ses yeux.

« Quel dommage que je n'aie pas de montre ! pensat-il. Si j'en avais une, je pourrais calculer combien il me reste d'heures jusqu'au soir. Comble d'ennui, le temps va se traîner avec une lenteur terrible. »

Quand il en eut assez d'être allongé et de rêver, il se leva, fit quelques pas et envoya la cuisinière chercher de la bière.

« En attendant les affaires sérieuses, buvons un coup, fit-il. Le temps semblera moins long. »

On apporta la bière. Gvozdikov s'assit, plaça en rang devant lui les six bouteilles et, tout en les considérant d'un regard amoureux, se mit à boire. Après trois verres, il sentit qu'une lampe s'était allumée dans sa tête et dans sa poitrine : tout était chaud, lumineux et agréable.

« Elle fera mon bonheur ! songea-t-il en entamant une autre bouteille. Elle... elle est exactement celle que je rêvais. Oh ! Oui ! »

A la suite de la deuxième bouteille, il lui sembla qu'on avait éteint la lampe dans sa tête et qu'il faisait moins clair. Par contre, comme il se sentit joyeux ! La vie est belle après une deuxième bouteille ! En entamant la troisième, Gvozdikov agitait la main devant son nez et jurait qu'il n'y avait personne au monde de plus heureux que lui. Il se le jurait à lui-même et croyait ferme comme fer à ce serment.

— Je sais ce qu'elle aime en moi ! marmonnait-il. Je le sais. Elle s'est éprise de l'être exceptionnel que je suis. C'est bien ça ! Elle sait qui aimer et pourquoi aimer... Un être exceptionnel ! Je ne suis pas n'importe qui... Je suis Gvozdikov... Je...

Tout en entamant la quatrième bouteille, il s'exclama :

— Eh, oui ! Pas n'importe qui ! Elle aime en moi un génie ! Un gé-nie ! Un génie mondial ! Qui suis-je ? Que suis-je ? Vous pensez que je suis Gvozdikov ? Bien sûr, je suis Gvozdikov, mais quel Gvozdikov ? Qu'en pensez-vous ?

Arrivé à la moitié de la quatrième bouteille, il donna un coup de poing sur la table, ébouriffa sa tignasse et dit :

— Je leur montrerai qui je suis ! Je n'ai qu'à finir mes études ! Qu'on me laisse seulement travailler un peu ! Je suis un prêtre de la science... Elle aime en moi le prêtre de la science ! Je prouverai qu'elle a raison ! Vous ne me croyez pas ? Arrière ! Elle ne le croit pas non plus ? Elle ? Sonia ? Je la rejette, elle aussi, dans ce cas ! Je le prouverai ! Je vais me mettre à travailler sur-le-champ !... Je finis seulement mon verre... Vous êtes tous des canailles !

Furieux, Gvozdikov finit son verre, prit ses cours sur l'étagère, les ouvrit et se mit à lire au hasard.

« La cau... cause de la luxation de la mâchoire inférieure peut être une chu... chute, un coup reçu la bouche ouverte... »

— Quel galimatias ! La mâchoire... Un coup... N'importe quoi... Un galimatias !

Gvozdikov ferma ses cours et entama la cinquième bouteille. Après avoir enfin vidé la cinquième et la sixième, il devint sombre et songea à l'insignifiance de l'univers en général et de l'homme en particulier... Tout en réfléchissant, il plaçait machinalement le bouchon sur le goulot de la bouteille et essayait de l'envoyer d'une chiquenaude contre la tache verte qui dansait devant ses yeux. Quand le bouchon eut atteint la tache verte, d'autres taches vertes, noires et bleues se mirent à tournoyer. L'une d'elles, d'un brun rougeâtre avec des pointes vertes, s'approcha en souriant de ses yeux et fit gicler quelque chose qui ressemblait à de la glu... Gvozdikov sentit ses paupières se coller...

« Quelqu'un piaille dans mes yeux ! pensa-t-il. Je dois aller prendre l'air sinon je vais devenir aveugle. Je dois me... me promener... On étouffe ici. Ils font toujours du feu dans les cheminées... A-â-nes ! Ils piaillent et font du feu dans les cheminées ! Crétins ! » Il mit son chapeau et sortit. Dehors, la nuit était déjà tombée. Il était plus de neuf heures. De petites étoiles scintillaient dans le ciel. Il n'y avait pas de lune et la nuit promettait d'être noire. Gvozdikov aspira la fraîcheur printanière du bois. Tous les accessoires d'un rendez-vous d'amour étaient là : le murmure du feuillage, le chant du rossignol et... même « elle », rêveuse, toute blanche dans l'obscurité. Sans le remarquer, il était parvenu jusqu'à l'endroit indiqué dans la lettre.

Elle se leva du banc et vint à sa rencontre.

— Georges, dit-elle dans un souffle. Je suis là.

Il s'arrêta, prêta l'oreille et se mit à contempler le sommet des arbres. Il lui avait semblé qu'on avait prononcé son nom quelque part en haut.

— Georges, c'est moi ! répéta-t-elle en s'avançant vers lui.

— Hein ?

— C'est moi !

— Quoi ? Qui ? Pourquoi ?

— C'est moi, Georges... Venez... Asseyons-nous.

Il se frotta les yeux et la regarda fixement...

— Que voulez-vous ?

— Vous êtes drôle ! Comme si vous ne me reconnaissiez pas. Vous ne voyez donc rien ?

— A-a-a-a... Permettez... De quel dr-dro... droooit vous promenez-vous la nuit dans le jardin des autres ? Monsieur ! Répondez, monsieur, dans le cas contraire, je vous... casse... la gueu... gueule...

Georges tendit le bras et la saisit par l'épaule. Elle éclata de rire.

— Que vous êtes drôle ! Ha ! ha ! ha !... Comme vous jouez bien la comédie ! Allons, venez... Bavardons un peu...

— Comment bavarder ? Quoi ? Pourquoi vous ? Pourquoi moi ? Vous trouvez ça drôle ?

Secouée de rire, elle le prit par le bras et le tira en avant. Il recula. Ils avaient l'air d'un attelage dont un cheval veut avancer tandis que l'autre s'obstine à rester sur place.

— J'ai... j'ai sommeil... Laissez-moi, marmonna-t-il. Je n'ai pas envie de m'occuper de bêtises.

— Ça suffit... Pourquoi êtes-vous d'une demi-heure en retard ? Les études ?

— Je travaillais... Je travaille toujours... La cau... cause du déboîtement de la mâchoire inférieure peut être une chute, un coup reçu alors que la bouche est ouverte. Les mâchoires sont en général fracassées dans les auberges et les cabarets. Je veux de la bière... de la bonne bière.

Ils se traînèrent jusqu'au banc et s'assirent. Les coudes sur les genoux, les poings sous le menton, il reniflait. Son chapeau glissa de sa tête et tomba sur les mains de la jeune fille. Elle se pencha et regarda Gvozdikov dans les yeux.

— Qu'est-ce qui vous arrive ? demanda-t-elle douce-ment.

— Ça ne vous... ça ne vous regarde pas. Personne n'a le droit de se mêler de mes affaires. Ils sont tous des imbéciles, vous aussi... des imbéciles.

Il se tut un instant avant d'ajouter :

— Moi aussi, je suis un imbécile...

— Vous avez reçu ma lettre ? s'informa-t-elle.

— J'ai reçu une lettre de Son... de Sonia... Vous êtes Sonia ? Et puis après ? C'est bête... Le mot « impatience » s'écrit avec un « m » et non pas avec un « n ». Tous des lettrés ! Que le diable vous emporte !

— Vous ne seriez pas soûl, par hasard ?

— Nnon... mais je suis juste ! De quel droi... dr... dr... On ne peut pas se soûler avec de la bière... Comment ? Qui ?

— Alors, espèce d'effronté, pourquoi débitez-vous ces galimatias si vous n'avez pas bu ?

— Nnon. Nominatif, moi ; génitif, toi ; datif, nomi-natif... *Processus condyloideus et musculus sterno-cleido-mastoideus*[1] !

Il éclata de rire, baissant la tête jusqu'aux genoux.

— Vous dormez ? demanda-t-elle.

Pas de réponse. Elle éclata en sanglots et se tordit les bras.

— Vous dormez, Egor Andréïevitch ? répéta-t-elle.

En guise de réponse, elle entendit un ronflement rauque et sonore. Sonia se leva.

— Mu-u-u-fle ! grommela-t-elle. Vaurien ! Voilà donc comment tu es ? Eh bien, attrape, voilà pour toi ! Prends-en pour ton grade ! Attrape !

Et la petite main de Sonia effleura cinq ou six fois la nuque de l'ivrogne, et de quelle façon ! Ses pieds

1. Solide ligament qui relie la mâchoire inférieure avec la mâ-choire supérieure et le muscle sterno-cléido-mastoïdien.

écrasèrent le chapeau de Gvozdikov. Que les femmes sont vindicatives !

Le lendemain, Gvozdikov envoya à Sonia une lettre conçue de la façon suivante : « Je vous demande pardon. Je n'ai pas pu venir hier parce que j'étais affreusement malade. Fixez-moi un autre rendez-vous, par exemple, ce soir. Votre Egor qui vous aime. »

Voici la réponse à cette lettre : « Votre chapeau traîne à côté du pavillon. Vous pouvez aller le chercher. La bière est plus agréable que l'amour, buvez donc de la bière. Je ne veux pas vous en empêcher. Plus à vous, S. —

« P.-S. Ne me répondez pas. Je vous hais. »

LE JOURNALISTE

Les musiciens étaient huit. On avait déclaré à leur chef, Gouri Maksimovitch, que s'ils ne jouaient pas sans interruption ils ne recevraient pas un seul verre de vodka et auraient le plus grand mal à obtenir le prix de leurs efforts. Le bal commença à huit heures précises. A une heure du matin, les demoiselles se vexèrent contre leurs cavaliers, les cavaliers à moitié ivres s'offensèrent à l'égard des demoiselles, et les danses prirent fin. Des groupes se formèrent parmi les invités. Les vieux messieurs prirent possession du salon où l'on avait disposé sur une table quarante-quatre bouteilles et autant de couverts ; rassemblées dans un petit coin les demoiselles échangèrent des chuchotements au sujet de la mauvaise conduite des cavaliers et entreprirent de résoudre un problème : comment se fait-il que, dès le premier rendez-vous avec son fiancé, une jeune fille commence à le tutoyer ? Les cavaliers avaient occupé l'autre coin et parlaient tous ensemble, chacun de ses questions personnelles. Gouri, chef d'orchestre en même temps que premier et piètre violon, entama, accompagné de ses sept musiciens, la marche de Tcherniaevski... Il jouait sans interruption ne s'arrêtant que lorsqu'il voulait boire de la vodka ou remonter son pantalon. Il était furieux : le deuxième violon, le plus mauvais de tous, était complètement ivre et se livrait à des fantaisies diaboliques tandis que le flûtiste laissait à chaque instant tomber son instrument, ne regardait pas la partition et riait sans raison. Le vacarme était épouvantable. Des bouteilles tombèrent d'un guéridon... Quelqu'un envoya un coup de poing dans le dos de l'Allemand Karl Karlovitch Fünf... Quelques hommes aux visages rougis émergèrent en criant et en riant de la chambre à coucher, ils étaient poursuivis par un valet effarouché. Le diacre Manfouilov, désirant faire de l'esprit pour briller devant l'honorable assistance éméchée, posa son pied sur la queue d'un chat et retint la bête prisonnière jusqu'au moment où un domestique la lui arracha, complètement aphone, faisant remarquer que « ce n'était qu'une sottise ». Le maire imagina qu'il avait perdu sa montre ; pris de panique et tout en nage, il se mit à jurer, assurant qu'elle valait cent roubles. La fiancée avait la migraine... On fit tomber dans le vestibule quelque chose de lourd, ce qui provoqua un craquement terrible. Dans le salon, autour des bouteilles, les vieux messieurs ne se conduisaient pas en vieillards. Ils évoquaient leur jeunesse et disaient Dieu sait quoi, racontant des histoires, commentant les aventures amoureuses du maître de maison, lançant des bons mots, ricanant, tandis que leur hôte, parfaitement satisfait, se prélassait dans un fauteuil et répétait :

— Vous aussi, vous êtes de beaux cochons. Je vous connais bien. C'est bien plus d'une fois que j'ai fait des cadeaux à vos petites amies.

Deux heures sonnèrent. Gouri entama pour la septième fois la sérénade espagnole. Les vieux messieurs étaient déchaînés.

— Regarde un peu, Egor ! zézaya l'un d'entre eux en s'adressant au maître de maison et en lui indiquant un coin. Qu'est-ce que c'est que ce frétillon ?

Un petit vieux, vêtu d'une redingote élimée, de couleur vert foncé et garnie de boutons clairs, était modestement assis, les jambes repliées, dans un coin près de la bibliothèque. Faute d'occupation, il feuilletait un livre.

L'hôte le regarda, réfléchit un peu et sourit.

— Mes vieux, c'est un journaliste, dit-il. Vous ne le connaissez vraiment pas ? Un excellent homme ! Ivan Nikititch, fit-il en s'adressant au vieillard aux boutons clairs, pourquoi restes-tu assis là ? Viens nous rejoindre !

L'homme sursauta, leva ses yeux bleus et perdit complètement contenance.

— C'est l'écrivain, messieurs, le journaliste en personne ! continua l'hôte. Nous buvons, et ces gens, voyez-vous, ils restent assis dans un coin, se livrent à des pensées supérieures et nous regardent d'un air moqueur. Quelle honte, mon vieux ! Viens boire un coup, tu ne sais pas te conduire !

Ivan Nikititch se leva, s'approcha humblement de la table et se versa un petit verre de vodka.

— Que Dieu vous aide... bredouilla-t-il en buvant lentement, pour que tout... se passe bien... comme il faut.

— Mange un coup, mon frère ! Mange !

Ivan Nikititch cligna des yeux et mangea une sardine. Un gros bedon, le cou orné d'une médaille d'argent, s'approcha de lui, par-derrière, et lui laissa tomber une poignée de sel sur la tête.

— Si tu es mieux salé, les vers ne te rongeront pas ! dit-il.

Les convives se mirent à rire. Ivan Nikititch secoua la tête et devint cramoisi.

— Ne te vexe pas, dit le gros. A quoi bon se vexer ? C'est une plaisanterie que j'ai faite. Quel drôle de type ! Regarde, je m'en fais autant.

Il prit la salière sur la table et se parsema la tête de sel.

— Même lui, si tu en as envie, je l'asperge. A quoi bon se vexer ? dit-il en répandant du sel sur la tête du maître de maison.

L'assistance rit aux éclats. Ivan Nikititch sourit, lui aussi, et mangea une autre sardine.

— Et pourquoi ne bois-tu pas, politiquailleur ? reprit l'hôte. Bois donc ! Trinque avec moi ! Non, buvons tous ensemble !

Les vieux se levèrent et firent cercle autour de la table. Les verres se remplirent de cognac. Ivan Nikititch toussota et prit le sien avec précaution.

— Ça suffit pour moi, dit-il en s'adressant au maître de maison. Je suis déjà soûl. A votre santé, Egor Niki-forytch, pour que... tout... Bonheur et prospérité. Qu'est-ce que vous avez à me regarder tous ainsi ? Suis-je donc une bête curieuse ? Hi, hi, hi ! Eh bien, que Dieu vous bénisse ! Egor Nikiforytch, ayez la bonté et l'obli-geance de donner l'ordre à Gouri de faire taire le tam-bour de Grégori... Il m'achève, le salaud ! Il a une façon de tambouriner qui vous fait gargouiller le ventre... A votre santé !

— Il n'a qu'à tambouriner, dit l'hôte. Est-ce que la musique peut exister sans tambour ? Tu ne comprends même pas cela et tu te mêles d'écrire. Allons, mainte-nant bois avec moi !

Ivan Nikititch laissa échapper un hoquet et trotta menu de ses petites jambes. Le maître de maison emplit deux verres.

— Bois, mon ami, dit-il, et n'essaie pas de te déro-ber. Si tu écris que chez les L... tout le monde était ivre, tu parleras aussi pour toi. Alors ? A ta santé ! Eh bien, bonne tête ! Ne rougis donc pas ! Bois !

Ivan Nikititch toussota, se moucha et trinqua avec le maître de maison.

— Je vous souhaite tous les malheurs, toutes les misères... à jamais épargnés ! dit un jeune commerçant.

L'aîné des gendres de l'hôte éclata de rire.

— Vive le journaliste ! cria le gros, saisissant Ivan Nikititch à bras le corps et le soulevant en l'air.

Les autres vieux messieurs bondirent en avant et Ivan Nikititch se trouva soulevé plus haut que sa taille et soutenu par les bras, les têtes et les épaules des très honorables et ivres intellectuels de T...

— La ba-lan-çoire ! Balançons le coquin ! En l'air, l'écureuil ! Traînons ce fripon vert ! se mirent à crier les vieux messieurs en le transportant dans le grand salon.

Là, les cavaliers se joignirent aux vieillards et commencèrent à faire sauter l'infortuné journaliste jusqu'au plafond. Les demoiselles applaudirent, les musiciens cessèrent de jouer et posèrent leurs instruments, les valets, employés au club et engagés en extra pour faire « bien », s'étonnèrent devant cette « inconvenance », gloussèrent bêtement dans leurs poings aristocratiques. La redingote d'Ivan Nikititch perdit deux boutons et sa ceinture se défit. Haletant, geignant, glapissant, il était à la torture mais souriait béatement. Il ne s'attendait pas le moins du monde à un tel honneur, lui, un « zéro », d'après sa propre expression, « à peine visible et perceptible entre les hommes ».

— Ha-ha-ha ! hurla le fiancé, soûl comme une bourrique, et il se cramponna aux jambes d'Ivan Nikititch.

Le journaliste se balança, glissa des mains des intellectuels de T... et s'accrocha au cou du gros à la médaille d'argent.

— Je vais me tuer, bredouilla-t-il, je vais me tuer ! Permettez ! Un tout petit peu ! Comme ça... Oh ! non, pas comme ça !

Le fiancé lâcha ses jambes, et le journaliste resta suspendu au cou du gros. Ce dernier secoua la tête et Ivan Nikititch tomba par terre, geignit et se releva avec un petit rire. Tout le monde s'égosillait, même les laquais civilisés, venus d'un club qui ne l'était pas, fronçaient le nez et souriaient avec condescendance. Une expression béate creusait des rides profondes sur le visage d'Ivan Nikititch, ses yeux bleus et humides jetaient des étincelles, sa bouche se tordit de côté : la lèvre supérieure s'étira à droite, l'inférieure se tendit et se contracta à gauche.

— Honorable compagnie, dit-il d'une faible voix de ténor en écartant les bras et en ajustant sa ceinture. Honorable compagnie ! Que Dieu vous donne tout ce que vous attendez de lui. Je remercie mon bienfaiteur qui... voilà, c'est lui, Egor Nikiforovitch... Il n'a pas négligé mon personnage insignifiant. Il me rencontre avant-hier dans la ruelle Griazni et voilà qu'il dit : « Viens donc, Ivan Nikititch. Il faut venir sans faute. Toute la ville sera là, viens aussi, roi des cancaniers. » Il ne m'a pas méprisé, que Dieu le garde. Il m'a rendu heureux en me comblant de prévenances, il n'a pas oublié le journaliste, le vieux loqueteux. Je vous dis merci. N'oubliez pas, respectables messieurs, notre confrérie. Un type comme nous, c'est un petit bonhomme, d'accord, mais il n'a pas une mauvaise âme. Ne le méprisez pas, ne le dédaignez pas, il en sera conscient. Parmi les hommes, nous sommes petits et tout pauvres, et pourtant nous sommes le sel de la terre, et Dieu nous a créés pour être utiles à la patrie ; nous faisons la leçon à l'univers, exaltons le bien, stigmatisons le mal...

— As-tu fini de divaguer ? s'écria le maître de céans. Ce bouffon de Nikititch, il raconte des blagues ! Faisnous donc un discours !

— Un discours, un discours ! clamèrent les invités.

— Un discours ? Heu ! A vos ordres ! Permettez-moi de réfléchir un instant !

Il se mit à réfléchir. Quelqu'un lui passa une coupe de champagne. Après un instant de méditation, il tendit le cou, leva subitement son verre et, d'une voix faible de ténor, s'adressa à Egor Nikiforovitch.

— Mesdames, messieurs, mon allocution sera brève et ne correspondra pas par sa longueur à l'événement actuel, qui est fort émouvant pour nous tous. Heu ! Un grand poète a dit : Bienheureux celui qui a été jeune dans sa jeunesse ! Je ne mets pas en doute cette vérité, je suppose même que je ne commets pas une erreur si j'y ajoute quelque chose dans ma tête et si mes lèvres formulent à l'adresse des jeunes responsables de cette solennelle circonstance l'apostrophe suivante : Que nos jeunes ne soient pas seulement jeunes actuellement, quand ils le sont de par leur être physique, mais encore dans leur vieillesse, car bienheureux est celui qui fut jeune dans sa jeunesse, mais cent fois plus satisfait est celui qui a su conserver sa jeunesse jusqu'au seuil de la tombe. Que les responsables de ma présente élucubration quand ils seront des vieillards soient vieux physiquement mais jeunes dans leur âme, c'est-à-dire dans leur esprit agissant. Que leurs idéaux ne s'appauvrissent pas jusqu'à la pierre tombale car c'est en eux que réside l'authentique félicité de l'homme. Que leur vie commune se fonde en une seule et même existence pure, bonne, hautement honorable, et que la tendre amoureuse... hi ! hi !... soit pour ainsi dire l'accord musical de son époux, époux ferme dans ses pensées, et que ce couple compose une mélodieuse harmonie ! Vivat, bravo et hourra !

Il vida la coupe de champagne, donna un coup de talon sur le plancher et jeta sur l'assistance un regard triomphant.

— C'est bien tourné, Ivan Nikititch, c'est bien tourné, crièrent les invités.

Le fiancé s'approcha en titubant, essaya de saluer sans y parvenir, faillit tomber, saisit la main de l'orateur et dit :

— *Beaucoup, beaucoup merci*[1] ! Votre discours est très, très beau et n'est pas dépourvu d'une certaine ten-tendance.

Le journaliste s'élança, serra le fiancé dans ses bras et l'embrassa dans le cou. Tout confus et désireux de

---

1. En français, écrit avec des lettres russes.

cacher son embarras, le jeune homme embrassa son beau-père.

— Vous vous y entendez pour exprimer des sentiments, dit le gros à la médaille d'argent. Fait comme vous l'êtes... je ne m'y attendais pas du tout ! C'est vrai... excusez-moi !

— Bien parlé ? piailla Ivan Nikititch. Bien parlé ? Hé ! hé ! Vous voyez bien. Je sais moi-même que j'ai bien parlé. Ça manque un peu de flamme, mais où est-ce qu'on en prend, de la flamme ? Messieurs, les temps ne sont plus les mêmes ! Comme c'était autrefois, quand on disait quelque chose, ou qu'on l'écrivait, cela vous mettait dans un état d'attendrissement, vous admiriez votre propre talent. Ah ! c'était le bon temps ! Il faut boire, Fra Diavolo, à la gloire de ce temps ! Buvons donc, mes amis ! C'était un temps merveilleux !

Les invités s'approchèrent de la table ; chacun prit un verre. Ivan Nikititch s'était transformé. Le verre qu'il se versa était de grande taille.

— Buvons, respectable compagnie ! poursuivit-il. Vous m'avez gâté, moi, le petit vieillard, honorez maintenant le temps où j'étais un grand homme ! Quel temps glorieux ! Mesdames, mes jolies, trinquez avec le monstre et le dragon ébloui par votre beauté. Trinquons ! Mes petits amours. Il fut un temps, *sacramento*[1] !... J'ai aimé et souffert, j'ai vaincu et j'ai été vaincu plus d'une fois. Hourra-a !

« Il fut un temps, poursuivit-il, tout en nage et nerveux. Il fut un temps, mes chers petits messieurs ! Les temps sont bons même aujourd'hui, mais pour nous autres, journalistes, l'époque était alors meilleure pour cette simple raison qu'il y avait plus de passion et de justice dans le cœur humain. Naguère, il suffisait d'écrire n'importe comment pour être un héros, un chevalier sans peur et sans reproche, un martyr, une vic-

1. Je le jure.

time et un honnête homme. Et maintenant ? Terre russe, contemple ceux de tes fils qui tiennent la plume et voile-toi la face ! Où êtes-vous, vrais écrivains, publicistes et autres combattants et travailleurs dans le domaine... hum... de la vie publique... Nulle p-a-art ! ! ! Aujourd'hui, tout le monde écrit. Quiconque veut écrire écrit. Qu'il ait l'âme plus sale et plus noire que mes bottes, un cœur qui ne s'est pas formé dans les entrailles de sa mère, mais dans le foyer d'une forge, qu'il ait autant de sincérité que je possède de maisons, il ose s'engager sur le chemin des êtres glorieux, chemin réservé aux prophètes, aux défenseurs de la justice, aux purs. Mes chers amis ! De nos jours, cette voie s'est élargie, mais il ne se trouve plus personne pour l'emprunter. Où sont les vrais talents ? Cherchez-les, vous n'en trouverez point, je vous le jure !... Tout est tombé en décrépitude, tout s'est appauvri. Les hardis pionniers d'autrefois qui sont encore en vie ont perdu leur courage et se sont mis au pas. Jadis, on recherchait la vérité ; de nos jours, on court après les mots d'esprit et l'argent, que le diable l'emporte ! Un étrange esprit souffle sur le monde. Quelle misère, mes amis ! Moi aussi, vieux lâche, je n'ai pas eu honte pour mes cheveux blancs et je me suis mis en quête de bons mots. Je ne peux m'empêcher d'introduire dans mes articles quelque chose de ce genre. Je remercie le Seigneur, créateur du ciel et de la terre, parce que je ne suis pas cupide et n'ose pas prendre la plume à force d'avoir faim. Aujourd'hui, celui qui a besoin de manger écrit ; il écrit n'importe quoi pourvu que ça ressemble de loin à la vérité. Voulez-vous recevoir quelques petits subsides de la rédaction ? Vous le désirez ? Eh bien, racontez qu'à telle date, dans notre ville de T…, a eu lieu un tremblement de terre et que l'autre jour la brave Akoulina — excusez, mesdames, ma liberté de langage — a mis au monde six bébés d'un seul coup... Vous avez rougi, mes beautés ! Soyez généreuses et pardonnez à un ignorant ! Je suis docteur ès obscénités et jadis j'ai plus d'une fois soutenu dans des cabarets des thèses sur ce problème, remporté la palme dans diverses discussions avec des filous de tout genre. Pardonnez-moi, mes chers amis ! Oh, là, là !... Ecris ce que tu veux, personne ne t'en voudra. Il n'en était pas ainsi autrefois ! Même si nous écrivions des mensonges, c'était par lourdeur d'esprit et par bêtise, sans considérer la tricherie comme notre arme, car nous tenions pour une chose sainte et admirions la raison de notre travail, et nous servions une cause qui nous était chère.

— Pourquoi portez-vous des boutons clairs ? interrompit un élégant dont la coiffure se distinguait par quatre houppes.

— Des boutons clairs ? C'est vrai, ils sont clairs... Par habitude... Ça date d'une vingtaine d'années : j'avais commandé une petite redingote à un tailleur et cet homme s'est trompé et a cousu au lieu de boutons noirs des boutons clairs. J'en ai pris l'habitude car j'ai traîné cette petite redingote près de sept ans... Eh, oui, messieurs... voilà comment ça se passait autrefois... Ils m'écoutent, les bonshommes et les belles dames, ils écoutent, braves gens, le petit vieux... Hi, hi, hi ! Que Dieu vous bénisse ! Beautés célestes ! Vous auriez dû vivre il y a quarante ans quand j'étais jeune et que je savais enflammer les cœurs comme un brasier. J'aurais été votre esclave, jeunes filles, et je me serais râpé les genoux... Elles rient, les petites fleurs !... Oh, vous, mes... Elles ont honoré l'ancêtre de leur attention.

— Ecrivez-vous quelque chose actuellement ? dit une demoiselle au nez retroussé en interrompant le flot de paroles d'Ivan Nikititch.

— Si j'écris ? Comment faire autrement ? Reine de mon cœur, je n'enterrerai pas mon talent jusqu'aux portes de la tombe ! J'écris ! Vous n'avez rien lu de moi ? Et qui donc, je vous le demande, a publié en 76 un article dans *La Voix* ? Qui ? Vraiment, vous n'avez pas lu ?

Un bon article ! En 77, j'ai écrit pour la même *Voix* : la rédaction de cet estimable journal a trouvé mon article inopportun pour la publication... Hé, hé, hé !... Inopportun... C'est comme ça !... Voyez-vous, mon article dégageait une odeur, une certaine odeur. « Nous avons des patriotes, écrivais-je, mais nageons en eau trouble quant à savoir où se place leur patriotisme : dans leur cœur ou dans leur poche ? » Hé, hé, hé !... Une petite odeur... Plus loin : « Hier, écrivais-je, on a célébré à la cathédrale une messe pour le repos de ceux qui sont tombés dans la bataille de Plevna. Tous les personnages importants et les citoyens de la ville y assistaient, à l'exception du chef de la police intérimaire qui brillait par son absence, trouvant plus intéressant de terminer un jeu de préférence que de partager avec les habitants la joie générale de la Russie. » Je tombais juste ! Ha ! ha ! ha ! On ne l'a pas publié ! Et pourtant j'avais fait de mon mieux, mes amis ! L'an dernier, 1879, j'envoyai un article au *Courrier russe*, quotidien de Moscou. J'écrivis pour Moscou un article sur nos écoles, il fut inséré et depuis on me fait un service gratuit du journal. Et voilà ! Cela vous surprend ? Réservez votre étonnement à des génies, non pas aux zéros ! Je suis un petit zéro ! Heu-e-eh ! J'écris rarement, messieurs, fort rarement ! Notre ville est pauvre en événements que je pourrais relater, et je n'ai pas envie d'écrire des bêtises, j'ai trop d'amour-propre et je crains ma conscience. Toute la Russie lit les journaux ; la Russie a-t-elle besoin de notre T… ? A quoi bon l'importuner avec des balivernes ? Pourquoi doit-elle savoir qu'on a trouvé un cadavre dans notre cabaret ? Et comment écrivais-je jadis, dans la nuit des temps, à l'époque... J'écrivais dans *L'Abeille du Nord, Le Fils de la Patrie, Les Nouvelles de Moscou*... J'étais un contemporain de Bélinski, une fois, entre parenthèses, j'ai pincé Boulgarine... Hé ! hé ! hé !... Vous n'y croyez pas ? Parole d'honneur ! Un jour, j'ai composé des vers dédiés à la vertu militaire...

Quant à savoir ce que j'ai supporté alors, mes amis, seul Jéhovah s'en souvient... Je me revois tel que j'étais alors et je me sens tout attendri. J'étais un gaillard et un brave ! J'ai souffert, je souffrais et me torturais pour mes idées et mes opinions ; j'acceptais le martyre pour mes tentatives d'accomplir un travail noble. En 1846, à cause d'un article que j'ai fait paraître dans *Les Nouvelles de Moscou*, les petits bourgeois du coin m'ont donné une telle raclée que j'ai dû passer trois mois à l'hôpital, au pain et à l'eau. Il est à supposer que mon ennemi les a bien récompensés de leur cruauté : ils ont tellement rossé votre humble serviteur que je peux encore vous en montrer les traces. Une autre fois, en 53, l'administrateur de la ville, Syssoï Pétrovitch, me convoque... Vous ne vous souvenez pas de lui, soyez contents de ne pas vous en souvenir. La mémoire de cet homme est la plus amère qui soit. Il me fait appeler et dit : « Qu'est-ce que tu as clabaudé dans *L'Abeille*, hein ? » Et qu'est-ce que j'y avais clabaudé ? Imaginez-vous, j'avais tout simplement écrit qu'une bande de coquins s'était formée chez nous et qu'elle avait choisi pour repaire l'auberge de Gouskov... Il ne reste plus aucune trace de ce cabaret, il a été démoli en 65 et a été remplacé par l'épicerie de M. Loubtzovatski. A la fin de mon article, j'avais glissé une pointe de venin. Voilà ce que j'avais écrit : « Il ne serait pas mauvais que, pour les raisons déjà mentionnées, la police tourne son attention sur l'auberge de M. G. » Il se met à m'injurier et à taper des pieds. « Est-ce que je ne le sais pas sans que tu le dises ? Tu vas me l'apprendre à moi, sale gueule ? Tu vas me faire la morale, hein ? » Il crie, il crie, et il me fait mettre au frais, moi, tout frémissant. J'y suis resté trois jours et trois nuits en me souvenant de Jonas et de sa baleine et en subissant toutes sortes d'humiliations... Je ne l'oublierai pas jusqu'au jour où j'aurai perdu la mémoire. Aucune punaise, aucun pou, passez-moi le mot, aucun insecte à peine visible n'a jamais été humilié autant que moi par Syssoï Pétrovitch, paix à son âme ! Une autre fois, le père Pancrace, dont je me moquais volontiers en pensée, avait réussi à épeler un article où il était question d'un ecclésiastique et avait bien voulu s'imaginer qu'il était question de lui et que c'était moi, avec ma légèreté coutumière, qui en était l'auteur, alors que je n'y étais pour rien et qu'il n'était même pas mentionné. Je passe un jour devant la cathédrale quand quelqu'un m'allonge un coup de bâton sur la nuque, un autre sur le dos, puis un troisième... Je ne comprenais rien à cette histoire. Je me retourne : c'est le père Pancrace, mon confesseur... En public ! Pourquoi ? Pour quel péché ? Ça, je l'ai également supporté avec humilité... J'ai beaucoup souffert, mes amis !

Le marchand Gryjev, un des notables de la ville, qui se trouvait près du journaliste, le tapa sur l'épaule en souriant.

— Ecris, dit-il, écris ! Pourquoi pas, puisque tu sais le faire ! Mais pour quel journal écriras-tu ?

— Pour *La Voix*, Ivan Pétrovitch.

— Tu me feras lire ?

— Hé, hé ! hé !... Bien sûr.

— Nous verrons ce dont tu es capable. Et de quoi parleras-tu ?

— Eh bien, si Ivan Stépanovitch fait don d'un peu d'argent pour l'école, je parlerai de lui.

Ivan Stépanovitch, qui était rasé et ne portait plus la longue redingote des marchands d'autrefois, sourit et rougit.

— Eh bien, vas-y, dit-il. Je ferai un don. Pourquoi pas ? Je peux donner mille roubles...

— Vraiment ?

— Mais oui.

— Est-ce possible ?

— Tu en doutes... Bien sûr que je peux...

— Vous ne plaisantez pas ?... Ivan Stépanovitch !

— Je peux bien... Seulement, voilà... Hum... Si je fais un don et que tu n'écrives rien ?

— Ce n'est pas possible. Ma parole est de fer, Ivan Stépanovitch.

— C'est bien vrai... Hum... Et quand t'y mettras-tu ?

— Sans tarder, sans tarder du tout... Vous ne plaisantez pas, Ivan Stépanovitch ?

— A quoi bon plaisanter ? Est-ce que tu me paierais pour des plaisanteries ? Oui... Et si tu n'écrivais pas ?

— Je le ferai, Ivan Stépanovitch ! Dieu me damne ! J'écrirai.

Le marchand plissa son grand front luisant et se mit à réfléchir. Ivan Nikititch trottina, hoqueta et fixa ses yeux brillants sur son interlocuteur.

— Ecoute bien, Nikita... Nikititch... Ivan, c'est bien ça ? Voilà... Je donnerai... Je donnerai deux mille roubles et ensuite peut-être encore quelque chose... Seulement, mon vieux, à condition que tu écrives vraiment.

— Je vous jure que j'écrirai ! piailla le journaliste.

— Ecris l'article, mais avant de l'envoyer au journal, fais-le-moi lire et alors je verse les deux mille, à condition que ce soit bien écrit.

— A vos ordres. Hé ! Hum... Entendu et compris, homme noble et généreux ! Ivan Stépanovitch ! Ayez la gentillesse et la condescendance de ne pas abandonner votre promesse, qu'elle ne reste pas un vain espoir ! Ivan Stépanovitch ! Mon bienfaiteur ! Messieurs ! Je suis soûl, mais mon intelligence est lucide ! Philanthrope de plein cœur ! Je vous salue ! Faites un effort ! Servez la cause de l'instruction du peuple, déversez une part de vos largesses... Oh ! Seigneur Dieu !

— Bon, ça va... Tu verras bien...

Ivan Nikititch s'accrocha aux basques du marchand.

— Homme magnanime ! glapit-il. Joignez votre main généreuse à celle des grands... Versez de l'huile dans le flambeau qui éclaire l'univers ! Permettez-moi

de boire à votre santé. Je vais boire. Je vais boire !
Vive...

Il se mit à tousser et avala un verre de vodka. Le
commerçant regarda l'assistance, indiqua Ivan Nikititch
d'un clin d'œil et quitta le salon pour la grande salle. Le
journaliste resta immobile, réfléchit brièvement, caressa
son crâne chauve, puis suivit la même direction en passant gravement entre les groupes de danseurs.

— Demeurez en bonne santé ! dit-il au maître de
céans avec un claquement de talons. Merci pour vos
bonnes grâces, Egor Nikiforovitch ! Je ne l'oublierai
jamais.

— Au revoir, vieux frère. Reviens une autre fois.
Passe au magasin si tu as le temps : tu prendras le thé
avec mes commis. Viens, si tu veux, pour l'anniversaire
de ma femme, tu nous feras un discours. Au revoir, mon
ami !

Ivan Nikititch serra chaleureusement la main tendue,
salua profondément les invités et trottina vers le vestibule où son vieux vêtement élimé disparaissait au
milieu d'une quantité de pelisses et de pardessus.

— Un petit pourboire, Votre Honneur ! dit aimable-
ment le valet en retrouvant son manteau.

— Mon pauvre ami ! C'est moi qui devrais demander un pourboire au lieu d'en donner un...

— Le voilà, votre manteau ! C'est bien ça, votre
demi-honneur ? Une vraie passoire. Il n'y a pas de quoi
faire des visites, c'est bon pour aller dans une porcherie.

L'air confus, Ivan Nikititch enfila son manteau,
remonta son pantalon, sortit de la maison d'Egor L., le
richard et gros bonnet de T..., et se dirigea vers sa
demeure en pataugeant dans la boue.

Il habitait dans la rue principale un pavillon qu'il
louait pour soixante roubles par an aux héritiers d'une
marchande. Le pavillon se trouvait dans le coin d'une
grande cour envahie de chardons, et regardait à travers
les arbres avec une humilité comparable à celle d'Ivan

Nikititch. Le vieil homme referma le verrou du portail et se dirigea vers la maisonnette grise en évitant soigneusement les chardons. Quelque part un chien grogna et aboya paresseusement après lui.

— Ciseau, Ciseau, c'est moi ! marmotta-t-il.

La porte du pavillon n'était pas fermée. Après avoir nettoyé ses bottes avec une petite brosse, il ouvrit la porte et pénétra dans sa tanière. Il se racla la gorge, quitta son manteau, dit une prière devant l'icône et entra dans une chambre éclairée d'une veilleuse. Dans la deuxième et dernière pièce, il pria à nouveau, les yeux sur une icône, et s'approcha sur la pointe des pieds d'un lit où dormait une jolie jeune fille d'une vingtaine d'années.

— Manetchka, dit-il en essayant de la réveiller. Manetchka !

— Sssss...

— Réveille-toi, ma fille !

— Et ma... ma... ma...

— Manetchka ! Ecoute, Manetchka ! Il ne faut plus dormir !

— Qui est là ? Qu'est-ce que... hein ?...

— Réveille-toi, mon ange ! Lève-toi, soutien de ma vie, ma petite musicienne... Ma fille ! Manetchka !

Elle se retourna et ouvrit les yeux.

— Que voulez-vous ? demanda-t-elle.

— Ma chérie, je t'en prie, donne-moi deux feuilles de papier !

— Allez dormir !

— Ma fille, ne refuse pas !

— Pour quoi faire ?

— Il faut que j'écrive un article pour *La Voix*.

— Laissez ça... Couchez-vous ! Je vous ai laissé votre dîner là-bas !

— Mon unique amie !

— Vous êtes soûl ? C'est beau... Ne m'empêchez pas de dormir !

— Donne-moi du papier ! Allons, qu'est-ce que ça te coûte de te lever et de satisfaire ton père ? Mon amie ! Faut-il que je me mette à genoux ?

— Aaaa... diable ! Tout de suite ! Sortez !

— Je t'obéis.

Il recula de deux pas et cacha sa tête derrière un paravent. Elle sauta du lit et se drapa dans une couverture.

— Il bat le pavé ! grommela-t-elle. Quelle calamité ! Sainte Mère de Dieu, est-ce que ça va bientôt finir ? Jamais la paix, ni jour ni nuit ! Vous n'avez pas honte...

— N'insulte pas ton père, ma fille !

— Personne ne vous insulte ! Tenez !

Elle sortit deux feuilles de sa serviette et les lança sur la table.

— Merci, Manetchka ! Excuse-moi de t'avoir dérangée.

— Ça va !

Elle tomba sur le lit, se pelotonna sous la couverture, se fit toute petite et s'endormit aussitôt.

Ivan Nikititch alluma une chandelle et s'assit devant la table. Après un instant de réflexion, il trempa la plume dans l'encrier, fit le signe de la croix et se mit à écrire.

Le lendemain, à huit heures du matin, il se trouvait déjà devant la porte d'entrée d'Ivan Stépanovitch et tirait d'une main tremblante la sonnette. Il l'agita dix longues minutes pendant lesquelles il faillit mourir de peur à l'idée de son audace.

— Que veux-tu ? Qu'as-tu donc à sonner ? s'informa le valet de chambre en ouvrant la porte et se frottant avec le pan de sa redingote marron usée les yeux gonflés et pleins de sommeil.

— Ivan Stépanovitch est chez lui ?

— Le maître ? Où voulez-vous qu'il soit ? Et qu'est-ce qu'il vous faut ?

— Voilà, je viens le voir.

— Vous venez de la poste ? Il dort !

— Non, c'est personnel... A proprement parler...

— Vous êtes fonctionnaire ?

— Non... mais... peut-on attendre ?

— Pourquoi pas ? Vous pouvez l'attendre ! Entrez dans le vestibule !

Ivan Nikititch s'y faufila et s'assit sur un divan où traînaient des hardes de domestiques.

— Qui est là ?

La voix d'Ivan Stépanovitch s'éleva dans sa chambre.

— Hé, Sériojka ! Viens ici !

Le domestique bondit et courut comme un fou chez son maître, tandis que le journaliste, effrayé, boutonnait sa redingote jusqu'au col.

— Comment ? Qui ? entendit-il dire dans la chambre à coucher. Tu n'as plus de langue, animal ? Comment ? Quelqu'un de la banque ? Mais parle donc ! Un vieux ?

Le cœur d'Ivan Nikititch se mit à battre ; sa vue se troubla, ses pieds se glacèrent. Le moment décisif approchait.

— Appelle-le ! dit la même voix.

Sériojka apparut, ruisselant de sueur et se tenant l'oreille, pour conduire Ivan Nikititch auprès de son maître. Ivan Stépanovitch venait à peine de se réveiller : étendu dans son grand lit, il faisait dépasser sa tête d'une couverture d'indienne. A côté de lui, sous la même couverture, ronflait le gros à la médaille d'argent. En se couchant, il n'avait pas jugé utile de se déshabiller : les bouts de ses bottes sortaient du lit, la médaille avait glissé de son cou sur l'oreiller. On étouffait dans la chambre qui était surchauffée et sentait le tabac. Le plancher était décoré d'éclats d'une lampe cassée, d'une flaque de pétrole, des lambeaux d'une jupe de femme.

— Qu'est-ce que tu veux ? demanda Ivan Stépanovitch en dévisageant le visiteur et fronçant les sourcils.

— Je m'excuse du dérangement que je vous cause, débita le journaliste, sortant un papier de sa poche. Très honoré Ivan Stépanovitch, permettez-moi.

— Toi, écoute un peu, ne fais pas le rossignol, chez moi, il n'y a rien pour les nourrir : parlons affaires. Que veux-tu ?

— Eh bien, je viens dans le but de... euh... de vous présenter respectueusement...

— Qui es-tu, toi ?

— Moi... Je... Vous avez oublié ? Je suis le journaliste.

— Toi ? Ah, oui. Ça me revient maintenant. Qu'est-ce que tu viens faire ?

— Vous présenter l'article promis pour le soumettre à votre lecture.

— Tu l'as déjà écrit ?

— Je l'ai écrit.

— Pourquoi si vite ?

— Vite ? J'ai travaillé jusqu'à présent.

— Hum... Non, tu... C'est pas ça... Tu aurais dû écrire plus lentement. Pourquoi se presser ? Va, mon vieux, écris encore.

— Ivan Stépanovitch ! Ni le temps ni le lieu ne peuvent gêner un talent... Vous m'accorderiez un an que je n'écrirais pas mieux, parole d'honneur.

— Eh bien, donne-moi ça !

Ivan Nikititch déplia la feuille de papier et la tendit des deux mains à Ivan Stépanovitch.

Le marchand la prit, plissa les yeux et se mit à lire. « Dans notre ville de T..., on élève tous les ans plusieurs édifices ; pour cela, on fait venir des architectes de la capitale, on reçoit de l'étranger des matériaux de construction, on dépense d'énormes capitaux, et tout cela, il faut bien l'avouer, se fait dans des buts mercantiles... C'est regrettable ! Nous sommes un peu plus de vingt mille habitants, T... existe déjà depuis quelques siècles, des bâtiments s'y édifient, mais il n'y a même pas une chaumière où pourrait s'abriter la force capable de trancher les racines profondes de l'ignorance... L'ignorance... » Qu'est-ce que ça veut dire ?

— Ça ? *Horribile dictu*[1]...

— Mais qu'est-ce que ça signifie ?

— Dieu sait ce que ça signifie, Ivan Stépanovitch ! Quand on parle de quelque chose de mauvais ou de terrible, on écrit à côté entre parenthèses cette expression.

— « L'ignorance »... hum... « s'étend donc chez nous en couches épaisses et jouit dans toutes les classes sociales d'un plein droit de cité. Enfin, nous sentons souffler parmi nous l'air que respire toute la Russie cultivée. Il y a un mois, M. le Ministre nous a accordé la permission d'ouvrir chez nous un collège. Nous avons accueilli la nouvelle avec un sincère enthousiasme. Il s'est trouvé des personnes qui, non contentes d'exprimer leur sincère enthousiasme, voulurent manifester dans les actes leur amour pour cette œuvre. Les marchands de notre ville, qui ne répondent jamais par un refus à l'invitation de soutenir pécuniairement une bonne œuvre, n'ont pas, cette fois-ci non plus, secoué négativement la tête... » Sapristi ! C'est écrit vite, mais c'est bon ! Bravo ! Voyez un peu ça ! « Je considère utile de nommer ici les principaux donateurs. Les voici. Gouri Pétrovitch Gryjev (2 000), Piotr Sémionovitch Albastrov (1 500), Aviv Inokentiévitch Potrochilov (1 000) et Ivan Stépanovitch Trambonov (2 000). Ce dernier a promis... » Qui est le dernier ?

— Ce dernier est vous !

— Alors, selon toi, je suis le dernier ?

— Oui... C'est-à-dire... Hum... dans ce sens...

— Donc, je suis le dernier ?

Il se souleva, le visage cramoisi.

— Qui est le dernier ? C'est moi ?

— Vous, mais dans quel sens ?

— Dans le sens que tu es un imbécile ! Compris ? Un imbécile ! Voilà, attrape ton article !

— Votre Honneur... Mon très estimé Ivan... Ivan...

1. Affreux à dire.

— Alors, je suis le dernier ? Espèce de pourriture ! Oie !

Un torrent d'expressions splendides, toutes plus obscènes les unes que les autres, s'échappa de la bouche du marchand. Ivan Nikititch, fou de terreur, s'était effondré sur une chaise et tremblait de tout son corps.

— Espèce de cochon ! Le dernier ? ? ? Ivan Stépanovitch Trambonov n'a jamais été le dernier et il ne le sera jamais ! Toi, tu es le dernier ! Hors d'ici et ne remets jamais les pieds chez moi !

Ivan Stépanovitch roula frénétiquement l'article en boule et le lança à la tête du correspondant des journaux de Moscou et de Saint-Pétersbourg... Celui-ci rougit, se leva et sortit de la chambre d'un petit pas saccadé, en agitant les bras. Il fut accueilli dans le vestibule par Sériojka qui lui ouvrit la porte avec un sourire niais sur sa figure stupide. Il se retrouva dehors, pâle comme un linge, se dirigea chez lui en marchant dans la boue. Deux heures après, Ivan Stépanovitch, qui s'en allait de chez lui, aperçut sur la fenêtre du vestibule le chapeau que le journaliste avait oublié.

— A qui est ce bonnet ? demanda-t-il au domestique.

— Au vaurien que vous avez bien voulu chasser tout à l'heure.

— Jette-le dehors ! Ça n'a pas à traîner ici.

Sériojka prit le chapeau et, sortant dans la rue, le jeta dans la plus grande flaque de boue.

ESCULAPES DE VILLAGE

Un hôpital cantonal. Le matin.

En l'absence du docteur parti à la chasse avec le commissaire de police, les malades sont reçus par les infirmiers, Kouzma Egorov et Gleb Glébytch. Il y en a une trentaine. En attendant qu'ils soient inscrits, Kouzma Egorov, installé dans la salle d'attente, boit du café de chicorée. Gleb Glébytch, qui ne s'est pas lavé ni peigné depuis sa naissance, est affalé, poitrine et ventre sur la table, se fâche et enregistre les malades. Cela se fait dans un but statistique. On note le prénom, le patronyme, l'emploi, l'adresse, l'âge, et si, oui ou non, le malade sait lire et écrire ; on y ajoute, après la consultation, le genre de la maladie et les remèdes délivrés.

— Quelle saleté que ces plumes ! enrage Gleb Glébytch en traçant sur un grand registre et sur des petites cartes des « m » et des « a » monstrueux. Qu'est-ce que c'est que cette encre ? C'est du goudron et pas de l'encre ! La direction est extraordinaire ! On vous dit d'inscrire les malades et on vous donne deux kopecks par an pour payer l'encre ! Avance ! crie-t-il.

Un paysan à la figure emmitouflée et la « basse » Mikhaïlo s'approchent de la table.

— Comment t'appelles-tu ?

— Ivan Mikoulov.

— Hein ? Comment ? Parle donc russe !

— Ivan Mikoulov.

— Ivan Mikoulov ! Ce n'est pas toi que je veux ! Circule ! Hé ! toi ! Ton nom ?

Mikhaïlo sourit.

— Comme si tu ne savais pas, dit-il.

— Qu'est-ce qui te fait rire ? Le diable les emporte ! On est pressé, chaque instant compte, et les voilà qui plaisantent ! Comment t'appelles-tu ?

— Tu ne sais pas ? Tu es devenu fou ?

— Je le sais, mais je dois te le demander parce que c'est le règlement... Je n'ai pas de raison d'être fou... Je ne suis pas un ivrogne comme Votre Grâce. Ce n'est pas moi qui reste des semaines sans dessoûler... Vos prénoms et patronyme ?

— Pourquoi que je les dirais puisque tu les sais toi-même ? Voilà cinq ans que tu le sais... Ou bien attends-tu la sixième année pour l'oublier ?

— Je n'ai rien oublié, mais c'est le règlement ! Tu comprends ? Tu ne comprends pas le russe ? Le règlement !

— Si c'est le règlement, va au diable ! Ecris ! Mikhaïlo Fédotytch Izmoutchenko...

— Ce n'est pas Izmoutchenko, mais Izmoutchenkov.

— Va pour Izmoutchenkov... Ecris ce que tu veux, pourvu que tu me guérisses... Appelle-moi Pitre Ivanytch... ça revient au même.

— Ton emploi ?

— Basse.

— Ton âge ?

— Qu'est-ce que j'en sais ? Je n'ai pas été à mon baptême, je n'en sais rien.

— La quarantaine ?

— Peut-être bien que oui, peut-être bien que non. Ecris ce que tu veux.

Gleb Glébytch contemple Mikhaïlo, réfléchit et écrit trente-sept. Puis, il pense encore, efface trente-sept et note quarante et un.

— Tu sais lire et écrire ?

— Un chanteur, est-ce qu'il peut être illettré ? Tu en as, une tête !

— En public, tu dois me dire « vous » et ne pas crier comme ça. Au suivant. Qui es-tu ? Comment t'appelles-tu ?

— Mikifor Pougolova, de Khaplovaïa.

— Nous ne soignons pas les habitants de Khaplovaïa ! Au suivant !

— Pour l'amour de Dieu… Votre Honneur. J'ai fait vingt verstes à pied…

— Nous ne soignons pas ceux de Khaplovaïa ! Au suivant ! Va-t'en ! Défendu de fumer ici.

— Je ne fume pas, Gleb Glébytch.

— Et qu'est-ce que tu as dans la main ?

— Un pansement au doigt, Gleb Glébytch !

— Ce n'est pás une cigarette ? Nous ne soignons pas des gens de Khaplovaïa ! Au suivant…

Les inscriptions sont terminées. Kouzma Egorov termine de boire son café ; la visite médicale commence. L'un des infirmiers se charge du problème des médicaments ; il se rend à la pharmacie ; l'autre s'occupe de thérapeutique et enfile un tablier en toile cirée.

— Maria Zaplaksina ! appelle Kouzma en compulsant le registre.

— Me voilà, monsieur.

Une petite vieille toute ratatinée et comme écrasée par le mauvais sort pénètre dans la salle de réception. Elle se signe et salue respectueusement l'esculape en fonction.

— Hum… Ferme la porte… De quoi souffres-tu ?

— De la tête, monsieur.

— Bon… De la tête entière ou d'une moitié seulement ?

— De toute la tête, monsieur… en entier…

— Ne te l'enveloppe pas comme ça… Enlève ce chiffon ! Il faut que la tête soit au frais, les pieds au chaud, le corps dans un climat tempéré... Tu as mal au ventre ?

— Oui, monsieur.

— Bon... Montre le dedans de ta paupière inférieure. Bien, ça suffit. Tu fais de l'anémie... Je vais te donner des gouttes... Dix gouttes le matin, à midi et le soir.

Il s'assied et écrit l'ordonnance :

« Rp. Liquor Ferri[1] 3 gr. du flacon qui est sur la fenêtre, Ivan Iakovlitch a défendu d'ouvrir celui qui est sur la planche, à raison de dix gouttes, trois fois par jour, à Maria Zaplaksina. »

La petite vieille demande avec quoi elle devra prendre les gouttes, salue et s'en va. Kouzma Egorov jette l'ordonnance à l'intérieur de la pharmacie à travers un trou pratiqué dans le mur et appelle le malade suivant :

— Timoféï Stoukotéï !

— Présent !

Stoukotéï paraît, grand, maigre, avec une grosse tête, pareil, vu de loin, à une canne à pommeau.

— Qu'est-ce qui te fait mal ?

— Le cœur, Kouzma Egorovitch.

— A quel endroit ?

Stoukotéï indique le creux de l'estomac.

— Ah... Depuis longtemps ?

— Depuis Pâques... Je suis venu à pied, tout à l'heure, eh bien, j'ai dû m'asseoir une dizaine de fois... J'ai des frissons, Kouzma Egorovitch. J'ai des bouffées de chaleur, Kouzma Egorovitch.

— Hum... Qu'est-ce qui te fait encore mal ?

— A vrai dire, Kouzma Egorovitch, tout me fait mal, mais vous n'avez qu'à soigner mon cœur et pour ce qui est du reste, ne vous en faites pas. Les bonnes femmes n'ont qu'à s'en occuper. Si vous me donniez un petit alcool pour que ça ne pèse pas sur le cœur ! Parce que, voyez-vous, ça pèse, ça pèse et puis ça me prend à cet

1. Eau dans laquelle on a laissé rouiller du fer.

149

endroit-là, et quand ça me déchire là... alors !... Ça me déchire le dos. J'ai la tête comme une pierre. Et je tousse aussi...

— L'appétit ?

— Pas du tout...

Kouzma Egorov s'approche de Stoukotéï, lui plie l'échine, enfonce son poing dans le creux de l'estomac.

— Ça fait mal ?

— Aïe ! aïe !... Très mal !

— Et comme ça, ça fait mal ?

— Ah !... C'est ma mort !

Kouzma Egorov lui pose quelques questions, réfléchit et appelle Gleb Glébytch à son secours. La consultation commence.

— Montre ta langue, dit Gleb Glébytch au malade.

Celui-ci ouvre tout grand la bouche et tire la langue.

— Sors-la encore plus !

— Impossible, Gleb Glébytch.

— Ici-bas tout est possible !

Le praticien contemple longuement le malade, se donne beaucoup de mal à réfléchir, hausse les épaules et quitte la salle en silence.

— Ça doit être du catarrhe ! crie-t-il après avoir regagné la pharmacie.

— Donnez-lui de *l'olei ricini*[1] et *ammoni caustici*[2], lance Kouzma Egorov. Qu'il se frictionne le ventre matin et soir. Au suivant !

Le malade sort de la salle de consultation et s'approche du guichet qui fait communiquer le couloir et la pharmacie. Gleb Glébytch remplit le tiers d'un verre à thé d'huile de ricin et le tend à Stoukotéï. Celui-ci boit lentement, se lèche les lèvres, ferme les yeux et fait signe de ses doigts pour qu'on lui donne quelque chose à manger.

1. Huile de ricin.
2. Ammoniaque.

150

— Tiens, voilà de l'alcool, crie Gleb Glébytch en lui tendant un flacon d'ammoniaque. Frictionne-toi le ventre matin et soir avec un chiffon de laine. Il faudra rendre le flacon ! Ne t'accoude pas ! Eloigne-toi !

Pélagie, la cuisinière du père Grigori, s'approche du guichet en cachant sa bouche sous son châle et en souriant malicieusement.

— Que désirez-vous ? demande l'infirmier.

— Lisavéta Grigorievna vous salue et vous prie de lui donner des pastilles de menthe.

— Avec plaisir... Je suis prêt à tout pour de jolies personnes de sexe féminin.

Il prend sur l'étagère un bocal de pastilles et en vide la moitié dans le mouchoir de Pélagie.

— Dites-lui, ajoute-t-il, que Gleb Glébytch pensait à elle avec sentiment quand il lui donnait des pastilles. Elle a reçu ma lettre ?

— Elle l'a reçue et déchirée. Lisavéta Grigorievna ne s'intéresse pas à l'amour.

— Quelle *grisette* ! Dites-lui qu'elle est une *grisette* !

— Mikhaïlo Izmoutchenkov ! crie Kouzma Egorov.

La « basse » Mikhaïlo entre dans la salle.

— Bonjour ! Salutations respectueuses ! Où avez-vous mal ?

— C'est la gorge, Kouzma Egorytch ! Je viens vers vous, pour bien dire, pour que vous vouliez bien, en ce qui concerne ma santé, heu... Ce n'est pas tant douloureux que désavantageux... Ma maladie m'empêche de chanter et le maître de chapelle me retient quarante kopecks par messe. Il en a retenu vingt-cinq hier, pour les vêpres. Aujourd'hui, il y avait l'office des morts chez les patrons, les chanteurs ont gagné trois roubles, et moi, faute à la maladie, zéro ! Si vous permettez une supposition, rapport à mon gosier, je peux vous dire que ça me gratte et ça me déchire. Comme si j'avais un chat installé dans la gorge, un chat dont les pattes... Hum...

— Les boissons fortes, sans doute ?

— Je ne peux pas dire ce qui cause spécialement ma maladie, mais je peux vous faire savoir que, sauf votre respect, les boissons fortes agissent sur les voix de ténor mais pas du tout sur les basses. Grâce aux boissons, Kouzma Egorytch, la basse devient plus onctueuse et plus noble... C'est le froid qu'elle craint.

La tête de Gleb Glébytch paraît dans le guichet.

— Que faut-il donner à la vieille ? demande-t-il. Le fer qui se trouvait sur la fenêtre est terminé. Je vais entamer celui qu'est sur l'étagère.

— Non, non ! Ivan Iakovlitch n'a pas donné l'ordre ! Il se mettrait en colère.

— Et alors, qu'est-ce que je lui donne ?

— Donnez-lui quelque chose !

« Donner quelque chose » signifie dans le langage de Gleb Glébytch « donner du bicarbonate de soude ».

— Il ne faut plus absorber de boissons fortes.

— Voilà déjà trois jours que je n'en prends plus... C'est un coup de froid... Pour bien dire, la vodka rend la voix rauque, mais l'enrouement, vous ne l'ignorez pas, Kouzma Egorytch, donne plus de beauté à l'octave... Nous autres, nous ne pouvons pas nous passer de vodka... Qu'est-ce qu'un chanteur sans vodka ? Ce n'est plus un chanteur, mais, sauf votre respect, une ironie du sort !... Je ne tremperais même pas les lèvres dans cette maudite boisson si ce n'était pour le métier. La vodka, c'est le sang du diable...

— Voilà quelque chose... Je vous donne cette poudre... Faites-la dissoudre dans une bouteille et rincez-vous la gorge matin et soir.

— On peut l'avaler ?

— Oui.

— Très bien... C'est vexant quand on ne peut pas avaler. On rince, on se rince, et puis il faut tout cracher, c'est dommage ! Voilà ce que je voulais, à vrai dire, vous demander... Vu que j'ai le ventre délicat et que, pour cette raison, je me fais, avec votre autorisation, des saignées tous les mois et bois des herbes, est-ce qu'il m'est possible de convoler en justes noces ?

Kouzma Egorov réfléchit un instant et dit :

— Non, je ne vous le conseille pas !

— Je vous remercie de tout cœur ! Vous êtes un guérisseur de première, Kouzma Egorytch ! Plus fort que tous les médecins ! Parole d'honneur ! Il y a des braves gens qui prient pour vous ! C'est formidable !

Egorov baisse modestement les yeux et prescrit courageusement *natri bicarbonici*, c'est-à-dire du bicarbonate de soude.

CAUSE PERDUE

Histoire vaudevillesque

J'ai une terrible envie de pleurer ! Il me semble que si j'éclatais en sanglots, je me sentirais mieux.

C'était une soirée magnifique. Je m'habillai, me coiffai, me parfumai et, tel don Juan, j'allai la rejoindre. Elle habitait une villa à Sokolniki. Jeune, belle, elle a une dot de trente mille roubles, un peu d'instruction ; elle était amoureuse de moi, l'auteur de ces lignes, comme une chatte.

En arrivant à Sokolniki, je la trouvai assise sur notre banc préféré à l'ombre de grands sapins élancés. Quand elle m'aperçut, elle se leva vivement et vint, toute rayonnante, à ma rencontre.

— Comme vous êtes cruel ! dit-elle. Est-ce possible d'arriver si tard ? Vous savez pourtant combien je m'ennuie ! En voilà des façons !

Je baisai sa jolie menotte et, tremblant d'émoi, l'accompagnai jusqu'au banc. Oui, je tremblais, je suffoquais, je sentais que mon cœur brûlant était prêt à éclater. Mon pouls battait très fort.

Cela n'avait rien d'étonnant ! J'étais venu pour fixer définitivement mon sort. Victorieux, ou perdu, me disais-je. Mon avenir dépendait de cette soirée.

Il faisait un temps merveilleux mais cela ne me préoccupait guère. Je n'écoutais même pas le rossignol qui

chantait au-dessus de nos têtes bien qu'il soit obligatoire de le faire au moindre rendez-vous tant soit peu
digne de ce nom.

— Pourquoi vous taisez-vous ? demanda-t-elle, me
regardant dans les yeux.

— Comme ça... Quelle belle soirée !... Comment va
votre maman ?

— Elle va bien.

— Hum... Je vois... Voyez-vous, Varvara Pétrovna,
il faut que je vous parle... Je ne suis venu que pour
cela... Je me taisais, je me taisais, mais à présent...
serviteur ! Je ne peux plus me taire !

Elle baissa la tête et se mit à torturer une fleur de ses
petits doigts tremblants. Elle savait de quoi je voulais
parler. Après un silence, je continuai :

— A quoi bon se taire ? On a beau le faire, on a beau
rentrer dans la coquille, tôt ou tard, on est obligé de
donner libre cours à... ses sentiments et à sa langue...
Peut-être serez-vous offusquée… peut-être ne me
comprendrez-vous pas, mais... que faire ?

Un silence. Il fallait trouver une phrase de circonstance.

« Mais parle donc, protestaient ses yeux. Empoté !
Pourquoi me fais-tu souffrir ? »

— Bien sûr, vous avez deviné depuis longtemps,
continuai-je après un silence, pourquoi je viens ici
chaque jour et vous impose ma présence. Comment ne
pas deviner ? Avec la subtilité qui vous est particulière,
il y a longtemps que vous avez, sans doute, compris le
sentiment qui... (Un silence.) Varvara Pétrovna !

Elle baissa la tête encore plus bas. Ses doigts se
mirent à danser.

— Varvara Pétrovna !

— Eh bien ?

— Je... A quoi bon parler ? C'est clair sans paroles...
Je vous aime, voilà tout... Que dire encore ? (Une
pause.) Je vous aime terriblement. Je vous aime autant

que... En un mot, rassemblez tous les romans qui existent au monde, lisez tout ce qu'ils contiennent en déclarations d'amour, serments, sacrifices et... vous aurez une idée de ce qui... en quelque sorte maintenant dans mon cœur... Varvara Pétrovna ! (Pause.) Varvara Pétrovna ! Pourquoi ne dites-vous rien ?

— Que voulez-vous entendre ?

— Est-ce possible que ce soit... non ?

Elle releva la tête et sourit.

De par tous les diables, pensai-je. Elle sourit, remua les lèvres et dit d'une façon à peine perceptible :

— Pourquoi... non ?

Je m'emparai violemment de sa main, l'embrassai passionnément et saisis comme un fou son autre main... Bravo pour elle ! Tandis que je m'occupais de ses mains, elle posa sa petite tête sur ma poitrine, ce qui me fit comprendre pour la première fois combien sa chevelure était magnifique.

Je posai un baiser sur sa tête et ma poitrine s'échauffa comme si on y avait allumé un samovar. Varia leva le visage, et il ne me resta rien à faire que l'embrasser sur la bouche.

Et voici qu'au moment où Varia était définitivement à moi, à l'instant où j'étais sur le point d'entrer en possession des trente mille roubles, bref lorsqu'une belle femme, une telle somme et une belle carrière m'étaient presque assurées, il fallut que le diable me chatouille la langue...

L'envie me prit de parader devant ma promise, de faire briller mes principes, de me vanter ! Du reste, j'ignore moi-même ce dont j'ai eu envie... Ça a fort mal tourné !

— Varvara Pétrovna ! commençai-je après le premier baiser. Avant que vous ne me promettiez d'être ma femme, je considère comme le devoir le plus sacré, afin d'éviter des malentendus possibles, de vous dire quelques mots. Je serai bref... Savez-vous, Varvara

Pétrovna, qui je suis et ce que je suis ? Oui, je suis un honnête homme ! Je suis un travailleur ! Je... je suis fier. Ce n'est pas tout... J'ai un avenir... Mais je suis pauvre... Je ne possède rien...

— Je le sais, dit Varia. L'argent ne fait pas le bonheur.

— Oui... Mais qui parle d'argent ? Je suis fier de ma pauvreté. Les sous que je reçois pour mes travaux littéraires, je ne les échangerais pas contre des milliers qui... que...

— Je comprends. Et alors ?

— J'ai pris l'habitude de la pauvreté. Elle ne compte pas pour moi. Je peux me passer de dîner pendant une semaine... Mais vous ! Vous ! Vous qui êtes incapable de faire deux pas sans prendre un fiacre, qui mettez chaque jour une nouvelle robe, qui gaspillez l'argent, qui n'avez jamais connu le besoin, vous qu'une fleur démodée rend profondément malheureuse, est-il possible que vous consentiez à quitter pour moi tous les biens de ce monde ? Hum...

— Mais j'ai de la fortune. J'ai ma dot !

— Ce n'est rien ! Pour dépenser une ou deux dizaines de milliers, il suffit de quelques années... Et ensuite ? La misère ? Les larmes ? Fiez-vous à mon expérience, chérie ! Je le sais ! Je sais ce que je dis ! Pour lutter contre la misère, il faut avoir une volonté de fer et un caractère surhumain !

« Je suis en train de débiter des sottises ! » pensai-je, et je continuai :

— Réfléchissez, Varvara Pétrovna ! Réfléchissez au pas que vous allez faire ! Un pas irrévocable ! Si vous vous sentez assez forte, suivez-moi, si vous n'avez pas la force de lutter, opposez-moi un refus ! Oh ! Mieux vaut que je sois privé de vous, que vous de votre quiétude. Les cent roubles que la littérature me procure par mois, ce n'est rien ! Ils ne nous suffiront pas ! Réfléchissez tant qu'il n'est pas trop tard !

Je me dressai d'un bond.

— Réfléchissez ! La faiblesse, c'est les larmes, les reproches, les cheveux qui blanchissent trop tôt... Je vous mets en garde, car je suis un homme honnête. Vous sentez-vous suffisamment forte pour partager ma vie qui extérieurement ne ressemble en rien à la vôtre, qui vous est étrangère ? (Une pause.)

— Mais j'ai une dot !

— Quelle dot ? Vingt mille, trente mille ! Ha ! Ha ! Un million ? Par ailleurs, me permettrais-je de m'approprier ce qui... Non ! Jamais ! J'ai ma fierté.

Je fis quelques pas près du banc. Varia semblait réfléchir... Je triomphais. On me respectait donc puisqu'on réfléchissait.

— Bref, la vie avec moi et les privations, ou l'existence sans moi et l'opulence... Choisissez... Avez-vous la force ? Ma Varia a-t-elle la force ?

Je parlai encore très longtemps dans le même genre. Petit à petit, je me laissai entraîner. Je parlais et en même temps je sentais naître en moi un dédoublement de la personnalité. Une moitié de mon être se passionnait pour ce que je disais, l'autre moitié rêvait. « Attends un peu, petite ! Avec tes trente mille, nous vivrons de façon à ce que le ciel lui-même ait chaud ! Il y en aura pour longtemps ! »

Varia écoutait toujours... Enfin, elle se leva et me tendit la main.

— Je vous remercie ! dit-elle, et le ton de sa voix était tel que je tressaillis et la regardai dans les yeux.

Ses cils et ses joues scintillaient de larmes.

— Je vous remercie ! Vous avez bien fait d'être franc avec moi... J'ai été élevée dans du coton... Je ne saurai... Je ne vous conviens pas...

Et elle éclata en sanglots. J'avais commis une belle gaffe... Je me trouble toujours en voyant une femme en pleurs ; il va de soi que je me troublai dans un cas pareil. Tandis que je réfléchissais à ce que je devais entreprendre, elle étouffa ses sanglots et essuya ses larmes.

— Vous avez raison, continua-t-elle. Vous suivre signifie vous duper. Ce n'est pas à moi d'être votre femme. Je suis une richarde, une douillette, je roule en fiacre, je mange des bécasses et des gâteaux qui coûtent cher. Je ne mange jamais de potage et de soupe aux choux. Maman me le reproche toujours... Je ne peux pas vivre sans tout cela. Je ne peux pas marcher à pied... Ça me fatigue... Et les robes !... Vous devriez les faire coudre à vos frais... Non ! Adieu !

Puis, faisant un geste tragique de la main, elle prononça sans rime ni raison :

— Je ne suis pas digne de vous ! Adieu !

Après ces paroles, elle fit demi-tour et s'éloigna. Moi, je restai comme un imbécile, la tête vide, je la suivais des yeux et sentais que la terre se dérobait sous moi. Quand je repris mes esprits et me souvins de l'endroit où je me trouvais et de la grandiose saleté dont m'avait couvert ma langue, je me mis à hurler. Quand j'eus envie de crier : « Revenez ! », elle avait déjà disparu.

Couvert de honte, Gros-Jean comme devant, je rentrai. A la barrière de Moscou, il n'y avait plus d'omnibus et je manquais d'argent pour prendre un fiacre. Force me fut de revenir à pied.

Trois jours plus tard, j'allai à Sokolniki. On me dit à la villa que Varia était souffrante et qu'elle se préparait à aller avec son père à Saint-Pétersbourg, chez sa grand-mère. Je ne pus en savoir davantage...

Maintenant, je reste étendu sur mon lit, je mords mon oreiller et me donne des coups de poing sur le crâne. Mon cœur saigne... Lecteur, comment me reprendre ? Comment rattraper mes paroles ? Que dire ou écrire à Varia ? Mon esprit ne trouve pas de solution. L'affaire est gâchée, qu'elle est stupidement gâchée !

UNE VILAINE HISTOIRE

Un similiroman

L'histoire avait débuté en hiver.

Il y avait un bal. La musique retentissait, les lustres étincelaient, les jeunes gens ne perdaient pas courage et les demoiselles se trouvaient au comble du bonheur. Les salons servaient aux danses, les bureaux aux jeux de cartes, le buffet aux boissons et la bibliothèque aux déclarations d'amour enflammées.

Lélia Aslovskaïa, une petite blonde rondelette, aux joues roses, aux grands yeux bleus et aux cheveux démesurément longs, dont le passeport révélait les vingt-six ans, se tenait dans un coin pour punir aussi bien le monde entier qu'elle-même, et enrageait. Elle avait le cœur gros. Le fait est que les hommes se conduisaient à son égard plus mal que des cochons. Les deux dernières années en particulier, leur comportement avait été inqualifiable. Elle avait constaté qu'ils ne faisaient plus attention à elle. Ils ne dansaient avec elle qu'à contrecœur. Pire que cela ! Quand un de ces butors la croisait, il ne se retournait même pas comme si elle avait cessé d'être une beauté. Et si par hasard quelqu'un jetait les yeux sur elle, par hasard et par mégarde, son regard ne reflétait ni l'émerveillement, ni l'admiration platonique, mais exprimait le sentiment qu'on éprouve avant le repas en apercevant un pâté ou un porcelet rôti.

Et pourtant, autrefois...

« C'est comme ça à toutes les soirées, à tous les bals !
enrageait-elle en se mordant les lèvres. Je sais pourquoi
ils ne me remarquent pas, je le sais ! Ils se vengent ! Ils
se vengent parce que je les méprise ! Mais... mais quand
me marierai-je enfin ? Est-ce que j'en prends le
chemin ? Le temps presse, il n'attend pas ! Ah, les
misérables ! »

Ce soir-là, il plut au destin de prendre pitié de Lélia.
Quand le lieutenant Nabrydlov, au lieu de danser avec
elle le troisième quadrille comme il avait été entendu,
se soûla à mort et passa à côté d'elle en claquant bêtement des lèvres et exprima ainsi son profond dédain,
elle n'y tint plus... Sa colère était à l'apogée. Ses yeux
bleus se firent humides, sa bouche trembla. Elle était
prête à éclater en sanglots. Désireuse de ne pas montrer
ses larmes à des profanes, elle se tourna vers les fenêtres
embuées et sombres ; devant l'une d'entre elles, Lélia
vit (oh ! instant sublime) un beau jeune homme qui ne
la quittait pas des yeux. Il offrait une image attendris-
sante, qui vous frappait en plein cœur. La pose était élégante, ses yeux étaient remplis d'amour, d'étonnement,
de questions, de réponses, son visage paraissait mélan-
colique. Instantanément, Lélia se remit à vivre. Elle prit
une pose adéquate et commença, *comme il se doit*, ses
observations. Il en ressortit que le jeune homme ne la
contemplait pas par hasard, par inadvertance, mais sans
la lâcher du regard, avec attachement et admiration.

« Mon Dieu ! pensa-t-elle. Si quelqu'un avait la
bonne idée de me le présenter ! Voilà ce que c'est qu'un
nouveau venu ! Il m'a remarquée tout de suite ! »

Peu après le jeune homme se mit à faire le tour des
salons et à interpeller les hommes.

« Il veut faire ma connaissance ! Il demande à m'être
présenté ! » songea-t-elle, transportée de joie.

En effet. Une dizaine de minutes plus tard, un petit
comédien amateur, avec une physionomie glabre de

propre à rien, exauça les prières du jeune homme et le présenta à Lélia en claquant cérémonieusement des talons. Il se trouva que le garçon était « des nôtres », se trouvant être peintre, possédait un talent de tous les diables et s'appelait Nogtev. Il avait vingt-quatre ans, des yeux passionnés de Géorgien, de jolies moustaches fines et des joues pâles. Il ne peignait jamais rien, mais il était peintre. Il avait de longs cheveux, une barbiche en pointe, portait une palette d'or à sa chaîne de montre, des boutons de manchettes en forme de palette d'or, des gants longs jusqu'au coude et des talons incroyablement hauts. Un brave gars, mais bête comme une oie. Il avait un père noble, une mère de la même espèce et une grand-mère riche. Nogtev était célibataire. Il serra timidement la main de Lélia, s'assit tout aussi timidement et se mit à la dévorer de ses grands yeux. Il parlait lentement, sans assurance. Lélia jacassait, et lui disait seulement : « Oui... non... moi, savez-vous... » ; il parlait d'une voix faible, répondant souvent mal à propos et en se frottant à tout bout de champ l'œil gauche. Lélia exultait intérieurement. Elle avait décidé que le peintre était amoureux et elle chantait victoire.

Le lendemain du bal, Lélia était assise à la fenêtre de sa chambre et regardait dehors d'un air triomphant. Nogtev passait et repassait devant sa maison. Il errait sans détacher les yeux de ses carreaux. Il regardait comme s'il se préparait à mourir : son expression était triste, langoureuse, tendre, passionnée. Le troisième jour, tout recommença. Le lendemain, il pleuvait et Nogtev ne parut pas sous les fenêtres de Lélia, quelqu'un l'ayant persuadé que le parapluie ne convenait pas à sa stature. Le cinquième jour l'amena à rendre visite aux parents de la jeune fille. Leurs relations se lièrent comme d'un nœud gordien : impossible de le dénouer.

Environ quatre semaines plus tard, il y eut de nouveau un bal. (Voir le début.)

Nogtev se tenait près de la porte, les épaules appuyées au chambranle, et dévorait Lélia du regard. La jeune fille, qui voulait éveiller sa jalousie, flirtait au fond de la salle avec le lieutenant Nabridlov qui avait bu, mais n'était pas ivre mort, tout juste légèrement éméché.

Le père de Lélia s'approcha de Nogtev.

— Vous dessinez toujours ? demanda-t-il. Vous vous occupez de peinture ?

— Oui.

— Eh bien... C'est une bonne chose... Plût à Dieu ! Plût à Dieu !... Hum... C'est donc le bon Dieu qui vous a donné ce talent... Voilà... Chacun son talent...

Il se tut un instant et reprit :

— Eh bien, jeune homme, voilà ce que vous devriez faire puisque vous dessinez tout le temps. Venez donc au printemps chez nous, à la campagne. Il y a là-bas des coins intéressants ! Les paysages sont magnifiques, c'est moi qui vous le dis. Raphaël n'a pas eu l'occasion d'en peindre de semblables. Nous serons très heureux. Et puis ma fille, avec vous, elle s'est... elle éprouve de l'amitié... Hum... Les jeunes gens, les jeunes gens ! Hé ! hé ! hé !

Le peintre s'inclina et, prenant ses affaires, alla s'installer le 1er mai de la même année dans la propriété des Aslovski. Ses bagages se composaient d'une boîte de couleurs, inutile, d'un gilet en piqué, d'un porte-cigarettes vide et de deux chemises. Il fut reçu à bras ouverts. On mit à sa disposition deux pièces, deux larbins, un cheval et tout ce qu'il pouvait désirer pourvu qu'il donnât des espoirs. Nogtev profita on ne peut mieux de sa nouvelle situation : il mangeait énormément, buvait beaucoup, dormait tard, admirait la nature et ne quittait pas Lélia des yeux. Elle était plus qu'heureuse. Il était près d'elle, jeune et beau, tellement timide... tellement amoureux ! Il était timoré au point de ne pas savoir s'approcher d'elle et la regardait de préférence de très loin, s'abritant derrière un rideau ou un buisson.

« Amour craintif », pensait-elle en soupirant...

Un beau matin, son papa et Nogtev bavardaient assis sur un banc du jardin. Le père vantait les charmes de la vie de famille ; son interlocuteur l'écoutait patiemment et cherchait des yeux le buste de Lélia.

— Vous êtes fils unique ? demanda le père entre autres.

— Non... J'ai un frère, Ivan... Un type épatant ! Un charmant garçon ! Vous ne le connaissez pas ?

— Je n'ai pas l'honneur...

— C'est dommage. C'est un bel esprit, un boute-en-train, une bonne pâte d'homme ! Il fait de la littérature. Toutes les rédactions se le disputent. Il collabore au *Bouffon*. Dommage que vous ne le connaissiez pas. Il serait heureux de vous être présenté... Ecoutez ! Voulez-vous que je lui écrive de venir ici ? Hein ? Ma parole ! On s'amuserait bien davantage !

Cette proposition coinça papa comme dans une porte mais rien à faire, il fallait répondre : « Très heureux ! »

Nogtev sauta pour marquer sa satisfaction et écrivit sur-le-champ à son frère pour l'inviter.

Ivan ne tarda pas à faire son apparition. Il n'arriva pas seul, mais en compagnie de son ami, le lieutenant Nabridlov, et d'un énorme chien édenté nommé Turc. Ivan les avait emmenés pour ne pas, selon son expression, être attaqué en route et avoir un compagnon avec qui trinquer. On leur donna trois chambres, deux domestiques et un cheval à partager.

— Messieurs dames, dit Ivan aux maîtres de maison, ne vous dérangez pas pour nous ! Inutile de vous tracasser pour nous ! Ni édredons, ni sauces, ni pianos, nous n'avons besoin de rien ! Mais pour ce qui est de votre générosité au sujet de la bière et de la vodka, eh bien... ça, c'est autre chose !

Si vous vous imaginez un énorme gaillard d'une trentaine d'années, avec une grande gueule, une vilaine barbiche, des yeux gonflés, une blouse de toile et une cravate de travers, vous me dispenserez de vous décrire Ivan. C'était l'être le plus insupportable de la création.

Quand il était sobre, il avait l'air supportable : il restait allongé sur son lit et se taisait. Soûl, il était intolérable comme le contact d'une bardane avec la peau. Lorsqu'il avait bu il parlait sans arrêt et, en plus, jurait sans se gêner de la présence des femmes et des enfants. Il parlait de poux, de punaises, de pantalons et Dieu sait de quoi encore ! Les sujets plus modernes, il les ignorait. Papa, maman et Lélia s'étonnaient et rougissaient quand, à l'heure du dîner, Ivan se mettait à plaisanter.

Malheureusement, durant tout son séjour chez les Aslovski, il ne réussit jamais à être sobre. Quant à Nabridlov, petit lieutenant courtaud, il faisait l'impossible pour ressembler à Ivan.

— Nous deux, nous ne sommes pas peintres ! disait-il. C'est trop pour nous ! Nous sommes de petits paysans !

Leur premier soin fut de quitter la maison des maîtres qui leur semblait étouffante pour s'installer dans le pavillon de l'intendant, homme ne dédaignant pas de trinquer avec des gens « comme il faut ». Deuxièmement, ils abandonnèrent leur redingote pour parader dans la cour et au jardin en bras de chemise. Lélia rencontrait à tout instant le frère et le lieutenant qui se vautraient sous un arbre en tenue négligée. Ils buvaient, mangeaient, nourrissaient le chien avec du foie, se moquaient des maîtres de maison, poursuivaient les cuisinières à travers la cour, prenaient des bains avec force tapage, dormaient comme des souches et bénissaient le sort qui, par hasard, les avait conduits en ces lieux où l'on pouvait vivre comme des coqs en pâte.

— Ecoute-moi, toi ! dit un jour Ivan à son frère en clignant de son œil d'ivrogne du côté de Lélia. Si tu lui fais la cour, que diable ! nous n'y toucherons pas. Tu as commencé, à toi l'honneur ! Les usages avant tout ! Nous sommes polis... Bonne chance !

— On va pas te la faucher ! Ça, non ! confirma le lieutenant. Ce serait dégoûtant de notre part.

Nogtev haussa les épaules et fixa ses yeux avides sur Lélia.

Lorsqu'on en a assez du calme, on désire la tempête ; lorsqu'on s'ennuie à rester assis d'une façon décente et distinguée, on éprouve l'envie de faire une débauche. Lélia en eut assez d'un amour timide et commença à s'énerver. On ne nourrit pas un rossignol avec des fables[1]. Il est profondément regrettable que le peintre fût aussi timide en juin qu'il l'avait été en mai. A la maison, on préparait le trousseau, papa rêvait jour et nuit à l'argent qu'il emprunterait pour le mariage, et pourtant les relations du jeune couple n'avaient pas encore pris une forme précise. Lélia obligeait le peintre à pêcher à la ligne en sa compagnie pendant des journées entières. Sans résultat ! Il restait à côté d'elle avec sa ligne, se taisait, bredouillait, la dévorait des yeux, et rien de plus. Pas une seule parole doucement terrifiante. Pas le moindre aveu.

— Appelle-moi, lui dit un jour le père, appelle-moi... Excuse ce tutoiement... C'est par affection, comprends-tu ? Appelle-moi papa... C'est ce qui me fait plaisir.

Sottement, le peintre se mit à gratifier le père du nom de papa, toujours sans succès. Il continuait à se taire, même aux moments où il faut protester contre les dieux de n'avoir donné à l'homme qu'une seule au lieu de dix langues. Ivan et Nabridlov remarquèrent bientôt l'attitude de Nogtev.

— Que diable ! protestèrent-ils. Le foin, tu n'en manges pas et tu n'en cèdes à personne. Espèce d'animal ! Profites-en, idiot, puisque l'alouette te tombe

1. Proverbe russe.

toute rôtie dans la bouche. Sinon, on s'en charge. Prends garde !

Pourtant, sur cette terre, tout a une fin. Cette nouvelle même en aura une. L'incertitude qui planait sur les relations entre Lélia et le peintre prit fin elle aussi.

Le point culminant de l'histoire date de la mi-juin.

La soirée était calme. L'air embaumait. Le rossignol chantait à gorge déployée. Les arbres échangeaient des murmures. L'air, pour employer le langage interminable des gens de lettres russes, respirait la volupté... Bien entendu, la lune était présente, elle aussi. Afin de parfaire cette poésie paradisiaque, il ne manquait que M. Fet[1] qui, debout derrière un buisson, réciterait publiquement ses vers enchanteurs.

Lélia était assise sur un banc, enveloppée de son châle, et regardait pensivement la rivière à travers les arbres.

« Suis-je si inabordable ? » songeait-elle, et, dans son imagination, elle se figurait elle-même, fière, altière... Ses songeries furent interrompues par l'arrivée de papa.

— Alors ? demanda-t-il. Toujours la même chose ?

— La même chose.

— Sapristi... Quand tout cela finira-t-il ? C'est que ça me coûte cher, ma petite, de nourrir tous ces feignants ! Cinq cents roubles par mois ! Ce n'est pas de la rigolade ! Rien que pour le chien, ça vaut trente kopecks de foie par jour ! S'il veut demander ta main, qu'il le fasse, sinon qu'il aille au diable avec son frérot et son chien ! Est-ce qu'il te parle au moins ? T'a-t-il fait sa déclaration ?

— Non. Il est si timide, papa.

— Timide... Nous la connaissons, leur timidité ! Un prétexte ! Attends, je vais te l'envoyer tout de suite. Finis-en avec lui, ma chérie ! Trêve de cérémonies... Il

1. Poète russe du XIXe siècle.

est temps... Tu n'es plus une petite fille. Tu connais bien tous les trucs.

Papa disparut. Dix minutes plus tard, le peintre se fraya timidement un chemin à travers les bosquets de lilas.

— Vous m'avez appelé ? demanda-t-il.

— Oui. Approchez. Pourquoi me fuyez-vous ? Venez vous asseoir !

Il s'approcha tout doucement de Lélia et s'assit tout doucement sur le bord du banc.

« Qu'il est beau dans l'obscurité ! » pensa-t-elle, et elle dit en se tournant de son côté :

— Racontez-moi quelque chose ! Pourquoi faites-vous le cachottier, Fédor Pantéléitch ? Pourquoi ne dites-vous jamais rien ? Pourquoi n'ouvrez-vous jamais le cœur en ma présence ? Qu'ai-je fait pour mériter une telle méfiance ? Ça me fait de la peine, vraiment... On pourrait croire que nous ne sommes pas amis... Parlez donc !

Il toussota, poussa un soupir profond et dit :

— J'ai beaucoup de choses à vous raconter, énormément de choses !

— Qu'est-ce qui vous arrête ?

— J'ai peur de vous offenser. Vous n'allez pas vous offenser, Eléna Timoféevna ?

Elle eut un petit rire.

« Voici le moment suprême ! songea-t-elle. Il tremble ! Comme il tremble ! Tu es pris, mon chéri. »

Lélia eut peur, elle aussi. Le frisson si cher aux romanciers s'était emparé d'elle.

« Dans une dizaine de minutes commenceront les étreintes, les baisers, les serments... » rêva-t-elle, et, pour attiser la flamme, elle effleura le peintre de son coude nu et brûlant.

— Eh bien ? De quoi s'agit-il ? demanda-t-elle. Je ne suis pas aussi prude que vous pensez... (Une pause.) Parlez donc !... (Pause.) Dépêchez-vous ! !

— Voyez-vous... Moi, Eléna Timoféevna, je n'aime rien au monde autant que la peinture... pour ainsi dire, l'art. Mes camarades trouvent que j'ai du talent et que je ne ferai pas un mauvais peintre...

— Oh, sûrement !... *Sans doute** !

— Eh bien, oui !... Voici donc... J'aime mon art... Donc... Je préfère la peinture de genre, Eléna Timoféevna ! L'art... l'art, voyez-vous... Quelle belle nuit !

— Oui, une nuit extraordinaire ! dit Lélia en se tortillant comme un serpent, et elle se drapa dans son châle et ferma à moitié les yeux. (Les femmes s'y connaissent en détails amoureux, elles s'y connaissent merveilleusement.)

— Savez-vous, continua Nogtev en pétrissant ses doigts blancs, que j'ai depuis longtemps l'intention de vous parler, mais j'avais toujours... peur. Je pensais que vous vous mettriez en colère... Mais si vous me comprenez, alors... ne vous fâchez pas. Vous aussi, vous aimez l'art !

— Oh !... Bien sûr... Comment donc ! C'est bien, l'art !

— Eléna Timoféevna ! Savez-vous pourquoi je suis ici ? Ne pouvez-vous pas le deviner ?

Elle se sentit fort confuse et posa, comme par hasard, la main sur le coude de son interlocuteur...

— C'est vrai, continua-t-il après un silence, que parmi les peintres il y a des cochons... C'est vrai... Ils se fichent de la pudeur féminine... Tandis que moi, je... je ne suis pas ainsi ! J'ai des sentiments délicats. La pudeur féminine est une certaine... une certaine pudeur qu'on ne saurait négliger !

« Pour quelle raison me raconte-t-il tout ça ? » songea Lélia, et elle dissimula ses coudes sous son châle.

— Je ne ressemble pas à ces... Pour moi, une femme est une sainte. Vous n'avez donc rien à craindre... Je ne suis pas de cette sorte-là, et ne me permettrai pas de faire des bêtises... Eléna Timoféevna ! Vous permettez ? Oui, écoutez, Dieu m'est témoin, je parle sincèrement, parce que je ne le fais pas pour moi mais pour l'art ! Je place au premier plan l'art et non pas la satisfaction des instincts animaux !

Nogtev lui prit la main. Elle se glissa un peu plus près de lui.

— Eléna Timoféevna ! Mon ange ! Mon bonheur !

— E-eh bien ?

— Puis-je vous prier ?

Lélia eut un petit rire. Ses lèvres se préparèrent pour le premier baiser.

— Puis-je vous prier ? Je vous supplie ! Je vous le jure, c'est pour l'art ! Vous m'avez tellement plu, tellement plu ! Vous êtes exactement celle qu'il me faut ! Au diable les autres ! Eléna Timoféevna ! Mon amie ! Soyez ma...

Lélia se redressa, prête à tomber dans les bras du jeune homme. Son cœur commença à battre.

— Soyez ma...

Le peintre la prit par l'autre main. Docilement elle inclina la tête sur son épaule. Des larmes de bonheur brillèrent sur ses cils...

— Ma chérie ! Soyez mon... modèle !

Lélia redressa la tête.

— Quoi ?

— Soyez mon modèle !

Elle se leva.

— Comment ? Quoi ?

— Mon modèle... Soyez-le !

— Hum... Seulement ça ?

— Vous me rendrez un fier service ! Vous me donnerez la possibilité de peindre un tableau et... quel tableau !

Elle pâlit. Ses larmes amoureuses devinrent subitement des larmes de désespoir, de haine et d'autres mauvais sentiments.

— C'est donc... ça ? articula-t-elle en tremblant de tous ses membres.

Pauvre peintre ! Une tache de feu écarlate colora une de ses joues pâles au moment même où, dans les ténèbres du jardin, retentit un soufflet sonore qui se mêlait à son propre écho. Médusé, il se frotta la joue. La stupéfaction le cloua sur place. Il eut l'impression de s'engouffrer jusqu'au centre de la terre... Il voyait trente-six chandelles...

Abasourdie, frémissante, pâle comme une morte, Lélia fit un pas en avant et chancela. Elle se sentait moulue. Rassemblant ses forces, elle se dirigea vers la maison d'un pas mal assuré de malade. Ses genoux fléchissaient, sa vue se brouillait ; elle leva les bras comme pour s'arracher les cheveux.

Il lui restait quelques mètres à faire pour rentrer à la maison quand une autre épreuve la fit pâlir une fois de plus. Sur son chemin, à côté de la tonnelle recouverte de vigne-vierge, se tenait Ivan avec sa grosse gueule d'ivrogne, les bras écartés, les cheveux défaits, le gilet déboutonné. Il regardait Lélia droit dans les yeux avec un sourire sardonique, profanant l'air d'un rire méphistophélique... Il la saisit par le bras.

— Allez-vous-en ! siffla-t-elle en se dégageant.

Une vilaine histoire !

LE VINGT-NEUF JUIN

Récit d'un chasseur
qui manque toujours son but

Il était quatre heures du matin...

La steppe que les premiers rayons du soleil inondaient d'or étincelait, recouverte de gouttes de rosée, comme si elle était parsemée d'une poussière de diamants. Le vent du matin avait chassé le brouillard qui s'élevait encore de l'autre côté de la rivière comme une muraille de plomb. Les épis de seigle, les chardons et les églantines se tenaient tranquilles et doux, ne faisant qu'échanger, à de rares intervalles, des saluts réciproques et des chuchotements. Au-dessus de l'herbe et de nos têtes, des milans, des émerillons et des chouettes agitaient harmonieusement leurs ailes. Ils chassaient...

Akim Pétrovitch Otlétaev, son gendre Predpolojenski, le juge de paix, le médecin du *zemstvo*[1], le chef du district Kozoédov et moi, installés tous les six dans la grande calèche d'Otlétaev, allions à la chasse. Quatre chiens, la langue pendante, couraient derrière la voiture. Le docteur et moi sommes des maigriots ; quant aux autres, ils sont épais comme des tonneaux de cinq cents litres, si bien que, malgré la largeur et la profondeur de

1. *Administration locale ou provinciale élue par la noblesse et les classes possédantes en Russie tsariste.*

l'équipage ancestral, nous étions serrés en diable. Je heurtais à tout instant du coude et de la crosse de fusil le ventre de Kozoédov. Nous ne faisions que nous bousculer tous, que souffler et grimacer, nous nous haïssions du fond de l'âme et attendions avec impatience l'heure où enfin nous pourrions quitter la voiture. Nous nous rendions dans la steppe pour chasser la perdrix, le vanneau, la caille, le gibier d'eau et, si la fortune voulait bien nous sourire, le grèbe. Notre chef était Otlétaev, propriétaire de la voiture et des chevaux ; c'est grâce à lui que nous allions chasser. Nos corps étaient comprimés, mais nos âmes débordaient d'une joie de la plus haute qualité.

Celui qui n'a jamais été à la chasse, à cheval ou à pied, ne peut comprendre cette joie. Nous tenions nos fusils et les regardions aussi tendrement que des mères regardent leurs fils qui donnent de grands espoirs.

— Quel est notre itinéraire ? demandai-je quand nous eûmes parcouru une dizaine de verstes.

— A présent, nous allons à Elantchik tirer la bécasse, répondit Otlétaev. Ça fait près de huit verstes d'ici. Au même endroit nous descendrons aussi quelques cailles dans le millet. Ensuite nous passerons la nuit et demain, à l'aube, la vraie chasse va commencer...

— Qu'en pensez-vous, messieurs ? demandai-je en montrant du doigt un milan qui plongeait, au loin, dans l'azur du ciel. Peut-on l'atteindre d'aussi loin ? Vous pourriez ?

— Impossible ! dit Otlétaev. C'est trop loin ! Toutefois, avec mon fusil, on pourrait...

— Même avec votre fusil, c'est impossible ! rétorqua Predpolojenski.

— Mais si ! Pas avec du plomb, mais avec une balle, c'est certain !

— Pas davantage avec une balle...

— Permettez-moi de savoir si je peux l'atteindre ou non ! Vous ne connaissez pas mon fusil, tandis que moi... Jamais de votre vie vous n'avez vu de bonnes armes, c'est pourquoi ça vous paraît extraordinaire... J'ai touché de bien plus loin...

Predpolojenski rejeta la tête en arrière et se mit à rire.

— Pourquoi ris-tu ? continua Otlétaev. Je vois bien que tu ne me crois pas !

— Bien sûr que je ne te crois pas.

— Hum... Tu ne connais donc pas mon fusil... Un fusil remarquable ! Ce n'est pas pour rien qu'il vaut six cents roubles...

— Com-bien ? demanda son gendre en tendant le cou... Combien ? Répétez-le, papa.

— Six cents roubles... Qu'est-ce qui te fait rire ? Jette un coup d'œil sur le fusil, tu ricaneras après !

— Je vois... D'où sort-il ?

— De Marseille. De l'usine Lepellier...

— Lepellier ? Jamais entendu parler de cette usine... Un fusil comme un autre... Il doit valoir dans les cent roubles... Je n'aime pas, beau-papa, vous entendre dire des mensonges. A quoi bon mentir ? Je ne comprends pas pourquoi !

— L'arme est excellente, remarqua le juge de paix, mais elle ne vaut pas six cents roubles. Vous l'avez payée trop cher, Akim Pétrovitch !

— Il ne l'a pas du tout payée trop cher ! s'enflamma Predpolojenski. Il ment comme un gamin !

Otlétaev se tortilla et rougit.

— Je ne suis pas de l'espèce des menteurs ! dit-il. C'est comme ça ! Toi, oui... Toi, tu mens comme un arracheur de dents ! Oui, oui ! Et tu es toujours prêt à dire une méchanceté ! Il ne faudrait jamais voyager avec toi ! Je ne sais pas pourquoi je t'ai emmené !

— Il ne fallait pas le faire... Je ne comprends pas à quoi ça sert de mentir ! Il ment comme un cochon !

— C'est toi, le cochon ! Un cochon et un imbécile !

Nous essayâmes de chapitrer Predpolojenski.

— Il n'a qu'à ne pas mentir ! dit pour se justifier le gendre récalcitrant. Mon âme se révolte en entendant des mensonges... Et puis, il n'a pas à me traiter de cochon. C'est lui qui est un cochon, voilà tout ! Et si ça ne lui plaît pas de m'emmener, eh bien... que le diable l'emporte ! Je peux ne pas y aller !

— Allons, ça suffit ! Votre beau-père ne songeait pas du tout à vous offenser ! Est-ce que ça vaut la peine de soulever une tempête pour un rien ?

Predpolojenski se gonfla comme un dindon qui s'est empiffré et ne soufflait plus mot.

— Cela ne se fait pas ! lui dit un peu plus tard Kozoédov. Cela ne se fait pas ! Maintenant, M. Otlétaev remplace en quelque sorte vos parents, il est votre beau-père et vous le couvrez de grossièretés... C'est un péché !

Le gendre lui jeta un regard méprisant, accompagné d'un sourire sardonique.

— Est-ce qu'on te demande quelque chose ? s'informa-t-il. On te pose des questions ? Ferme-la, si... Reste assis puisque tu es assis !... Remplacer mes parents... Tu ne sais pas encore parler et tu te mêles... Hum... Tête de lard... Cul-terreux !...

— Voyez comme vous êtes ! Vous ne pouvez pas laisser les gens tranquilles. J'ai beau être d'origine modeste ; bien que je puisse dire que je n'ai pas d'instruction, je peux dire quand même que dans ma poitrine, dans mon cœur et dans mon âme, il y a du sentiment et que vous n'en avez pas, malgré les innombrables sciences dont vous avez franchi tous les degrés... Voilà !

— Arrêtez, messieurs, dis-je en m'interposant. Assez fait la morale l'un à l'autre ! Taisons-nous...

Tout en reniflant, Otlétaev sortit de sa poche un volumineux porte-cigarettes fortement usé et y plongea ses gros doigts. Le docteur et le juge de paix tendirent la main vers l'étui.

— Non, permettez ! dit-il d'un air imposant. L'amitié est une chose, le tabac en est une autre. Je n'en ai pas assez pour moi... La route est longue et je n'ai emporté qu'une quarantaine de cigarettes...

Profondément confus, le juge et le docteur se mirent à siffloter un air de *Madame Angot* pour cacher leur embarras aux yeux du monde.

Otlétaev était bête comme quarante mille frères et terriblement mal élevé...

Nous ne pouvions le souffrir. Le docteur, gêné, alluma une de ses propres cigarettes et se mit à raconter des histoires drôles. Il en débita une vingtaine dont une seule n'était pas grasse ; toutes les autres étaient faites de suif.

— Vous êtes un véritable artiste, mon cher, dis-je au docteur. J'ignorais que vous aviez tant d'humour !

— Eh, oui... Nous avons nos petits talents, répondit le médecin. J'aurais eu des millions si j'avais voulu collaborer aux journaux. J'aurais gagné plus que vous.

— Je n'en doute pas... Pourquoi ne faites-vous pas du journalisme ?

— Je n'ai pas envie !

— Pourquoi donc ?

— Je ne veux pas, voilà tout ! J'ai de la conscience. Est-ce qu'un homme consciencieux peut écrire dans vos revues ? Jamais ! Je ne lis même jamais les journaux ! Ceux qui s'y abonnent jettent leur argent, et je les considère comme des imbéciles.

— Et moi, au contraire, remarqua le juge de paix, je considère comme des imbéciles ceux qui ne dépensent pas d'argent pour les journaux...

— Le docteur est de mauvaise humeur aujourd'hui, fis-je. Laissons-le en paix...

— Qui vous a dit que j'étais de mauvaise humeur ? Je suis d'une humeur excellente... Vous défendez les journaux pour la bonne raison que vous y écrivez mais, à mon avis, ils sont... pouah ! Ils ne valent pas tripette.

Ils ne sont que mensonge et compagnie. Toujours les premiers pour le mensonge et la calomnie ! Les journalistes, c'est comme les avocats... Ils mentent et n'ont pas de conscience !

— J'ai été avocat, répondit le juge de paix, mais j'avais une conscience.

Predpolojenski et Kozoédov échangèrent un coup d'œil et sourirent sournoisement.

— Ce n'est pas de vous que je parle... Je parle d'une façon générale... Tous des filous... Les journalistes, et les avocats, et tous les...

Au lieu de me taire, je continuai à soutenir les journalistes. Le juge de paix persista à défendre les avocats... Toute la voiture se mêla à la discussion.

— Et votre médecine ? attaquai-je. La médecine ? Qu'est-ce qu'elle vaut ? Sans doute ne mentez-vous pas ? Vous ne faites que ramasser de l'argent ! Qu'est-ce qu'un médecin ? C'est l'introduction au fossoyeur... voilà ce que c'est ! Du reste, je ne sais pas pourquoi je discute avec vous. Êtes-vous logique ? Vous avez fait vos études à l'Université mais vous raisonnez comme un charretier...

— Gardez votre sang-froid ! Je suppose qu'on peut se passer d'injures !

— Nous disons du mal des journalistes et des avocats, proféra Predpolojenski de sa voix de basse, et nous ne voyons pas les véritables menteurs... Discutez avec mon cher beau-père. Pour ce qui est des bobards, il est plus fort que n'importe quel avocat...

Et ainsi de suite... Des mots, des grimaces, des commérages : l'affaire prit Dieu sait quelles proportions...

Nous commençâmes à ressortir tout ce que nous avions accumulé de rancune les uns contre les autres durant l'hiver. Nous étions pires que des vieilles filles.

Entre-temps, alors que, somnolents, à moitié ivres, nous nous chicanions les uns les autres, le soleil montait de plus en plus haut... Le brouillard se dissipa définitivement, la journée d'été débuta... Autour de nous, tout était calme, plaisant...

Nous étions seuls à troubler le silence...

Arrivés au premier petit marais venu, nous descendîmes de voiture pour nous disperser, boudeurs et fâchés. C'est Kozoédov qui entreprit de nous réconcilier. Il lança le plus haut possible une pièce de trois kopecks, visa et toucha le but. Tous ensemble, nous ramassâmes la pièce, comptâmes les traces de plomb et entreprîmes à grand-peine de bavarder.

Predpolojenski débusqua un râle qu'il tua. Les autres le félicitèrent et crièrent « Hourra ! ». La paix eût été définitivement établie s'il n'y avait pas eu le docteur. Pendant que nous célébrions ce premier succès, il alla vers la voiture, défit un sac à provisions et se mit à savourer vodka et hors-d'œuvre.

— Docteur ! Que faites-vous là-bas ? cria Otlétaev.

— Je mange et je bois.

— Quel droit avez-vous de commander ici ?

— Comment ça ?

— On a emporté ça pour vous ? Je ne comprends pas, passez-moi l'expression, une pareille saloperie ! Il ne pouvait pas attendre ! Qu'est-ce que vous avez débouché ? Bon Dieu ! C'est ma bouteille de liqueur ! De quel droit, monsieur ?

— Ne criez pas, s'il vous plaît ! Plus bas !

— Cette liqueur, c'est pour moi que je l'avais emportée ! Je n'ai pas de santé, j'ai emporté de la liqueur, et voyez-vous ça ! Il l'a débouchée ! Comme si on le lui avait demandé ! Remballez l'esturgeon !

— Je n'en ferai rien ! Vous devriez savoir, homme malotru et sans délicatesse, qu'à la chasse on partage tout... Vous êtes un — excusez-moi — grossier personnage !

Le médecin but un petit verre de liqueur et, cherchant à vexer Otlétaev, coupa une énorme tranche d'esturgeon. Predpolojenski bondit vers la voiture et, pour mortifier son beau-père, but à même le goulot la moitié de la bouteille... Otlétaev avait des larmes aux yeux.

— Vous le faites exprès ? murmura-t-il. Alors, bon ! Très bien ! C'est ainsi que vous procédez... *Merci beaucoup**...

Le juge de paix, qui ne savait pas de quoi il s'agissait, s'approcha de la voiture.

— Aaah ? ?... Vous cassez la croûte ? demanda-t-il. Est-ce qu'il n'est pas trop tôt ? Du reste, un petit verre ne fait pas de mal. A votre santé !

Il se versa un petit verre de liqueur et le vida.

— Très bien ! Parfait ! hurla Otlétaev.

— Qu'est-ce qui est parfait ? demanda le juge.

— Rien...

Otlétaev s'installa dans la voiture, jeta le sac dans l'herbe, nous salua ironiquement et donna un coup de poing dans le dos de Piotr, le cocher.

— En avant ! cria-t-il.

— Où allez-vous ? fîmes-nous, étonnés.

— Si je vous dégoûte... si je suis un ignare... Kozoédov ! Viens t'asseoir, mon cher ! Ce n'est pas à nous, paysans, d'aller à la chasse avec ces messieurs instruits. Débarrassons-les de notre présence ! Viens, mon cher !

— Où allez-vous ? Pourquoi faites-vous le crétin ?

— Puisque je suis un crétin, pourquoi vous inquiéter ? Laissez !... En effet, je suis un crétin... Adieu !... Je retourne chez moi...

— Et nous, comment irons-nous ?

— Comme vous voudrez... La voiture est à moi.

— Quelle mouche t'a piqué, beau-père ? lança Predpolojenski.

Kozoédov s'assit à côté d'Otlétaev et enleva humblement son chapeau.

— Tu es fou ! continua le beau-fils. Descends de la voiture !

— Non, je n'en descendrai pas. Adieu, mon gendre !
Tu es un homme instruit, bienfaisant, civilisé... Et moi...
Que suis-je ?

— Toi, tu es un crétin. Messieurs, qu'est-ce que c'est
que ça ? Qui l'a donc excité ? Vous, docteur ? Que le
diable vous emporte, vous fourrez toujours votre nez de
savant dans les affaires qui ne vous concernent pas !

— Je ne suis pas votre beau-père... Je vous prie de
ne pas gueuler, répondit le docteur, vexé. Si vous
continuez à brailler, je m'en irai, moi aussi...

— Eh bien, partez donc ! Vous parlez d'une perte !
Je vous demande un peu !

Le docteur haussa les épaules, soupira et grimpa dans
la calèche. Le juge de paix eut un geste d'abandon et
monta à son tour.

— C'est toujours comme ça avec nous, soupira-t-il.
Nous ne réussissons jamais rien...

— En route ! cria Otlétaev.

Predpolojenski et moi échangeâmes un regard.

— Halte ! criai-je, et je courus après l'équipage.
Halte !

— Halte ! hurla mon compagnon. Halte, tas de
brutes !

La voiture s'arrêta et nous nous y installâmes comme
les autres.

— Je te revaudrai ça ! dit le gendre dont les yeux lançaient des éclairs, et il menaça son beau-père du poing.
Tout ça ! Tu te souviendras de ce jour. Jusqu'à la fin de
ta vie !

Nous gardâmes le silence jusqu'à la maison. Dans nos
âmes, la joie de la plus haute qualité avait fait place aux
sentiments les plus bas. Nous avions envie de nous dévorer les uns les autres et si nous ne l'avons pas fait, c'est
que nous ne savions pas par quel bout commencer... En
arrivant, nous vîmes la femme d'Otlétaev qui buvait du
café sur la terrasse.

— Vous voilà ! s'étonna-t-elle. Pourquoi de si bonne heure ?

Nous descendîmes de la calèche et nous nous dirigeâmes en silence vers le portail.

— Où allez-vous, messieurs ? nous interpella Mme Otlétaev. Et le café ? Et le dîner ? Où allez-vous ?

Nous nous retournâmes vers le perron et, de nos énormes poings, fîmes d'impressionnants gestes de menace. Predpolojenski cracha dans la direction du perron, jura et s'en alla dormir à l'écurie.

Deux jours plus tard, Predpolojenski, Kozoédov, le médecin du zemstvo, le juge de paix et moi-même étions réunis chez Otlétaev, en train de jouer aux cartes. Nous jouions aux cartes et nous nous chamaillions comme d'habitude...

Trois jours après, c'était la brouille définitive. Cinq jours plus tard, nous tirions tous ensemble un feu d'artifice...

Nous nous disputons, nous nous calomnions, nous nous haïssons, nous nous méprisons les uns les autres, mais nous ne pouvons pas nous séparer. Ne vous étonnez pas, lecteur, et ne souriez pas. Venez dans le domaine d'Otlétaev, passez-y l'hiver et l'été, et vous saurez de quoi il retourne...

Un trou perdu n'est pas une capitale... Chez Otlétaev, on prend le Pirée pour un homme et la querelle pour principe vital.

LEQUEL DES TROIS ?

(Une histoire ancienne et toujours nouvelle)

Sur la terrasse de l'ancienne somptueuse villa de Maria Ivanovna Languer, femme d'un conseiller d'Etat, se trouvaient sa fille Nadia et le fils d'un riche commerçant de Moscou, Ivan Gavrilovitch.

La soirée était magnifique. Si je savais décrire la nature, je parlerais de la lune qui glissait des regards tendres à travers les nuages et répandait sa jolie lumière sur le bois, la villa, le visage de la jeune fille... Je décrirais le léger bruissement du feuillage, et le chant du rossignol, et le murmure à peine perceptible d'un jet d'eau... Nadia se tenait debout, le genou appuyé sur le bord d'un fauteuil, la main posée sur la balustrade. Ses yeux de velours, langoureux et profonds, regardaient fixement l'obscur bosquet vert. Des ombres, des taches jouaient sur son petit visage pâle, éclairé par la lune ; c'était le rose de ses joues... Debout derrière elle, Ivan Gavrilovitch tiraillait nerveusement d'une main tremblante sa barbiche clairsemée. Quand il en avait assez, il changeait de main et se mettait à tapoter son jabot disgracieux. Ivan Gavrilovitch est laid. Il ressemble à sa mère qui a tout d'une cuisinière campagnarde. Il a le front petit, étroit, comme aplati, le nez retroussé, épaté, enfoncé au lieu d'être busqué, les cheveux raides. Ses petits yeux, étroits comme ceux d'un chaton, regardaient Nadia d'un air interrogateur.

— Excusez-moi, disait-il en bégayant, se répétant et à bout de souffle, excusez-moi de vous parler... de mes sentiments... Mais je vous aime tellement que je ne sais même pas si j'ai toute ma raison ou pas... Mon cœur déborde de tels sentiments à votre égard qu'il est même impossible de les exprimer ! Nadejda Petrovna, dès que je vous ai vue, j'ai aussitôt éclaté, c'est-à-dire je suis amoureux. Excusez-moi, bien sûr, mais enfin... (Une pause.) Que la nature est belle ce soir !

— Oui... Il fait un temps splendide...

— En face d'une pareille nature, qu'il est agréable, savez-vous, d'aimer une personne aussi agréable que vous... Mais je suis malheureux !

Ivan Gavrilovitch soupira et se tira la barbiche.

— Très malheureux ! Je vous aime, je souffre et... vous ? Comment pouvez-vous éprouver des sentiments pour moi ? Vous êtes instruite, savante... d'une façon distinguée... Et moi ? Je suis marchand de mon état et... rien de plus ! Vraiment rien d'autre ! De l'argent, il y en a beaucoup mais à quoi ça sert sans le véritable bonheur ? Sans bonheur, tout cet argent n'est qu'une calamité et un... fruit sec. On mange bien, oui, on ne marche pas à pied, mais la vie n'a pas de sens... Nadejda Petrovna !

— Quoi ?

— Non... Rien ! Je voulais, à vrai dire, vous déranger...

— Que voulez-vous ?

— Pouvez-vous m'aimer ? (Une pause.) J'ai offert à votre mémère... c'est-à-dire votre maman, mon cœur et ma main rapport à vous et elle a dit que tout dépendait de vous... Vous pouvez décider, dit-elle, sans le consentement des parents... Qu'allez-vous me répondre ?

Nadia se taisait. Elle regarda les sombres taillis verts où l'on distinguait à peine les troncs et la dentelle du feuillage... Les ombres mouvantes et noires des arbres qui balançaient légèrement leurs cimes au gré du vent occupaient son imagination. Son silence oppressait Ivan Gavrilovitch. Les yeux du garçon se remplirent de larmes. Il souffrait. Si elle refuse, alors, quoi ? songea-t-il, et cette triste pensée fit courir un frisson glacé le long de son dos vigoureux.

— De grâce, Nadejda Petrovna, dit-il, ne déchirez pas mon cœur. Si je vous tarabuste, c'est par amour... Parce que... (Une pause.) Si... (Une pause.) Si vous ne répondez pas, autant mourir.

Nadia tourna son visage vers lui et sourit... Elle lui tendit la main et dit d'une voix qui sonna aux oreilles du commerçant de Moscou comme le chant d'une sirène :

— Je vous suis très reconnaissante, Ivan Gavrilovitch... Je sais depuis longtemps que vous m'aimez et je sais combien vous m'aimez... Mais je... je... Je vous aime aussi, *Jean**... Il est impossible de ne pas vous aimer pour votre bon cœur, pour votre attachement.

Ivan Gavrilovitch ouvrit une grande bouche, se mit à rire et, tout heureux, se passa la main sur le visage : n'était-ce pas un rêve ?

— Je sais que si je me marie avec vous, continua-t-elle, je serai la plus heureuse des femmes. Mais savez-vous, Ivan Gavrilovitch... Attendez un peu pour ma réponse... Je ne peux pas vous répondre affirmativement tout de suite... Je dois réfléchir sérieusement... Il faut que j'y pense... Patientez un peu.

— Longtemps ?

— Non, pas longtemps... Un jour, deux tout au plus...

— C'est faisable.

— Maintenant vous allez partir et je vous donnerai ma réponse par lettre... Rentrez chez vous, et moi, je vais aller réfléchir... Au revoir... A demain...

Nadia tendit une main qu'il saisit et baisa. Elle fit un signe de tête, envoya un baiser en l'air, quitta la terrasse d'un pas léger et disparut... Il ne bougea pas de deux ou trois minutes, réfléchit et se dirigea à travers le petit jardin fleuri et le bocage vers la clairière où l'attendaient ses chevaux. Il était rompu et affaibli à force de bonheur comme s'il avait passé une journée entière dans un bain chaud. Il marchait et riait de joie.

— Trofime ! cria-t-il, réveillant le cocher endormi. Debout ! En route ! Cinq roubles de pourboire pour toi ! Compris ? Ha ! ha !

Entre-temps, Nadia avait traversé furtivement les pièces aboutissant à une autre terrasse d'où elle était descendue en courant pour se glisser à travers arbres, taillis et buissons, vers une autre clairière. Dans cette clairière l'attendait son ami d'enfance, un jeune homme de vingt-six ans, le baron Vladimir Schtral, petit Allemand courtaud et grassouillet, et déjà à moitié chauve. Il avait terminé cette année ses études à l'Université, se rendait dans son domaine de Kharkov et était venu faire une dernière visite, une visite d'adieu. Légèrement ivre, il était affalé sur un banc et sifflotait un petit air guilleret.

Nadia s'approcha de lui, tout essoufflée par la course, et se suspendit à sa nuque. Riant à gorge déployée, elle lui chatouilla le cou, lui tira les cheveux et le col, couvrant de baisers son gros visage en sueur.

— Ça fait toute une heure que je t'attends, dit le baron en la prenant par la taille.

— Tu vas bien ?

— Oui...

— Tu pars toujours demain ?

— Je pars...

— Vilain !... Tu reviendras bientôt ?

— Je ne sais pas...

Le baron embrassa Nadia sur la joue et la repoussa de ses genoux pour l'asseoir sur le banc.

— Assez d'embrassades, dit-elle. Après... Nous aurons encore beaucoup de temps. Maintenant parlons affaires. (Une pause.) Tu as réfléchi, Volia ?

— Oui.

— Alors, qu'as-tu décidé ? A quand... le mariage ?

Le baron se rembrunit.

— Tu recommences de nouveau, dit-il. Pourtant je t'ai donné hier une réponse définitive... Il ne peut être question d'aucun mariage ! Je te l'ai dit hier... A quoi bon parler de ce qui a déjà été répété mille fois ?...

— Mais, Volia, nos relations doivent bien se terminer d'une façon quelconque ? Comment ne le comprends-tu pas ? C'est obligatoire.

— Oui, mais pas par un mariage... Je te le répète pour la centième fois, Nadia, tu es naïve comme un bébé de trois ans... La naïveté va fort bien aux jolies femmes, mais pas dans le cas présent, ma chérie...

— Donc, tu ne veux pas te marier ! Tu ne veux pas ? Dis-le franchement, effronté, dis-le franchement : tu ne veux pas.

— Je ne veux pas... Pour quelle raison irais-je gâcher ma carrière ? Je t'aime, mais si je t'épouse tu causeras ma perte. Tu ne m'apporterais ni fortune, ni nom... Le mariage, mon ange, c'est la moitié d'une carrière, et toi... Il n'y a pas de quoi pleurer... Il faut juger sainement... Les mariages d'amour ne sont jamais heureux et se terminent d'habitude en queue de poisson...

— Mensonge... Tu mens ! C'est bien ça !

— On se marie et après on crève de faim... On met des mendiants au monde... Il faut réfléchir...

— Pourquoi n'as-tu pas réfléchi plus tôt ?... Te souviens-tu ? Tu m'as donné ta parole d'honneur que tu allais m'épouser... Tu me l'as bien donnée ?

— Oui... Mais à présent mes projets sont changés... Tu te marierais avec un pauvre, toi ? Pourquoi veux-tu m'obliger à épouser une fille pauvre ? Je n'ai pas envie d'agir comme un cochon à l'égard de moi-même. J'ai un avenir dont je dois être responsable devant ma conscience.

Nadia tamponna ses yeux avec un mouchoir et, d'une façon subite et inattendue, se jeta au cou de l'Allemand. Elle se serra contre lui et couvrit son visage de baisers.

— Epouse-moi ! murmurait-elle. Epouse-moi, chéri ! Je t'aime ! Je ne peux vivre sans toi, mon amour ! Si tu m'abandonnes, tu me tues ! Tu m'épouseras ? Oui ?

L'Allemand réfléchit et dit d'un ton résolu :

— Je ne peux pas ! L'amour est une bonne chose, mais, en ce monde, il ne passe pas avant tout le reste...

— Alors, tu ne veux pas ?

— Non... Je ne peux pas...

— Tu ne veux pas ? C'est vrai que tu ne veux pas ?

— Impossible, Nadine !

— Gredin, salaud... Voilà ce que tu es ! Filou ! Espèce de boche ! Je ne puis te souffrir, je te hais, je te méprise ! Tu es répugnant ! Je ne t'ai jamais aimé. Si je me suis donnée à toi, ce soir-là, c'est pour l'unique raison que je te croyais honnête et pensais que tu m'épouserais... Même alors je ne pouvais te souffrir ! Je voulais être ta femme uniquement parce que tu es un baron et un richard !

Elle agita les bras, recula de quelques pas, lui lança encore quelques paroles mordantes et regagna la maison. « Ce n'était pas la peine d'aller le rejoindre, songeait-elle en rentrant. Je savais bien qu'il ne voudrait pas se marier. Quel salaud ! Comme j'ai été bête ce soir-là ! Si je ne m'étais pas donnée, je n'aurais pas été obligée à présent de m'humilier devant ce... boche. »

Arrivée dans la cour de la villa, elle ne rentra pas à l'intérieur. Après avoir fait quelques pas elle s'arrêta devant une fenêtre faiblement éclairée. Là se trouvait une chambre occupée cet été par le jeune Mitia Goussev, premier violon, à peine sorti du Conservatoire. Elle regarda à l'intérieur. Mitia, un assez beau garçon aux cheveux blonds et bouclés, aux larges épaules, était chez lui. Etendu sur le lit, sans redingote ni gilet, il lisait un roman. Nadia resta un moment immobile, réfléchit et tapa à la vitre. Le premier violon leva la tête.

— Qui est là ?

— C'est moi, Dmitri Ivanytch... Ouvrez donc la fenêtre pour un petit moment !

Il enfila rapidement sa redingote et s'exécuta.

— Venez ici... Sautez de mon côté..., dit Nadia.

Il monta sur l'appui de la fenêtre et une seconde après se trouvait déjà près de la jeune fille.

— Qu'est-ce que vous désirez ?

— Venez ! fit-elle en lui prenant le bras. Voilà ce qu'il y a, Dmitri Ivanovitch. Ne m'écrivez plus, cher ami, de lettres d'amour ! Je vous en prie, ne m'écrivez plus ! Cessez de m'aimer et ne me dites pas que vous m'aimez !

Les yeux de Nadia se remplirent de larmes qui ruisselaient sur ses joues et sur ses mains.

C'étaient de vraies larmes, grosses et brûlantes.

— Ne m'aimez pas, Dmitri. Ne jouez plus du violon pour moi ! Je suis vile, répugnante, mauvaise... Je suis quelqu'un qu'il faut mépriser, haïr, battre...

Elle sanglota et appuya sa petite tête contre la poitrine de Mitia.

— Je suis la plus vilaine des femmes, mes pensées sont vilaines, et mon cœur aussi.

Abasourdi, il bafouilla des bêtises et posa un baiser sur la tête de la jeune fille.

— Vous êtes bon, gentil... Je jure que je vous aime... Mais vous, vous ne devez pas m'aimer ! Ce que j'aime par-dessus tout au monde, c'est l'argent, les parures, les voitures... Je meurs à l'idée de ne pas avoir d'argent... Je suis lâche, égoïste... Ne m'aimez pas, Dmitri Ivanytch, mon chéri ! Ne m'écrivez plus ! Je vais me marier avec Gavrilovitch... Vous voyez comme je suis ! Et vous... vous m'aimez toujours ! Adieu ! Je vous aimerai même étant mariée... Adieu, Mitia !

Elle se hâta de le prendre dans ses bras, de l'embrasser dans le cou et partit en courant vers le portail.

De retour dans sa chambre, Nadia s'assit devant la table et écrivit en pleurant amèrement la lettre suivante : « Cher Ivan Gavrilovitch ! Je suis à vous. Je vous aime et j'accepte de devenir votre femme... Votre N. »

Elle cacheta la lettre et la confia à la femme de chambre.

« Demain, il m'apportera quelque chose... » songea-t-elle, et elle poussa un profond soupir.

Ce soupir marqua le point final de ses larmes. Elle resta assise quelque temps devant la fenêtre et, apaisée, se déshabilla rapidement ; à minuit tapant, une luxueuse couverture de duvet, brodée et chiffrée, réchauffait déjà le corps endormi et parfois secoué de frissons de la jolie petite garce dépravée.

A minuit, Ivan Gavrilovitch arpentait son bureau et rêvait à haute voix.

Ses parents, assis près de lui, l'écoutaient avec attendrissement. Ils se réjouissaient, heureux du bonheur de leur fils...

— C'est une jeune fille très bien et noble, dit le père... La fille d'un conseiller d'Etat et une beauté. Il n'y a qu'un ennui : elle porte un nom allemand. Les gens vont penser que tu as épousé une Allemande.

ELLE ET LUI

Ils mènent une vie de nomades. C'est à Paris seulement qu'ils font don de plusieurs mois, quant à Berlin, Vienne, Naples, Madrid, Saint-Pétersbourg et autres capitales, ils font preuve d'avarice. A Paris, ils se sentent presque à la maison. Pour eux, Paris est une capitale, une résidence, tandis que le reste de l'Europe n'est qu'une province ennuyeuse, dénuée d'intérêt, que l'on peut seulement regarder à travers les stores baissés des grands hôtels ou installés sur l'avant-scène d'un théâtre. Ils ne sont pas âgés mais ils ont déjà eu le temps de séjourner à deux ou trois reprises dans toutes les villes principales d'Europe. Ce continent les ennuie déjà et ils envisagent un voyage en Amérique et en parleront jusqu'au jour où on les aura persuadés que sa voix à elle n'est pas assez remarquable pour valoir la peine d'être entendue dans les deux hémisphères.

Les voir est un problème. Dans la rue, c'est impossible, car ils se déplacent en voiture et lorsqu'il fait sombre : le soir ou la nuit. Ils dorment jusqu'à l'heure du déjeuner. Ils se réveillent généralement de mauvaise humeur et ne reçoivent personne. Pour ce qui est de recevoir, ils ne le font que rarement, et à des heures imprévisibles, dans les coulisses ou avant le souper.

Elle, on peut la voir sur des cartes postales qui sont en vente. Sur les photos, elle est une beauté alors qu'elle ne l'a jamais été. Ne vous y fiez pas : car cette femme est un monstre. La plupart des gens la voient sur scène. Elle y est méconnaissable. Le fard blanc, le rouge à joues, le mascara et les faux cheveux recouvrent son visage comme un masque. Il en est de même à l'occasion des concerts.

Dans le rôle de Marguerite, en dépit de ses vingt-sept ans, de son manque de grâce, de ses rides, d'un nez couvert de taches de rousseur, elle a l'air d'une fillette de dix-sept ans, svelte et mignonne. C'est sur scène qu'elle se ressemble le moins à elle-même.

Si vous voulez les voir, procurez-vous le droit d'assister aux dîners qu'on lui offre, à ceux qu'elle offre parfois avant de quitter une capitale pour une autre. Ce droit ne paraît facile que de prime abord. En fait, seuls les élus peuvent parvenir jusqu'à sa table... En font partie MM. les critiques, les malins qui se font passer pour tels, les chanteurs autochtones, les chefs d'orchestre, les amateurs et les connaisseurs aux calvities habilement escamotées, qui sont devenus des habitués et pique-assiette du monde théâtral, grâce à l'or, à l'argent et aux relations familiales. Ces dîners ne sont pas ennuyeux ; pour celui qui sait observer, ils sont même intéressants... Ça vaut la peine d'y assister une ou deux fois.

Les célébrités (il y en a beaucoup parmi les convives) mangent et parlent. Leur attitude est désinvolte, le cou tourné d'un côté, la tête de l'autre, le coude posé sur la table. Les petits vieux vont jusqu'à se récurer les dents.

Les journalistes occupent les chaises les plus rapprochées de celle de la vedette. Presque tous sont ivres et se conduisent avec beaucoup de sans-gêne comme s'ils la connaissaient depuis un siècle. Un degré de plus, ce serait de la familiarité. Ils lancent des mots d'esprit, boivent, s'interrompent les uns les autres (sans oublier toutefois de dire « pardon »), portent des toasts fulminants et ne craignent visiblement pas de dire des bêtises ; certains se penchent galamment par-dessus le coin de la table pour baiser la main de la dame.

Ceux qui se font passer pour des critiques conversent doctement avec les amateurs et connaisseurs. Amateurs et connaisseurs ne disent rien. Ils envient les journalistes, sourient comme des bienheureux et ne boivent que du vin rouge qui est particulièrement fin lors de ces repas.

Elle, la reine du dîner, est habillée bien simplement mais d'une façon terriblement coûteuse. Un gros diamant brille sur son cou, sous une petite ruche de dentelle. Elle porte à chaque poignet un bracelet lisse mais massif. Sa coiffure est indéfinissable : elle plaît aux femmes et déplaît aux hommes. Son visage rayonne et éclaire d'un grand sourire toute la confrérie des dîneurs. Elle sait sourire à tout le monde à la fois, parler à tous en même temps, elle fait don d'un signe de tête à chacun des convives. Regardez son visage et vous aurez l'impression qu'elle n'est environnée que d'amis et qu'à leur égard elle éprouve la plus vive affection. A la fin du dîner, elle offre à certains sa photo ; avant de quitter la table, elle écrit au verso le nom et le prénom de l'heureux destinataire et appose son autographe. Bien entendu, elle parle français et, sur la fin du repas, d'autres langues également. Elle s'exprime ridiculement mal en anglais et en allemand, mais ce défaut même est gentil chez elle. En un mot, sa gentillesse est telle qu'on oublie facilement sa laideur.

Et lui ? Lui, *le mari d'elle**, est séparé de sa femme par cinq ou six chaises, boit beaucoup, mange beaucoup, se tait beaucoup, fait des boulettes avec de la mie de pain et relit les étiquettes des bouteilles. En l'observant, on sent que toute sa personne respire l'oisiveté, l'ennui, la paresse, et que tout l'assomme.

Il est blond, la calvitie trace des espèces de sillons sur son crâne. Les femmes, le vin, les nuits blanches et le vagabondage à travers le monde ont buriné son visage, y laissant des rides profondes. Il n'a pas plus de trente-cinq ans mais il en paraît davantage. On dirait que son visage a trempé dans du kvas. Ses yeux sont beaux mais reflètent l'indolence... Il n'était pas laid autrefois, il l'est devenu. Ses jambes sont arquées, ses mains ont une teinte terreuse, il a le cou poilu. A cause de ses jambes arquées et de sa démarche particulière, bizarre, toute l'Europe le surnomme, sans savoir pourquoi, « la calèche ». En habit, il fait songer à une corneille mouillée qui aurait la queue sèche. Les convives ne lui accordent aucune attention. Il leur rend la pareille.

Arrangez-vous pour assister à l'un de ces repas, regardez ce couple, observez-le et dites-moi ce qui a uni et unit encore ces deux êtres.

En les voyant, vous répondrez (bien entendu, approximativement) ceci :

Elle est une cantatrice célèbre, lui, rien que l'époux de la célèbre cantatrice ou, en termes de coulisses, le mari de sa femme. Elle gagne jusqu'à quatre-vingt mille roubles par an, lui, ne fait rien et a, par conséquent, le temps de lui servir de domestique. Elle a besoin d'un caissier, de quelqu'un qui s'occupe des imprésarios, des contrats, des engagements... Elle a affaire au public et aux applaudissements ; quant à la recette, au côté prosaïque de ses activités, elle ne condescend pas à s'en occuper, il ne la concerne pas. Son mari lui est donc nécessaire, nécessaire comme un larbin, un domestique... Elle l'aurait chassé si elle avait su se débrouiller toute seule. Tandis que lui, qui reçoit de solides subsides (elle ne connaît pas la valeur de l'argent), il la dépouille, comme deux fois deux font quatre, de connivence avec les femmes de chambre, il dilapide sa fortune, n'arrête pas de faire la bombe, peut-être même met de l'argent de côté pour les mauvais jours et se réjouit de son sort comme un ver qui s'est introduit dans une belle pomme. Si elle n'avait pas d'argent, il l'abandonnerait.

Ainsi songent tous ceux qui les examinent au cours d'un dîner. On pense et l'on s'exprime ainsi parce que, faute de la moindre possibilité de pénétrer au fond des choses, on ne peut juger que sur les apparences. On la traite en diva, quant à lui, on s'en écarte comme d'un pygmée barbouillé de bave de grenouille ; cependant, cette étoile européenne est unie à ce têtard par les liens les plus enviables et les plus nobles.

Voici ce qu'il écrit :

« On me demande pourquoi j'aime cette mégère. En effet, cette femme n'est pas digne d'amour. Elle ne mérite pas davantage la haine. Elle vaut seulement qu'on l'ignore, qu'on ne s'aperçoive pas de son existence. Pour l'aimer, il faut être ou moi ou fou, ce qui, du reste, revient au même.

» Elle est laide. Quand je l'ai épousée, elle était déjà un monstre ; aujourd'hui, elle l'est à plus forte raison. Elle n'a pas de front, deux petits traits à peine perceptibles remplacent ses sourcils, ses yeux sont deux fentes peu profondes où ne brille ni esprit, ni désir, ni passion. Le nez est en forme de pomme de terre. La bouche est petite, jolie, en revanche les dents sont affreuses. Elle n'a ni poitrine, ni taille. Ce défaut, du reste, est atténué par son talent diabolique de lacer avec une adresse surhumaine son corset. Elle est courtaude et grasse. Sa chair est flasque. D'une façon générale, son corps possède un défaut que je considère comme capital : l'absence totale de féminité. Je ne considère pas la pâleur et l'absence de force musculaire comme une preuve de féminité ; sous ce rapport, je ne partage pas l'opinion de bien des gens. Elle n'est pas une dame, une grande dame, mais une boutiquière aux manières gauches : elle marche en agitant

les bras, s'assied en croisant les jambes et en balan-
çant le corps d'avant à l'arrière, se couche les jambes
en l'air, etc.

» Elle est négligée. Ses valises en particulier sont
caractéristiques à cet égard. Le linge propre s'y
mélange avec le sale, les manchettes avec les pantoufles et mes bottes, les corsets neufs avec ceux qui sont
bons à jeter. Nous ne recevons jamais personne parce
qu'un désordre malpropre règne éternellement dans
nos chambres... Ah ! inutile d'en parler ! Regardez-la
à midi quand elle se réveille et se traîne paresseusement hors de sa couverture, vous ne reconnaîtriez pas
la femme à la voix de rossignol. Décoiffée, les cheveux emmêlés, les yeux bouffis de sommeil, vêtue
d'une chemise déchirée aux épaules, pieds nus, biscor-
nue, imprégnée des nuages de tabac de la veille, res-
semble-t-elle à un rossignol ?

» Elle boit... Elle boit comme un hussard, n'importe
quand et n'importe quoi. Elle le fait depuis longtemps. Si elle ne buvait pas, elle serait supérieure à la
Patti, en tout cas, elle ne lui serait pas inférieure. Elle
a déjà noyé la moitié de sa carrière dans l'alcool et ne
tardera pas à y noyer le reste. Ces salauds d'Allemands lui ont appris à boire de la bière et maintenant
elle ne va pas se coucher sans en avoir vidé deux ou
trois bouteilles. Si elle ne buvait pas, elle n'aurait pas
d'ulcère à l'estomac.

» Elle est ignorante comme les étudiants qui l'invitent
parfois à leurs concerts en sont témoins.

» Elle aime la publicité, cela nous coûte plusieurs
milliers de francs par an. Je méprise la réclame de tout
mon cœur. Aussi coûteuse qu'elle soit, elle vaudra toujours moins cher que la voix de ma femme. Celle-ci
aime qu'on chante ses louanges et se passe de la vérité
qui n'est pas flatteuse. Un baiser de Judas qu'on a
acheté lui est plus doux qu'une critique sincère.
Absence complète du sentiment de sa dignité !

» Elle est intelligente mais son esprit n'a pas atteint la maturité. Son cerveau a depuis longtemps perdu son élasticité, il s'est recouvert de graisse et il dort.

» Elle est capricieuse, versatile, n'a aucune conviction ferme. Hier, elle affirmait que l'argent est une absurdité, qu'il ne représente rien d'essentiel, aujourd'hui, elle donne des concerts dans quatre endroits différents parce qu'elle est arrivée à la conclusion que sur terre rien ne valait l'argent. Elle dira demain ce qu'elle disait hier... Sa patrie la laisse indifférente, elle n'a pas de héros politiques, ni de journaux préférés, ni d'auteurs favoris.

» Elle est riche mais elle n'aide pas les pauvres. Pire que cela, ses couturières et ses coiffeurs attendent souvent d'être payés... Elle n'a pas de cœur.

» Femme mille fois corrompue !

» Et pourtant contemplez cette mégère quand, tirée à quatre épingles, serrée dans un corset, maquillée, elle s'approche de la rampe pour se mesurer avec les rossignols et les alouettes qui saluent une aube de mai. Que de dignité, que de grâce dans cette démarche de cygne ! Regardez-la bien et soyez attentifs, je vous en supplie. Dès qu'elle lève la main et ouvre la bouche ses petites fentes deviennent de grands yeux remplis d'éclat et de passion. Vous ne trouverez nulle part ailleurs d'aussi beaux yeux. Quand elle, ma femme, se met à chanter, quand les premiers trilles s'envolent dans les airs, quand je commence à m'apercevoir que, sous l'emprise de ces sons merveilleux, mon âme tourmentée retrouve son calme, examinez alors mon visage, et le secret de mon amour vous sera dévoilé.

» J'interroge alors mes voisins :

» — N'est-ce pas qu'elle est admirable ?

» Ils disent "oui", mais cela ne me suffit pas. J'ai envie de supprimer celui qui pourrait croire que cette femme extraordinaire n'est pas ma femme. J'oublie tout ce qui a eu lieu dans le passé et je vis du seul présent.

» Regardez bien l'actrice qu'elle est ! Chacun de ses mouvements a un sens profond. Elle comprend tout : et l'amour et la haine, et l'âme humaine... Ce n'est pas sans raison que le théâtre croule sous les applaudissements.

» A la fin du dernier acte, je la ramène du théâtre, pâle, à bout de forces, ayant vécu toute une existence en une seule soirée. Moi aussi, je suis pâle, exténué. Nous montons dans la voiture et rentrons à l'hôtel. A peine arrivée, elle se jette silencieuse, tout habillée, sur son lit. Je m'assieds sans mot dire près d'elle et lui baise la main. Ce soir-là elle ne me chasse pas. Nous nous endormons ensemble, nous dormons jusqu'au matin et nous nous réveillons pour nous envoyer mutuellement au diable.

» Savez-vous à quel autre moment je l'aime ? C'est quand elle assiste à des bals ou à des dîners. A cette occasion, j'aime en elle une artiste remarquable. Quel talent faut-il avoir pour réussir à surmonter et à maîtriser sa nature... comme elle sait le faire. Je ne la reconnais pas au cours de ces stupides dîners... Elle transforme en paon un vilain canard. »

Cette lettre écrite d'une main d'ivrogne est à peine lisible. Elle est rédigée en allemand et criblée de fautes d'orthographe.

Voici ce qu'Elle écrit :

« Vous me demandez si j'aime ce gamin ? Oui, parfois... Pourquoi ? Dieu seul le sait...

» C'est vrai qu'il n'est pas beau ni sympathique. Des êtres pareils ne sont pas nés pour avoir droit à un amour partagé. Des êtres pareils ne peuvent acheter l'amour, ils ne l'obtiennent pas gratis. Jugez-en vous-même.

» Nuit et jour, il est soûl comme une bourrique. Ses mains tremblent, ce qui est fort laid. Quand il a bu, il bougonne et cherche la bagarre. Moi aussi, il me bat. Quand il est sobre, il reste allongé n'importe où et se tait.

» Il est toujours dépenaillé et pourtant ne manque pas d'argent pour s'acheter des vêtements. La moitié de mes cachets disparaît on ne sait où en passant par ses mains.

» Je n'ai jamais le temps de le contrôler. Les caissiers reviennent horriblement cher aux malheureuses artistes mariées. Les maris touchent pour leur travail la moitié de la caisse.

» Ce n'est pas pour les femmes qu'il dépense, je le sais. Il les méprise.

» C'est un paresseux. Jamais je ne lui ai vu faire quoi que ce soit. Il boit, il mange, il dort, et c'est tout.

» Il n'a pas terminé ses études. Il a été renvoyé de l'Université au cours de la première année pour son insolence.

» Il n'est pas de la noblesse et, ce qu'il y a de plus horrible, il est allemand.

» Je n'aime pas messieurs les Allemands. Sur cent Allemands, il y a quatre-vingt-dix-neuf imbéciles et un génie. Je le tiens d'un prince allemand de souche française.

» Il fume un tabac détestable.

» Toutefois, il a de bons côtés. Il aime plus que moi mon noble métier. Quand on annonce avant le spectacle que je ne pourrai pas chanter pour cause de maladie, c'est-à-dire que j'ai des caprices, il va et vient atterré et serre les poings.

» Il n'est pas lâche et n'a pas peur des gens. C'est ce que j'aime par-dessus tout chez les hommes. Je vous raconterai un petit épisode de ma vie. Cela s'est passé à Paris, un an après ma sortie du Conservatoire. J'étais encore très jeune et j'apprenais à boire. Tous les soirs je faisais la noce autant que mes jeunes forces me le permettaient. Bien entendu en compagnie. Une fois, alors que je trinquais avec de nobles admirateurs, un gamin très laid que je ne connaissais pas s'approcha de la table et me demanda en me regardant droit dans les yeux :

» — Pourquoi buvez-vous ?

» Nous éclatâmes de rire. Mon gamin ne se démonta pas.

» La deuxième question était plus insolente, elle venait droit du cœur :

» — Pourquoi riez-vous ? Ces canailles qui vous donnent l'habitude de boire ne vous donneront pas un sou quand vous aurez perdu votre voix et que vous serez dans la misère.

» Que dites-vous de cette audace ? Mes compagnons protestèrent bruyamment. Quant à moi, j'ai fait asseoir le gamin à côté de moi et donnai l'ordre de lui servir du vin. Il se trouva que ce champion de la sobriété buvait fort bien. *A propos** : je l'ai appelé gamin à cause de sa toute petite moustache.

» Le prix de son audace a été notre mariage.

» Il préfère le silence. Un mot lui vient le plus souvent à la bouche. Il le prononce d'une voix profonde, avec un tremblement dans la gorge, les traits convulsés. Il lui arrive de le proférer lorsqu'il se trouve en société au cours d'un dîner, d'un bal... Quand quelqu'un (peu importe qui) s'écarte de la vérité, il lève la tête et, sans tenir compte de l'entourage, sans aucune gêne, s'exclame :

» — Mensonge !

» C'est son mot favori. Quelle femme pourrait résister à la flamme de son regard lorsqu'il le prononce ? J'aime ce mot, cette flamme, ses traits convulsés. Il n'est pas donné à n'importe qui de savoir employer ce mot juste et hardi, mais mon mari le dit partout et toujours. Par moments, je l'aime et ces moments coïncident, autant qu'il m'en souvienne, avec le jaillissement de ce mot juste. Du reste, Dieu sait pourquoi je l'aime. Je suis piètre psychologue, or, le cas me semble relever de la psychologie... »

Cette lettre est écrite en français, d'une belle écriture presque masculine. Vous n'y trouverez pas une seule faute d'orthographe.

LA FOIRE

Une petite ville, à peine perceptible. On l'appelle ville mais elle en a l'air autant qu'un méchant petit village peut avoir l'air d'une ville. Si vous êtes boiteux et marchez avec des béquilles, vous en ferez deux fois le tour en dix ou quinze minutes, peut-être moins. Les maisonnettes sont toutes minables et délabrées. Vous achèteriez n'importe laquelle pour quinze kopecks payables en trois fois. On peut compter les habitants sur les doigts : le maire, le surveillant, le pope, l'instituteur, le diacre, le pompier qui va et vient sur la tour de guet, le sacristain, deux ou trois petits-bourgeois, deux gendarmes et, dirait-on, rien de plus... Des femmes, il y en a beaucoup, mais dans la plupart des cas, les statisticiens tiennent rarement compte des personnes du sexe féminin. (Ils savent qu'une poule n'est pas un oiseau, qu'une jument n'est pas un cheval et que la femme d'un officier n'est pas une dame...) Il y a énormément de gens de passage : des propriétaires des alentours, des estivants, les lieutenants d'une batterie au repos qui se la coulent douce, le diacre du village voisin avec sa soutane violette, ses cheveux longs et sa voix d'hippopotame, etc. Le temps est quelconque. Il pleut constamment, ce qui provoque chez les acheteurs et les marchands une certaine mélancolie. L'air est remarquable. Les odeurs de Moscou font défaut. Ça sent la forêt, le muguet, le goudron et, dirait-on, un tout petit peu l'étable. Toutes les ruelles, impasses et coins sont empreints d'un esprit mercantile. A chaque pas, des éventaires. Ils s'étirent sur deux rangs d'une extrémité à l'autre de la grand-rue et encombrent la place où celle-ci vient déboucher. Les paysannes vendent les graines à l'intérieur de l'enceinte de l'église. La foule est dense. Charrettes, chevaux, vaches, veaux, cochons abondent. Peu d'hommes, mais des femmes... que de femmes !... Des femmes partout ! Toutes portent des robes rouges et des vestes noires en velours de coton. Elles sont tellement nombreuses, tellement serrées les unes contre les autres, que tous les pompiers de la ville, pour se rendre à l'incendie, pourraient galoper hardiment par-dessus les têtes féminines.

On ne sait — hélas ! — pourquoi il y a peu d'ivrognes. L'air résonne d'un brouhaha ininterrompu, de piaillements, de glapissements, de grincements, de bêlements. On croirait, tant il y a de bruit, qu'on est en train de construire une deuxième tour de Babel.

Toutes les fenêtres sont grandes ouvertes. On aperçoit à l'intérieur les samovars, des théières aux becs ébréchés et les physionomies des habitants au nez rouge. Des connaissances, chargées de paquets, stationnent devant les fenêtres et se plaignent du temps. Le diacre en soutane violette, les cheveux parsemés de paille, serre la main à tout le monde et proclame bien fort : « Mes respects. J'ai l'honneur de vous souhaiter une bonne fête... Ah, hum ! ! »

Le sexe masculin se groupe autour des chevaux et des vaches. Les affaires se chiffrent ici par dizaines et même par centaines de roubles. Les principaux trafiquants de chevaux sont, bien entendu, les Tziganes. Ils prennent Dieu à témoin, jurent sur leur conscience et se souhaitent tous les malheurs. On remet un cheval vendu en le couvrant du pan de son vêtement, d'où il ressort qu'un homme sans manteau ne peut acheter ni vendre. Il s'agit en général de bêtes de trait, de race plébéienne.

La gent féminine tourne autour des produits de luxe et des baraques où l'on vend des pains d'épice. Ceux-ci portent l'impitoyable marque du temps. Ils sont recouverts de rouille sucrée et de moisissure. Achetez-en, mais tenez-les, pour l'amour de Dieu, loin de la bouche, sinon, malheur à vous ! On peut en dire autant des poires séchées, des caramels. Les malheureux craquelins, recouverts d'une bâche, sont également pleins de poussière. Les paysannes s'en moquent. La panse n'est pas un miroir.

Les mouches ne sauraient se coller sur du miel comme les gamins se pressent autour des baraques à jouets. De l'argent, ils n'en ont point... Immobiles, ils ne font que dévorer des yeux les petits chevaux, les petits soldats et les petits pistolets de plomb. Il y a loin de la coupe aux lèvres. De temps en temps, le plus hardi prend un petit sifflet, le soupèse, le fait tourner, l'essaye, le remet en place et s'essuie le nez avec satisfaction. Il n'y a pas une seule baraque qui ne soit entourée de vingt ou de trente gamins. Ils restent là le regard fixe, deux ou trois heures d'affilée, avec une patience infernale. Achetez à Fédia, Piotra ou Vassioutka un petit pistolet, un lion à gueule de vache et au dos rayé de noir, et vous ferez déborder son cœur d'une joie sans fin.

Les fillettes émergent entre les coudes des gamins. Leur regard est subjugué par les mêmes petits chevaux et les poupées en jupes de tarlatane. Vous verrez des enfants près des marchands de glaces « pur sucre », fort mauvaises. Celui qui a un kopeck mange sa glace dans un petit gobelet vert, gravement, posément, lentement, de peur de ne pas profiter de cet instant de bonheur, se léchant les babines, se suçant les doigts. Il y en a un qui mange et une vingtaine de fauchés qui se tiennent « au garde-à-vous » et glissent avec envie des regards à l'intérieur de la bouche de l'heureux mortel.

— Piotra, donne-m'en une cuillerée, gémit une petite fille, les yeux fixés sur la main droite du bienheureux.

— Laisse-moi tranquille ! répond-il en serrant dans son poing le petit gobelet vert.

— Piotra, supplie un gamin coiffé de la vaste casquette de son père. Prête-m'en !

— De quoi ?

— De la glace au sucre. Un tout petit peu ! (Une pause.) Tu veux bien ? Une petite cuillère. Je te donnerai cinq osselets.

— Fiche-moi la paix, répond le veinard.

Il finit sa portion, se lèche longuement les lèvres et vit bien longtemps dans le souvenir de sa glace « pur sucre ».

Ah ! si on avait de l'argent ! ! Où êtes-vous, pièces de cinq ou quinze kopecks ? Rien de pire, de plus désespérant, de plus douloureux que de se promener à la foire, coiffé de la casquette de son père, de voir et d'entendre, de toucher et de sentir sans posséder le moindre kopeck. Qu'il est heureux, ce Fédia ou cet Egorka qui peut manger une glace, tirer devant tout le monde du pistolet et acheter pour cinq kopecks un petit cheval ! C'est un petit bonheur, un tout petit bonheur, et encore on ne l'a pas !

Les hâbleurs, les ivrognes et ceux qui flânent sans but précis, sont attirés par les baraques des artistes. Il y a deux théâtres. Montés au milieu de la place, côte à côte, ils ont l'air insignifiants. Ils sont confectionnés avec de vieilles pièces de bois, de mauvaises planches humides et poisseuses, et des chiffons. Les toits ne sont que coutures et rapiéçages. Une misère effroyable ! Sur les traverses et les planches qui simulent l'estrade extérieure, se tiennent deux ou trois clowns qui amusent le public massé au-dessous. Ce public est le moins exigeant qui soit. Il ne rit pas parce que c'est drôle, mais parce qu'il est d'usage de s'esclaffer quand on voit des clowns. Les artistes clignent de l'œil, grimacent, font les pitres, mais... hélas ! Il y a bien longtemps que les ancêtres de tous nos théâtres, ceux qui portent ou ne portent pas le nom de Pouchkine, ont fait leur temps et cessé leur service. Jadis, les comédiens étaient porteurs d'une satire mordante et de vérités nouvelles, maintenant leur esprit nous laisse perplexes et l'indigence de leur talent rivalise avec la pauvreté de la baraque. Vous les écoutez et l'écœurement vous gagne. Vous n'avez pas devant vous des artistes ambulants mais des loups affamés à deux pattes. C'est la misère, et rien d'autre, qui les a jetés dans les bras des Muses... Ils ont terriblement faim. Affamés, loqueteux, fourbus, le visage émacié et maladif, ils font des pitreries sur l'estrade, essayant par tous les moyens de faire une grimace comique pour attirer à l'intérieur un badaud de plus et encaisser encore dix kopecks... Au lieu d'être comique, ce n'est que vulgaire : un mélange d'apathie, de vulgarité et d'affectation routinière qui n'exprime rien. Des clignements d'yeux, des gifles, des coups dans le dos, des bavardages familiers adressés au public, des discours prétentieux... et rien d'autre. Ne les écoutez pas. Artistes par nécessité, ce n'est pas l'inspiration qui les fait parler, ni un programme établi à l'avance et visant un but. Leurs paroles sont dénuées de sens mais accompagnées de grimaces, grâce à quoi, sans doute, elles sont recompensées d'un éclat de rire.

— A vos rangs, fixe !

— Je ne suis pas Maria, je suis Ivan.

C'est un exemple de leur esprit. « De la bouche des bouffons et des enfants sort parfois la vérité », mais il faut croire que même pour être un bouffon, il faut en avoir la vocation afin de ne pas toujours dire des inepties et quelquefois la vérité...

Les yeux fixes, l'honorable public se tord. Du reste, il a des excuses ; il n'a jamais rien vu de meilleur et a envie de s'amuser. Après le méchant pain d'épice, le loisir, une ivresse légère, il ne lui manque que le rire. Un petit coup, et le rire éclatera.

Il y a deux baraques foraines. Tous les quarts d'heure, on y donne de brillantes représentations. Le soir, ce sont des spectacles particuliers qui surpassent tout. Je vais en décrire un.

Le gala le plus éblouissant devait avoir lieu avant le départ des artistes, le premier dimanche après l'ouverture de la foire. La veille, les clowns distribuaient des affiches manuscrites dans toute la ville. Ils m'en ont apporté une, à moi aussi. La voici :

Ville de N.N.

Avec la permission des autorités, aura lieu sur la place N... une grande représentassion gymnastique et acrabatique. Représentassion d'une Troupe d'Artistes soula direction de N. G. B. consistant en production d'Arts ymnastiques et acrabatiques, couplets tablots et pantomines en deux parties :

1°) Tours d'adresses variés extraordinaires et amusants de Magie blanche ou d'Illutionnisme et prestidijitation accomplie avec une vingtaine d'objets par le Clown Ourobert.

2°) Bonds et sauts de la mort dans les airs exécuté par le clown Dobert et les enfants Andrias Ivanson.

3°) Un Anglais sans os ou Caoutchou Min, qui a tous les membres souples comme de la gomme.

4°) Chanson comique Ivanson Terokha exécuter par un enfant (et ainsi de suite dans le même genre).

Neuf heures du soir, prix des places :

1ʳᵉ place	*50 K.*
2ᵉ place	*40 K.*
3ᵉ place	*30 K.*
4ᵉ place	*20 K.*
Galerie	*10 K.*

J'ai abrégé l'affiche mais je n'y ai rien ajouté.

Toutes les notabilités locales ont assisté au spectacle (le commissaire de police avec sa famille, le juge de paix avec la sienne, le docteur, l'instituteur, au total dix-sept personnes). Après un marchandage, les intellectuels n'ont payé que vingt-cinq kopecks les meilleures places. Le directeur, personnalité passablement typique, vend lui-même les billets. Après les avoir achetés, nous entrons et nous nous installons dans les premiers rangs. L'assistance est nombreuse et la baraque pleine à craquer. L'intérieur est aussi modeste que possible. Une loque d'indienne de deux mètres carrés sert à la fois de coulisses et de rideau. Quatre chandelles tiennent lieu de lustres. Les artistes accomplissent de bonne grâce leur tâche d'acteurs, d'ouvreuses et d'agents de police. Ils sont passés maîtres dans tous les domaines. Ce qu'il y a de mieux, c'est l'orchestre qui siège sur un banc, à droite... Il se compose de quatre musiciens. L'un d'entre eux racle du violon, un autre joue de l'accordéon, le troisième du violoncelle tendu de trois cordes de contrebasse, le quatrième du tambourin. Le plus souvent, ils jouent *Le Petit Tirailleur*, machinalement et aussi faux que possible. Le tambourineur est admirable. Il bat de la main, du coude, du genou, c'est à peine s'il ne bat pas du talon. On voit qu'il frappe avec délices, sentiment, en s'écoutant lui-même. Sa main se déplace sur l'instrument avec une extraordinaire dextérité ; ses doigts jouent en dansant des notes qu'un violoniste ne saurait concevoir. On a l'impression que son bras tourne autour d'un axe à la fois vertical et horizontal.

Avant le début du spectacle, un malotru entre dans la baraque, il fait le signe de la croix et s'installe au premier rang. Un clown s'approche de lui.

— Voulez-vous aller vous asseoir aux galeries, dit-il. Ce sont les premières ici !

— Fiche-moi la paix.

— Pourquoi vous êtes-vous installé comme qui dirait un ours ? Sortez ! Ce n'est pas votre place !

Le malotru est inflexible. Il enfonce sa casquette et ne cède pas sa place.

On commence les tours de prestidigitation. Le clown demande un chapeau au public. Le public refuse de le faire.

— Alors, dit le clown, il n'y aura pas de tours. Messieurs, quelqu'un de vous a-t-il une pièce de cinq kopecks ?

Le malotru sort sa pièce. Le clown fait un tour de passe-passe et tout en faisant semblant de rendre la pièce de monnaie, la dissimule dans sa manche. Le malotru prend peur :

— Eh ben, alors... Halte-là ! Assez de trucs, mon vieux ! Rends-moi mon argent !

— Quelqu'un a-t-il envie de se faire raser, messieurs ? proclame le clown.

Deux gamins sortent de la foule. On les enfouit sous une couverture sale et l'on barbouille le visage de l'un avec de la suie, celui de l'autre avec de la colle. Pas de cérémonie avec le public !

— Est-ce que c'est un public ? hurle la propriétaire. Maudit soit-il !

Après les tours d'adresse, les acrobates viennent accomplir des « sauts de la mort » inédits, et une fille hercule soulève avec ses tresses un nombre incalculable de kilos. Au milieu du spectacle, un des murs de la salle s'écroule, vers la fin c'est le tour de toute la baraque.

En gros, l'impression est minable. Vendeurs et acheteurs n'auraient pas perdu grand-chose s'il n'y avait pas eu de théâtre à la foire. L'artiste ambulant a cessé d'être un artiste. Il est devenu un charlatan.

A côté des théâtres forains se trouve la balançoire. Moyennant cinq kopecks, vous montez à cinq reprises plus haut que les maisons et vous redescendez autant de fois. Les demoiselles ont mal au cœur, tandis que les filles du peuple sont au comble du bonheur. *Suum cuique*[1].

---

1. A chacun son plaisir.

LA DAME

I

Une calèche attelée de deux jolis petits chevaux de Viatka s'approcha de l'isba de Maxime Jourkine, en faisant bruire et froufrouter l'herbe sèche et poussiéreuse. La propriétaire, Eléna Egorovna Strelkova, et son intendant, Félix Adamovitch Rjévetski, occupaient la voiture. L'intendant sauta agilement à terre, s'approcha de la maison et frappa la vitre de son index. Une petite lumière scintilla à l'intérieur.

— Qui est là ? fit une voix âgée, et la femme de Maxime apparut à la fenêtre.

— Viens dehors, grand-mère, cria la dame.

Une minute après, Maxime et sa femme sortaient de l'isba. Ils s'arrêtèrent à côté du portail et saluèrent silencieusement, d'abord la dame, puis son intendant.

— Veux-tu me dire, s'il te plaît, ce que tout cela signifie ? dit Eléna Egorovna au vieillard.

— De quoi s'agit-il ?

— Comment, de quoi ? Comme si tu ne savais pas ! Stépane est à la maison ?

— Non. Il est allé au moulin.

— Pour qui se prend-il ? Décidément, je n'arrive pas à comprendre ce garçon. Pourquoi est-il parti de chez moi ?

— Nous ne savons pas, madame. Est-ce que nous pouvons savoir ?

— C'est extrêmement vilain de sa part. Il m'a laissée sans cocher ! A cause de lui, Félix Adamovitch doit atteler et conduire les chevaux lui-même. C'est terriblement bête ! Essayez de comprendre vous-mêmes qu'à la fin des fins, c'est bête ! Son salaire lui aurait-il paru trop bas ?

— Le Christ le sait ! répondit le vieillard en inspectant du coin de l'œil l'intendant qui regardait à travers la fenêtre. Il ne nous dit rien et on ne sait pas ce qu'il a dans la tête. Je suis parti, qu'il a dit, un point, c'est tout ! Il n'en fait qu'à sa guise ! Probable qu'il trouvait sa paye trop maigre.

— Qui est donc couché sur le banc, au-dessous des icônes ? demanda l'intendant en examinant l'intérieur.

— C'est Sémion, monsieur. Stépane n'est pas là.

— C'est insolent de sa part ! continua la dame en allumant une cigarette. Monsieur Rjévetski, quels étaient ses appointements ?

— Dix roubles par mois.

— Si cela lui paraissait insuffisant, je pourrais lui en payer quinze. Il est parti sans dire un mot ! Est-ce honnête ? Consciencieux ?

— J'ai bien dit qu'il ne faut jamais faire des manières avec ces gens-là ! commença l'intendant en détachant chaque syllabe et en s'efforçant de masquer son accent polonais. Vous les avez gâtés, ces fainéants ! Il ne faut jamais les payer d'avance ! A quoi ça sert ? Et pourquoi voulez-vous l'augmenter ? Il reviendra de toute façon ! Il s'était mis d'accord, il a accepté le travail !

Le Polonais s'adressa à Maxime :

— Dis-lui qu'il est un cochon et rien de plus !

— *Finissez donc* !*

— Tu entends, paysan ? Si tu t'es embauché, tu dois faire ton travail et ne pas t'en aller quand l'envie t'en prend, que diable ! Qu'il essaie seulement de ne pas venir demain ! Je lui apprendrai à désobéir ! Et gare à vous-mêmes ! Tu entends, la vieille ?

— *Finissez**, Rjévetski !

— Tout le monde en aura pour son compte ! Ne t'avise pas, vieux chien, de venir dans mon bureau ! Prendre des gants avec vous ? Êtes-vous seulement des hommes ? Comprenez-vous les bonnes paroles ? Vous comprenez seulement quand on vous bat comme plâtre et qu'on vous cause des désagréments. Qu'il vienne demain !

— Je lui dirai. Pourquoi ne pas lui dire ? Ça se fait...

— Dis-lui que je l'augmenterai, continua Eléna Egorovna. Je ne peux tout de même pas me passer de cocher. Quand j'en aurai trouvé un autre, il pourra s'en aller s'il le veut. Qu'il soit de retour chez moi demain matin ! Dites-lui que je suis profondément offensée par sa conduite grossière ! Vous aussi, grand-mère, dites-le-lui ! J'espère qu'il viendra et ne m'obligera pas à l'envoyer chercher. Approche-toi, grand-mère ! Prends ça, ma bonne ! C'est sûrement difficile de se faire obéir par de si grands enfants ? Prends, ma chère !

La dame sortit de sa poche un joli étui, tira une coupure jaune placée sous les cigarettes et la donna à la vieille.

— Et s'il ne vient pas, ajouta-t-elle, nous devrons nous brouiller, ce qui n'est pas du tout souhaitable. Mais j'espère... Conseillez-le... Rentrons, Félix Adamovitch ! Adieu.

L'intendant sauta sur le siège, prit les guides, et la voiture roula sur la route douce.

— Combien t'a-t-elle donné ? demanda le vieux.

— Un rouble.

— Donne !

Il prit le billet, le caressa des deux mains, le plia soigneusement et l'enfouit dans sa poche.

— Elle est partie, Stépane ! dit le vieux en rentrant dans l'isba. Je lui ai raconté que tu étais au moulin. Ça lui a fichu une sacrée peur !

Dès que la voiture fut hors de vue, Stépane se montra à la fenêtre. Pâle comme la mort, secoué de tremblements, il se pencha dehors et menaça de son gros poing le jardin qu'on voyait au loin. C'était le jardin des patrons. Après avoir agité son bras une demi-douzaine de fois, il grommela et recula à l'intérieur de la pièce en baissant la vitre avec fracas.

Une demi-heure après le départ de la dame, on soupa chez les Jourkine. A la cuisine, près du poêle, Maxime et sa femme étaient installés autour d'une table graisseuse. En face d'eux se tenait leur fils aîné Sémion, militaire en permission, à la figure rouge d'ivrogne, au long nez grêlé, aux yeux troubles. Il ressemblait à son père, sauf qu'il n'avait pas de cheveux blancs ni de calvitie et ne possédait pas des yeux rusés de Tzigane. Stépane, le fils cadet, était assis à côté de son frère. Il ne mangeait pas et, sa belle tête blonde appuyée sur le poing, contemplait le plafond enfumé en proie à une méditation profonde. Sa femme, Maria, servait le souper. La famille mangeait silencieusement la soupe aux choux.

— Débarrasse ! dit Maxime quand le potage fut terminé.

Maria prit la soupière vide sur la table mais n'arriva pas à la porter jusqu'au poêle qui se trouvait pourtant à proximité. Elle trébucha et se laissa tomber sur le banc. La soupière lui échappa des mains et roula de ses genoux sur le sol. La jeune femme poussa un sanglot.

— C'est comme si quelqu'un pleurait, fit Maxime.

Maria sanglota de plus belle. Une minute ou deux s'écoulèrent. La vieille se leva et servit elle-même la kacha. Stépane se racla la gorge et se leva.

— Tais-toi, murmura-t-il.

Maria pleurait toujours.

— Tais-toi, puisqu'on te le dit ! cria Stépane.

— J'ai horreur des cris de femmes ! grommela Sémion avec assurance en grattant sa nuque dure. Elles pleurnichent sans même savoir pourquoi. Ah, les femmes ! Qu'elle aille donc geindre dans la cour, si ça lui chante !

— Une larme de femme, c'est une goutte d'eau ! dit Maxime. Dieu merci, on n'a pas à les acheter, on les reçoit pour rien. Allons, qu'est-ce que tu as à chialer ? Arrête-toi ! On ne va pas te l'enlever, ton Stépane ! Ne fais pas la demoiselle ! Douillette ! Viens bouffer ta kacha !

Stépane se pencha vers Maria et lui tapota légèrement le coude.

— Voyons, qu'est-ce que tu as ? Tais-toi ! Puisqu'on te dit... Eh... garce !

Il prit son élan et donna un coup de poing sur le banc où était affalée Maria. Une grosse larme brillante glissa sur sa joue. Il l'essuya d'un geste rapide, s'assit et se mit à manger sa kacha. Maria se leva, secouée de sanglots, et s'installa derrière le poêle, loin des autres. Ils finirent la kacha.

— Maria, un peu de kvas ! Au boulot, jeune femme ! C'est une honte de chialer comme ça ! lança le vieillard. Tu n'es plus une enfant !

Pâle, le visage bouffi de larmes, Maria s'approcha et, sans regarder personne, tendit le kvas au vieillard. La cruche passa de main en main. Sémion la prit, fit le signe de la croix, but une gorgée et avala de travers.

— Pourquoi ris-tu ?

— Pour rien... Comme ça ! Il m'est revenu quelque chose de drôle.

Il rejeta la tête en arrière, ouvrit une bouche énorme et ricana.

— Madame est venue ? demanda-t-il en regardant Stépane du coin de l'œil. Hein ? Qu'est-ce qu'elle a dit ? Hein ? Ha ! ha !

Stépane épia son frère et devint tout rouge.

— Elle offre quinze roubles, dit le vieillard.

— Eh bien ! Elle en donnerait cent si tu le voulais ! Par Dieu, elle les donnerait !

Sémion cligna de l'œil et s'étira.

— Ah ! si j'avais affaire à une femme comme ça, continua-t-il, je la plumerais, la garce ! Je la saignerais à blanc !

Sémion grimaça, tapa son frère sur l'épaule et éclata de rire.

— C'est comme ça ! Tu es trop timide ! Ça ne vaut rien, pour des gens comme nous ! Tu es un idiot, mon petit ! Oh ! là là, quel idiot !...

— Sûr que tu es un idiot ! dit le vieux.

Des sanglots éclatèrent à nouveau.

— Voilà encore ta femme qui pleurniche ! Elle est jalouse et n'aime pas qu'on l'asticote ! J'ai horreur des glapissements de femmes ! On dirait des coups de couteau ! Ah, ces femmes ! Dans quel but Dieu vous a-t-il créées ? Pour quoi faire ? Merci pour le souper, messieurs-dames ! Maintenant, il faudrait boire du vin pour faire de beaux rêves ! Sûrement que chez ta patronne, il y a du vin en veux-tu en voilà. Bois jusqu'à plus soif !

— Tu es une brute sans cœur, Sémion !

En disant cela, Stépane poussa un soupir, prit une couverture et sortit. Sémion lui emboîta le pas.

Une nuit d'été russe tombait doucement, paisiblement. La lune montait au-dessus des collines lointaines. Des nuages d'argent effilochés voguaient à sa rencontre. L'horizon avait terni et se recouvrait tout entier d'une agréable pâleur verdâtre. Les étoiles scintillaient plus faiblement et retenaient leurs petits rayons. Comme si elles avaient peur de la lune. L'humidité nocturne, qui caresse la joue, montait de la rivière et se répandait. Dans l'isba du père Grégori, la pendule tinta neuf heures d'un bout à l'autre du village. Le cabaretier juif ferma bruyamment ses fenêtres et suspendit une lanterne graisseuse au-dessus de sa porte. Dans la rue, dans les cours, pas âme qui vive, ni le moindre bruit... Stépane étala sa couverture dans l'herbe, fit le signe de la croix et s'allongea, la tête sur le coude... Sémion toussota et s'assit à ses pieds.

— Eh, oui... dit-il.

Après quelques instants de silence, il s'installa plus confortablement, alluma une petite pipe et dit :

— J'ai été aujourd'hui chez Trofime... J'ai bu de la bière. Bu trois bouteilles. Tu veux fumer, Stépane ?

— Pas envie !

— Du bon tabac. Ce serait le moment de boire du thé ! Tu en buvais chez Madame ? Il était bon ? Très bon, je parie ! Ça doit coûter cinq roubles la livre. Il y a du thé qui en coûte cent. Je te le jure ! J'en ai pas bu, mais je le sais. Quand j'étais commis en ville, j'en ai vu... Une dame en buvait. Rien que l'odeur vaut une fortune ! Je l'ai sentie ! On va chez Madame demain ?

— Fiche-moi la paix !

— Pourquoi que tu te fâches ? Je ne gueule pas, je ne fais que causer. Il n'y a pas de quoi se fâcher. Pourquoi tu n'irais pas, phénomène ? Je ne comprends pas. Beaucoup d'argent, une bonne nourriture, de la boisson tant qu'on en veut... Tu fumeras ses cigarettes, tu boiras du bon thé...

Sémion resta muet un instant et reprit :

— Et puis, elle est jolie. C'est une calamité que d'avoir une liaison avec une vieille, mais avec celle-là, c'est le bonheur ! (Il cracha et se tut brièvement.) Quel tempérament, cette femme ! Un tempérament de feu ! Elle a un joli cou, potelé...

— Et si mon âme refuse le péché ? demanda soudain Stépane en se tournant vers Sémion.

— Le péché ? Où vois-tu le péché ? Rien n'est un péché pour un pauvre...

— Même un pauvre ira en enfer, chez le diable, si... Et puis, est-ce que je suis pauvre ? Non, je ne suis pas un pauvre.

— Il n'est pas question de péché. Ce n'est pas toi qui tends vers elle, mais elle vers toi. Espèce d'épouvantail que tu es !

— Tu es un bandit et tu raisonnes comme un bandit...

— Quel imbécile ! répondit Sémion avec un soupir. Un imbécile ! Tu ne comprends pas ton bonheur. Tu ne le sens pas. Il faut croire que tu as beaucoup d'argent... Tu n'en as pas besoin, toi.

— J'en ai besoin, mais pas de celui des autres.

— Il n'est pas question d'en voler, elle t'en donnera de sa propre petite main. Ça ne rime à rien de discuter avec un imbécile comme toi ! Comme si on crachait en l'air... Autant vaut jeter des perles aux cochons.

Il se leva et s'étira.

— Tu le regretteras, mais il sera trop tard. Après tout ça, je ne te connais plus. Tu n'es plus mon frère. Va au diable... Occupe-toi de ton idiote de vache...

— C'est Maria qui est une vache ?

— C'est Maria.

— Hum... Tu n'es même pas digne d'embrasser la trace des pieds de cette vache-là. Va-t'en !

— Ç'aurait été bien pour toi... et pour nous aussi... Crétin !

— Va-t'en !

— Je m'en vais !... Dire qu'il n'y a personne pour te frotter les oreilles !

Sémion tourna le dos et, d'un pas traînant, s'en alla en sifflotant vers l'isba. Cinq minutes plus tard, Stépane entendit un léger bruissement d'herbe. Il leva la tête. Maria s'approchait de lui. Elle resta un moment debout, puis s'étendit à côté de son mari.

— N'y va pas, Stépane, murmura-t-elle. N'y va pas, mon chéri ! Elle te perdra ! La maudite, elle ne se contente pas du Polonais, elle te veut, toi aussi. Ne va pas chez elle, Stépounka !

— Laisse-moi tranquille !

Les larmes de Maria tombaient en pluie fine et brûlante sur le visage de son mari.

— Tu veux ma mort, Stépane ! Ne prends pas ce péché sur ta conscience. N'aime que moi, ne va pas chez d'autres ! Dieu nous a unis, tu dois vivre avec moi. Je suis orpheline... Je n'ai que toi !

— Laisse-moi ! Ah !... espèce de démon ! J'ai dit que je n'irai pas !

— C'est ça... N'y va pas, mon trésor ! Je suis enceinte, Stépouchka... Bientôt nous aurons des enfants... Ne nous abandonne pas, Dieu te punirait ! Ton père et Sémion font tout pour que tu ailles chez elle, mais toi, n'y va pas... Ne fais pas attention à eux. Ce sont des bêtes féroces, pas des hommes.

— Dors !

— Je dors, Stépane... Je dors.

— Maria ! retentit la voix de Maxime. Où es-tu ? Viens, la mère t'appelle !

Maria se leva d'un bond, arrangea ses cheveux et courut vers l'isba. Le père s'approcha lentement du fils. Il s'était déjà déshabillé ; dans son vêtement de nuit, il ressemblait à un mort. La lune jouait sur sa tête chauve et se reflétait dans ses yeux de Tzigane.

— C'est demain ou après-demain que tu vas chez la dame ? demanda-t-il.

Stépane ne répondit pas.

— Si tu y vas, vas-y demain, et le plus tôt possible. Sûrement que les chevaux n'ont pas été étrillés. Et n'oublie pas qu'elle t'a promis quinze roubles. N'y reste pas pour dix.

— Je n'irai pas du tout, dit Stépane.

— Comment ça ?

— Comme ça... Je ne veux pas...

— Pour quelle raison ?

— Vous le savez vous-même.

— Soit... Attention, mon petit, que je ne doive te donner la fessée sur mes vieux jours.

— Faites-le !

— Comment peux-tu répondre de la sorte à tes parents ? A qui parles-tu ? Prends garde ! Tu es à peine sorti des langes et voilà que tu dis des grossièretés à ton père !

— Je n'irai pas, c'est tout. Vous allez à l'église mais vous n'avez pas peur du péché.

— Mais, gros bêta, c'est pour toi, pour t'installer à part ! Faut-il te construire une nouvelle isba, oui ou non ? Qu'en penses-tu ? Où iras-tu chercher du bois ? Chez la Strelkova, n'est-ce pas ? A qui emprunter de l'argent ? A elle, oui ou non ? Elle donnera et du bois et de l'argent. Elle te récompensera !

— Qu'elle en récompense d'autres ! Moi, je n'en ai pas besoin.

— Je vais te fouetter !

— Eh bien, allez-y ! Allez-y !

Maxime sourit et tendit la main. Il tenait une cravache.

— Je vais te fouetter.

Stépane se tourna et fit semblant d'avoir été dérangé dans son sommeil.

— Alors tu n'iras pas ? Tu le dis pour de bon ?

— Oui. Que Dieu punisse mon âme si j'y vais.

Maxime leva le bras, et Stépane ressentit à l'épaule et à la joue une douleur cuisante. Il bondit sur ses pieds comme un fou.

— Ne me bats pas, père ! s'écria-t-il. Ne me bats pas ! Tu entends ? Ne me bats pas !

— Et pourquoi ?

Maxime réfléchit et frappa son fils de nouveau. Il le frappa encore une troisième fois.

— Obéis à ton père quand il commande ! Tu iras, vaurien !

— Ne me bats pas ! Entends-tu ?

Stépane sanglota et s'abattit sur la couverture.

— J'irai ! Bon ! J'irai... Mais je te préviens. Tu regretteras de vivre ! Tu la maudiras, ta vie !

— D'accord. C'est pour ton bien que tu vas y aller, pas pour le mien. Ce n'est pas moi qui ai besoin d'une isba neuve, c'est toi. Je t'avais dit que je te fouetterais, maintenant c'est fait !

— Je... j'irai ! Seulement... seulement, tu te souviendras de ces coups de fouet !

— Ça va... Fais-moi peur. Ouvre encore la bouche !

— Bon... J'irai...

Stépane s'arrêta de sangloter, se coucha sur le ventre et pleura doucement.

— Le voilà qui secoue les épaules ! Et ça pleurniche ! Pleure donc plus fort ! Demain, tu vas y aller le plus tôt possible. Fais-toi payer un mois d'avance. Et n'oublie pas de toucher pour les quatre jours que tu as faits ! Ça te servira à payer un fichu à ta jument ! Pour ce qui est du fouet, ne te fâche pas. Je suis ton père... Si je veux, je bats, si je veux, je pardonne. C'est comme ça... Dors !

Maxime se lissa la barbe et regagna sa demeure. Il sembla à Stépane que le vieillard disait en rentrant : « Je l'ai rossé. » Sémion se mit à rire.

Un piano désaccordé se mit à jouer plaintivement dans l'isba du père Grégori ; vers neuf heures, comme d'habitude, la fille du pope étudiait la musique. Des sons étranges et doux envahirent le village. Stépane se leva, enjamba une haie et descendit la rue. Il se dirigeait vers la rivière. L'eau scintillait comme du mercure, reflétant le ciel, la lune et les étoiles. Un silence de mort régnait aux alentours. Rien ne bougeait. A longs intervalles retentissait la stridulation d'un grillon... Stépane s'assit sur la berge, tout au bord de l'eau, et reposa la tête sur le poing. De sombres pensées l'envahirent, se succédant l'une à l'autre.

Sur l'autre rive se dressaient de hauts et sveltes peupliers qui entouraient le parc seigneurial. Entre les arbres brillait une petite lumière venant de la fenêtre de la dame. Sans doute ne dormait-elle pas. Stépane resta plongé dans ses méditations jusqu'au moment où les hirondelles se mirent à survoler la rivière. Quand il se redressa, ce n'était plus la lune, mais le soleil qui se reflétait dans l'eau. Une fois debout, il se lava, fit une prière en direction de l'orient et, d'un pas rapide et résolu, gagna le gué. Ayant franchi la rivière, peu profonde à cet endroit, il se dirigea vers la cour de la propriété seigneuriale...

II

— Stépane est venu ? demanda Eléna Egorovna en s'éveillant le lendemain matin.

— Il est là ! répondit la femme de chambre.

Strelkova sourit.

— A-a-a-ah... Bien. Où est-il maintenant ?

— A l'écurie.

La dame sauta du lit, s'habilla rapidement, et alla dans la salle à manger pour boire son café.

Strelkova semblait encore jeune, plus jeune que son âge. Seul, son regard révélait qu'elle avait derrière elle la plus grande partie de sa vie de femme, qu'elle avait dépassé la trentaine. Ses yeux étaient bruns, profonds, méfiants, plus masculins que féminins. Elle n'était pas jolie mais pouvait plaire. Son visage était rond, sympathique, plein de santé ; quant au cou, dont avait parlé Sémion, et à la poitrine, ils étaient magnifiques. Si Sémion avait su apprécier de jolies mains et de jolis pieds, il n'aurait certes pas passé sous silence ceux de la dame. Elle était vêtue simplement d'une légère robe d'été. Sa coiffure était sans recherche. Strelkova était paresseuse et n'aimait pas se donner du mal pour la toilette. Le domaine qu'elle habitait appartenait à un frère célibataire, installé à Saint-Pétersbourg et qui ne songeait que fort rarement à sa propriété. Elle y vivait depuis sa séparation d'avec son mari. Le colonel Strelkov, un très brave homme, vivait, lui aussi, à Saint-Pétersbourg et pensait encore moins à sa femme que le frère de la dame pensait à sa propriété. Elle l'avait quitté sans avoir vécu un an avec lui. Elle l'avait trompé le vingtième jour après leur mariage.

Dès qu'elle se fut attablée devant son café, Eléna Egorovna fit appeler Stépane. Le garçon parut et s'arrêta sur le seuil. Il était pâle, décoiffé et avait le regard d'un loup pris au piège : méchant et sombre. Madame le dévisagea et rougit légèrement.

— Bonjour, Stépane, dit-elle en se versant du café. Dis-moi, s'il te plaît, qu'est-ce que c'est que ces histoires ? Pourquoi es-tu parti ? Tu restes quatre jours et tu t'en vas ! Tu es parti sans demander la permission. Tu aurais dû la demander !

— Je l'ai demandée, chuchota Stépane.

— A qui t'es-tu adressé ?

— A Félix Adamovitch.

Elle se tut un instant, puis s'informa :

— Te serais-tu fâché ? Réponds, Stépane ! Je te pose une question ! Tu étais fâché ?

— Si vous ne disiez pas des choses pareilles, je ne serais pas parti. Je suis là pour les chevaux et pas pour...

— N'en parlons pas... Tu ne m'as pas comprise, c'est tout. Inutile de te mettre en colère. Je n'ai rien dit de bien particulier. Et même si j'ai dit quelque chose que tu trouves offensant pour toi, alors tu... alors tu... Je suis tout de même... J'ai le droit de dire une parole de trop... Hum... J'augmente ton salaire. J'espère que dorénavant il n'y aura plus de malentendus entre nous deux.

Stépane se détourna et recula d'un pas.

— Attends, attends ! l'arrêta-t-elle. Je n'ai pas encore tout dit. Voilà ce dont il s'agit, Stépane... J'ai un habit de cocher tout neuf. Prends cet habit et mets-le ; celui que tu portes ne vaut rien. C'est un beau costume que j'ai. Je vais te l'envoyer par Fédor.

— A vos ordres.

— Tu en fais, une tête... Tu boudes encore ? Te trouves-tu tellement vexé ? Allons, ça suffit... Je n'ai rien à... Tu seras bien chez moi... Tu seras content de tout. Ne te fâche pas... Tu n'es pas fâché ?

— Est-ce qu'il nous est permis de nous fâcher, nous autres ?

Il fit un geste résigné, cligna des yeux et se détourna.

— Qu'est-ce que tu as, Stépane ?

— Rien... Est-ce qu'il nous est permis de nous fâcher ? On n'a pas le droit...

La dame se leva et, le visage soucieux, s'approcha de lui.

— Stépane, tu... tu pleures ?

Elle le prit par la manche.

— Qu'as-tu, Stépane ? Que t'arrive-t-il ? Parle, à la fin ! Qui t'a fait du mal ?

Les yeux de la dame se gonflèrent de larmes.

— Parle donc !

Stépane fit un geste du bras, cligna des yeux et se mit à sangloter.

— Madame, bégaya-t-il. Je t'aimerai... Je ferai tout ce que tu voudras ! Je suis d'accord ! Seulement ne donne rien aux autres, aux maudits. Pas un kopeck, pas un bout de bois. J'accepte tout ! Je vendrai mon âme au diable pourvu que tu ne leur donnes rien !

— A qui ?

— A mon père et à mon frère. Pas un bout de bois ! Qu'ils crèvent de rage, les maudits !

Elle sourit, s'essuya les yeux et éclata de rire.

— Bien, dit-elle. Tu peux t'en aller ! Je t'envoie tout de suite tes vêtements.

Stépane sortit.

« Quelle chance qu'il soit bête ! songea-t-elle en le regardant partir et en admirant sa puissante carrure. Il m'a épargné une déclaration. C'est lui le premier qui a parlé d'"amour"... »

A la tombée du jour, quand le soleil couchant empourprait le ciel et dorait la terre, les chevaux de

Mme Strelkova galopaient follement, le long de l'interminable route qui mène à travers la steppe, du village à l'horizon lointain. La calèche bondissait comme un ballon et, sur son passage, lacérait impitoyablement les lourds épis de seigle qui se penchaient au bord du chemin. Installé sur son siège, Stépane fouettait impitoyablement les chevaux et tirait sur les rênes comme s'il voulait les rompre en mille morceaux. Il était vêtu avec un goût parfait. On voyait que sa tenue avait coûté pas mal de temps et d'argent. Un velours riche, une indienne rouge moulaient son corps vigoureux. Une chaîne à breloques ornait sa poitrine. Ses bottes plissées avaient été nettoyées avec du vrai cirage. Son chapeau de cocher, orné d'une plume de paon, touchait à peine ses boucles blondes. Ses traits exprimaient une morne soumission en même temps qu'une rage folle dont les chevaux étaient les victimes... Au fond de la voiture, la dame se prélassait en aspirant à pleins poumons l'air pur de la steppe. Ses joues brillaient d'un éclat juvénile... Elle sentait qu'elle jouissait de l'existence...

— Vas-y, Stépa, vas-y ! criait-elle de temps en temps. Bien fait ! A fond de train !

Sous les roues de la voiture, des pierres auraient fondu en étincelles. Le village s'éloignait toujours plus... Disparues, les isbas, disparues, les granges des maîtres... Bientôt le clocher se cacha à son tour. Enfin, le village ne fut plus qu'un trait de brume et se noya dans le lointain. Mais Stépane fouettait, fouettait. Il avait envie de fuir aussi loin que possible le péché qui lui faisait si peur. En vain, car le péché était installé derrière son dos, dans la calèche. Le garçon ne réussit pas à s'évader. Le soir même, la steppe et le ciel devaient l'observer qui vendait son âme au diable.

Vers onze heures, l'attelage revenait au galop. Le cheval de renfort boitait, le limonier était couvert d'écume. Assise dans un coin de la calèche, les yeux mi-clos, la dame se pelotonnait dans sa mante. Un sourire satisfait jouait sur ses lèvres. Elle respirait avec calme et aisance. Tout en conduisant, Stépane se disait qu'il était en train de mourir. Sa tête était vide et confuse, son cœur rongé par l'angoisse.

Tous les jours, au crépuscule, on sortait de l'écurie des chevaux frais. Stépane les attelait et conduisait la calèche jusqu'au portillon du jardin. La dame sortait, rayonnante, s'asseyait dans la voiture, et la course folle commençait. Pas un seul jour n'échappait à l'équipée. Pour le malheur de Stépane, aucune soirée pluvieuse ne lui permit de rester à la maison.

Après une de ces courses, Stépane, revenu de la steppe, quitta la maison pour faire quelques pas au bord de la rivière. Comme d'habitude, sa tête était vide, ses pensées embrouillées, sa poitrine en proie à une angoisse affreuse. La nuit était belle, silencieuse. De subtiles odeurs flottaient dans les airs et lui caressaient tendrement la figure. Il se souvint du village qui s'assombrissait sur l'autre rive, face à lui-même. Il songea à l'isba, au jardin, à son cheval, à la banquette sur laquelle, tout content, il dormait aux côtés de Maria... Il souffrait atrocement...

— Stépane ! dit une voix faible.

Il se retourna. Maria venait à sa rencontre. Elle venait de franchir le gué et portait ses chaussures à la main.

— Stépane, pourquoi es-tu parti ?

Il la regarda d'un air inexpressif et se détourna.

— Pourquoi m'as-tu abandonnée, Stépouchka, moi, une orpheline ?

— Fiche-moi la paix !

— Il y a bien Dieu qui te punira ! C'est toi qu'il punira ! Il t'enverra une mort atroce, une mort sans confession. Tu te souviendras de mes paroles. L'oncle Trofime vivait avec la femme d'un soldat, tu te souviens ? Comment est-il mort ? Que Dieu t'en préserve !

— Qu'est-ce que tu as à m'embêter ? Ah !...

Il fit quelques pas en avant. Maria le saisit à deux mains par sa veste.

— Je suis ta femme, Stépane ! Tu ne peux pas m'abandonner comme ça ! Stépouchka !

Elle fondit en larmes.

— Mon chéri ! Je serai ta servante ! Rentrons à la maison !

Stépane se détacha et, à force de désespoir, donna à Maria un coup de poing. Il la toucha au ventre. Elle tressaillit, porta les mains à l'estomac et s'assit par terre.

— Oh ! gémit-elle.

Stépane cligna des yeux, se donna un coup de poing sur la tempe et se dirigea vers la maison sans se retourner.

Arrivé chez lui, à l'écurie, il se laissa tomber sur la banquette, enfouit la tête sous l'oreiller et se mordit violemment la main.

A cette heure, la dame était assise dans sa chambre à coucher et interrogeait les cartes : allait-il, oui ou non, faire beau le lendemain ? Les cartes disaient qu'il ferait beau.

III

Au lever du jour, Rjévetski revenait de chez un voisin à qui il avait rendu visite. Le soleil ne se levait pas encore. Il était à peine quatre heures du matin. La tête de Rjévetski bourdonnait. Il se balançait légèrement en conduisant son cheval. La moitié du chemin traversait la forêt.

« Qu'est-ce que c'est ? songea-t-il en s'approchant de la propriété dont il était l'intendant. On dirait que quelqu'un coupe du bois ! »

Des profondeurs de la forêt, des coups et des craquements de branches parvenaient à ses oreilles. Il prêta l'oreille, réfléchit, poussa un juron, descendit maladroitement du sulky et se dirigea vers les fourrés.

Sémion Jourkine était assis par terre et coupait avec sa hache les branches vertes d'un arbre. Trois aulnes abattus étaient couchés près de lui. Plus loin, un cheval attelé à un binard paissait l'herbe. Rjévetski aperçut Sémion. En un clin d'œil, son ivresse et sa somnolence disparurent. Il blêmit et cria en bondissant vers Sémion :

— Qu'est-ce que tu fabriques là ? Hein ?

— Qu'est-ce que tu fabriques là ? Hein ? répondit l'écho.

Sémion, lui, ne répondit rien. Il alluma une pipe et continua son ouvrage.

— Je te demande ce que tu fais là, salaud.

— Tu ne vois pas ? Serais-tu fou ?

— De quoi ? Qu'est-ce que tu as dit ? Répète !

— Je dis que tu n'as qu'à passer ton chemin !

— Comment ? Comment ? Comment ?

— Passe ton chemin ! Pas la peine de crier...

Rjévetski rougit et haussa les épaules.

— Quelle audace ! Comment oses-tu ?

— J'ose et voilà tout. Et toi, qu'est-ce que tu es ? Tu ne me fais pas peur ! Des comme toi, il y en a une tapée ! S'il fallait vous dorloter tous, ben, on n'aurait jamais fini...

— Comment oses-tu couper du bois ? Il est à toi ?

— Pas plus qu'à toi.

Rjévetski leva sa cravache mais ne cingla pas Sémion pour l'unique raison que celui-ci lui avait montré sa hache.

— Tu ne sais pas, gredin, à qui est la forêt ?

— Je le sais, *pan* Rjévetski ! Elle est à la Strelkova et c'est à la Strelkova que je parlerai. La forêt lui appartient et je lui répondrai à elle. Toi, qu'est-ce que tu es ? Un laquais ! Un valet ! Je ne te connais pas. Passe, passant ! En avant, marche !

Il tapa sa pipe contre la hache et sourit d'un air sarcastique.

Rjévetski courut jusqu'à la voiture, tira les guides et, telle une flèche, vola au village. Il y embaucha des témoins et les emmena à fond de train vers le lieu du crime. Ils surprirent Sémion en plein travail. L'affaire fut rondement menée. Le maire, l'adjoint, le scribe, les gardes firent leur apparition. Ils remplirent des papiers. L'intendant signa et obligea Sémion à en faire autant. Ce dernier ne cessait de ricaner...

Avant le dîner, Sémion se présenta chez la dame. Elle était déjà au courant. Sans la saluer, Sémion commença par dire que la vie devenait impossible, que le Polonais cherchait la bagarre, que lui-même n'avait pris que trois arbrisseaux, etc.

— Comment oses-tu couper le bois qui ne t'appartient pas ? éclata-t-elle.

— Une vraie calamité, cet homme, bougonna Sémion en admirant l'accès de colère de la dame et désirant à tout prix nuire au Polonais. Pas une parole sans un coup ! Est-ce possible ? Il vise toujours la figure ! C'est pas permis... Nous aussi, nous sommes des êtres humains...

— Je veux savoir comment tu oses couper mon bois, canaille !

— Il vous a raconté des mensonges, madame ! Pour sûr... j'en ai coupé... J'avoue... Mais pourquoi est-ce qu'il nous bat ?

La dame sentit le sang des seigneurs bouillonner dans ses veines. Elle oublia que Sémion était le frère de Stépane, oublia sa bonne éducation, oublia tout au monde et gratifia Sémion d'une gifle.

— Sors d'ici cette gueule de moujik ! cria-t-elle. Va-t-en ! Tout de suite !

L'homme sembla confus. Il ne s'était nullement attendu à un tel esclandre.

— Adieu ! dit-il avec un profond soupir. Que faire ? Tant pis !

Sémion bafouilla et sortit. Il oublia même, dehors, de remettre son bonnet.

Deux heures plus tard, Maxime arriva chez la dame. Il avait un visage tendu, l'œil sombre. On voyait à son expression qu'il était venu pour dire ou commettre des insolences.

— Que veux-tu ? demanda la dame.

— Bonjour ! Je viens surtout, madame, pour vous demander quelque chose. Il nous faudrait du bois, madame. Je veux construire une maison pour Stépane et du bois, nous n'en avons pas. Si vous nous donniez quelques planches...

— Si tu veux ! Pourquoi pas !

La figure de Maxime s'éclaira.

— Il faut construire une isba et il n'y a pas de bois. Voilà ce qui cloche ! C'est l'heure de manger la soupe et de la soupe, il n'y en a pas. Hé ! hé !... Des planches, du bois... Sémion vous a dit des impertinences. Ne vous fâchez pas, madame. Un sot est un sot. Il a encore la tête pleine de bêtises. Il ne sait pas sentir. Les gens sont ainsi. Vous permettez, madame, qu'on vienne chercher le bois ?

— Vas-y.

— Ayez donc la bonté de prévenir l'intendant. Que Dieu vous garde en bonne santé ! Maintenant, Stépane aura une isba.

— Seulement, ça va te coûter cher, Jourkine ! Tu sais bien que je ne vends pas de bois, j'en ai besoin moi-même et si j'en vends, c'est pour un bon prix.

Le visage de Maxime s'allongea.

— Comment ça ?

— Eh bien, voilà. Premièrement, de l'argent comptant et deuxièmement...

— Je n'en veux pas pour de l'argent.

— Et comment en veux-tu ?

— C'est clair... Vous le savez vous-même. Par le temps qui court, le paysan n'a pas d'argent. Même un sou, il faudrait le chercher.

— Je n'en donnerai pas pour rien.

Maxime serra son bonnet dans son poing et se mit à contempler le plafond.

— Vous dites ça sérieusement ? demanda-t-il après un silence.

— Tout à fait sérieusement. As-tu quelque chose à dire ?

— A quoi bon parler ? Si vous ne donnez pas de bois, à quoi bon causer avec vous ? Adieu ! Seulement, vous avez tort de refuser du bois. Vous le regretterez... Moi, je m'en fiche, mais vous, vous le regretterez... Stépane est à l'écurie ?

— Je ne sais pas.

Il regarda la dame d'un air expressif, toussota, hésita et sortit. Il bouillonnait de colère.

« Voilà donc ce que tu es, coquine ! » songeait-il en se dirigeant vers l'écurie. Stépane s'y trouvait, assis sur un banc, et étrillait, paresseusement et sans se lever, le flanc d'un cheval qui se tenait devant lui. Maxime n'entra pas, mais s'arrêta sur le seuil.

— Stépane ! dit-il.

Le fils ne répondit rien et ne leva pas les yeux sur son père. Le cheval frémit.

— Prépare-toi à rentrer ! dit Maxime.

— Je ne veux pas.

— Peux-tu me parler comme ça ?

— Faut croire que je peux, puisque je le fais.

— C'est un ordre !

Stépane se leva d'un bond et claqua la porte de l'écurie au nez de son père.

Le soir, un gamin accourut du village pour raconter que Maxime avait chassé Maria et qu'elle ne savait pas où passer la nuit.

— A l'heure qu'il est, elle est assise devant l'église et elle pleure, dit le gamin. Autour d'elle, c'est plein de gens, et tout le monde dit du mal de toi.

Le lendemain matin de bonne heure, tandis qu'on dormait encore dans la maison seigneuriale, Stépane mit ses vieux habits et se rendit au village. L'angélus sonnait. C'était une matinée de dimanche, claire et joyeuse, qui donnait envie de vivre et d'être heureux. Il passa devant l'église, lança un regard morne sur le clocher et se dirigea vers le cabaret. Malheureusement, le cabaret ouvre ses portes plus tôt que l'église. Quand Stépane y pénétra, des buveurs se tenaient déjà devant le comptoir.

— De la vodka ! commanda-t-il.

On lui remplit un verre. Il le vida, resta assis quelque temps, but encore. Il était ivre et offrait à boire à la ronde. Une beuverie bruyante se déclencha.

— Tu reçois de gros gages chez la Strelkova ? demanda Sidor.

— Ce qui me revient. Bois, espèce d'âne !

— A la bonne heure. A ta santé, Stépane Maximytch ! Bon dimanche ! Et vous, alors ?

— Moi aussi... Je bois aussi...

— C'est très agréable... Pour dire la vérité, tout ça c'est très bon et très séduisant, Stépane Maximytch ! Eh oui... Peut-on vous demander si vous gagnez dix roubles ?

— Ha ! ha ! Est-ce qu'un monsieur peut vivre avec dix roubles ? Tu n'y penses pas ! C'est cent roubles qu'il a !

Stépane regarda celui qui venait de parler et reconnut son frère Sémion qui buvait, assis dans un coin sur un banc. Derrière lui, on apercevait le visage à moitié ivre du sacristain Manafouilov qui souriait d'un air doublement sournois.

— Permettez qu'on vous demande, monsieur, dit Sémion en enlevant son bonnet, si Madame a de bons chevaux ? Ils vous plaisent ?

Silencieux, Stépane se versa de la vodka et la but sans rien dire.

— Ils doivent être fort bons, continua Sémion, seulement, dommage qu'il n'y ait pas de cocher. Sans cocher, ça ne va pas...

Manafouilov s'approcha de Stépane et hocha la tête.

— Toi... toi... tu es un cochon ! proféra-t-il. Un cochon ! Tu ne sens pas ton péché ? Chrétiens ! C'est un péché ! Que disent les Saintes Ecritures ? Hein ?

— Fiche-moi la paix ! Imbécile !

— Imbécile... Et toi, tu es intelligent. Un cocher qui ne s'occupe pas de chevaux... Hé ! hé !... Et du café, elle vous en donne ?

Stépane brandit la bouteille et asséna un coup sur l'énorme tête du sacristain. Manafouilov chancela et continua :

— L'amour ! En voilà un sentiment... Pff... Dommage que tu ne puisses l'épouser. Tu aurais été patron ! Quel beau patron, mes enfants, il aurait fait ! Un patron sévère, intelligent !

Des rires éclatèrent. Stépane leva le bras et donna un nouveau coup de bouteille sur la même tête. Le sacristain chancela et cette fois-ci s'écroula.

— Qu'est-ce que tu as à cogner ? s'écria Sémion en avançant vers son frère. Marie-toi et cogne après ! Dites, vieux, qu'est-ce qui lui prend, de se battre ? Pourquoi te bats-tu, je te le demande ?

Il fronça les sourcils, empoigna Stépane et le frappa au creux de l'estomac. Le sacristain se releva et agita ses longs doigts devant les yeux de Stépane.

— Les gars ! Une bagarre ! Une vraie bagarre, ma parole ! Allez-y !

Le cabaret s'emplit de vacarme. Les conversations se mêlaient aux rires.

La foule s'était rassemblée devant la porte du cabaret. Stépane saisit Manafouilov par le col de son vêtement et le jeta dehors. Le sacristain glapit et roula au bas des marches comme un ballon. On riait de plus belle. Le cabaret débordait de monde. Sidor se mêla de ce qui ne le regardait pas et, sans savoir pourquoi, frappa Stépane dans le dos. Ce dernier attrapa son frère par l'épaule et l'envoya contre la porte. Sémion heurta le chambranle, dégringola les marches et tomba, le visage mouillé dans la poussière. Stépane bondit à sa suite et se mit à lui piétiner le ventre. Il dansait avec rage, avec délices, en faisant de grands sauts. Il sauta longuement.

On sonnait la fin de la messe. Stépane regarda à la ronde. Il voyait autour de lui des gueules ricanantes, plus ivres et plus réjouies les unes que les autres. Une multitude de gueules ! Sémion se releva, ébouriffé, ensanglanté, les poings serrés, l'air féroce. Manafouilov restait étendu dans la poussière et pleurait. La terre lui collait les paupières. Le diable lui-même ne se serait pas retrouvé dans cette pagaille !

Stépane tressaillit, blêmit et se mit à courir comme un fou. On se jeta à sa poursuite.

— Tenez-le ! tenez-le ! criait-on dans son dos. Arrêtez l'assassin !

Stépane fut pris de terreur. Il lui sembla que s'il se laissait prendre, il serait à coup sûr tué. Il courut plus vite.

— Attrapez-le ! Arrêtez !

Sans même s'en rendre compte, il arriva jusqu'à la maison paternelle. Le portail était grand ouvert, les deux battants balançaient sous le vent... Il s'engouffra dans la cour.

A trois pas de l'entrée, sur un tas de brindilles et de copeaux, sa femme Maria était assise, les jambes repliées, les bras ballants, et regardait fixement la terre. A sa vue, une pensée lumineuse surgit subitement dans le cerveau ivre et troublé de Stépane...

Fuir, fuir très loin avec cette femme pâle comme une morte, terrorisée, passionnément aimée. S'enfuir loin de ces monstres, au Kouban, par exemple. Quel beau pays, le Kouban ! A en croire les lettres de l'oncle Piotr, combien est merveilleuse la liberté dans les steppes du Kouban ! Là-bas, la vie est plus vaste, l'été plus long, les gens plus hardis... Les premiers temps, Stépane et Maria travailleraient pour des patrons, ensuite ils s'achèteraient un lopin de terre. Là-bas, plus de Maxime avec son crâne chauve et ses yeux de Tzigane, ni de Sémion avec son sourire sarcastique d'ivrogne...

Tout en y réfléchissant, il s'approcha de Maria et s'arrêta devant elle. Le vertige ne le quittait pas, des taches multicolores papillonnaient devant ses yeux, son corps lui faisait mal. Il se tenait à peine debout.

— Au Kouban... heu..., dit-il en sentant que sa langue n'articulait plus les mots. Au Kouban... Chez l'oncle Piotr... Tu sais bien ? Celui qui écrivait des lettres…

Il n'en était pas question ! Le Kouban n'était qu'un rêve qui s'en allait en fumée. Maria leva des yeux suppliants, vit le visage pâle, égaré de Stépane, à moitié caché par des cheveux en broussaille, et se mit debout... Ses lèvres tremblaient...

— C'est toi, bandit ? cria-t-elle. Toi ? C'est au cabaret qu'on t'a tailladé la gueule ? Tu es mon bourreau ! Scélérat, que tu sois traité dans l'autre monde comme tu m'as saignée à blanc. Tu m'as tuée, moi, orpheline !

— Tais-toi !

— Brutes ! Vous n'avez pas pitié d'un être humain ! Ils m'ont martyrisée, les bandits... Tu es un assassin, Stépane ! La Sainte Vierge te punira ! Attends un peu ! Tu le payeras ! Tu penses que je suis la seule à souffrir ? Ne crois pas ça... Tu souffriras, toi aussi...

Stépane battit des paupières et chancela.

— Tais-toi ! Pour l'amour de Dieu !

— Ivrogne ! Je sais avec quel argent tu t'es soûlé... Je le sais, brigand ! C'est la joie qui te fait boire ? Tu t'amuses ?

— Tais-toi ! Machka ! Eh bien...

— Pourquoi es-tu venu ? Qu'est-ce qu'il te faut ? Tu es venu faire le fanfaron ? Nous le savons... sans écouter tes vantardises. Tout le monde sait... On ne cesse de me remuer le couteau dans la plaie, maudit...

Stépane tapa du pied, chancela et, les yeux lançant des éclairs, poussa Maria du coude.

233

— Tais-toi, je te dis ! Tu m'arraches le cœur !

— Je te parlerai ! Tu veux me battre ? Eh bien, vas-y... Bats-moi... Bats l'orpheline. On ne meurt qu'une fois... La douceur, je n'en attends plus. Tu n'as qu'à me battre. Achève-moi, forban ! A quoi est-ce que je peux servir ? Tu as la dame ! Elle est riche... Elle est belle... Je ne suis qu'une maraude ; elle, elle est noble. Pourquoi tu ne me bats pas, brigand ?

Stépane prit son élan et, de toutes ses forces, frappa le visage de Maria, déformé par la colère. Son poing d'ivrogne atteignit la tempe. Maria chancela et, sans un cri, s'affaissa sur le sol. Pendant qu'elle tombait, Stépane lui envoya un autre coup à la poitrine...

Le mari se pencha au-dessus du corps encore tiède de sa femme, contempla d'un regard trouble son visage empreint de souffrance et, sans rien comprendre, s'assit auprès du cadavre.

Le soleil brûlant s'était déjà levé au-dessus des isbas. Le vent s'était réchauffé. L'air torride était chargé d'une angoisse lourde lorsqu'une foule nombreuse et atterrée encercla Stépane et Maria. Les gens voyaient et comprenaient qu'un meurtre avait eu lieu, mais n'en croyaient pas leurs yeux. Stépane promenait un regard vague sur l'assistance, grinçait des dents et marmottait des mots sans suite. Personne ne se décidait à le lier. Maxime, Sémion et Manafouilov, perdus dans la foule, se serraient les uns contre les autres.

— Pourquoi lui a-t-il fait ça ? demandaient-ils, pâles comme des morts.

La mère courait en cercle et se lamentait.

On rapporta à la dame ce qui s'était passé. Elle poussa un « ah », attrapa un flacon de sels mais ne perdit pas connaissance.

— Des gens affreux ! murmura-t-elle. Ah, quels gens ! Des misérables ! Eh bien, d'accord ! Je vais leur en faire voir ! Ils sauront à présent comment je m'appelle !

Rjévetski vint la consoler. Il y réussit et reprit la place que la dame capricieuse lui avait retirée pour la donner à Stépane. C'était une place lucrative, confortable, qui lui convenait à merveille. Il en était chassé une dizaine de fois par an et touchait à dix reprises un dédit. Un dédit assez substantiel.

UNE DENRÉE VIVANTE

Dédié à F. F. Popoudoglo

I

Grokholski embrassa Lisa, baisa ses petits doigts aux ongles roses mais rongés et la fit asseoir sur un divan recouvert de velours bon marché. Lisa croisa les jambes, posa les bras sous la tête et s'allongea.

Il s'assit à côté d'elle sur une chaise et se pencha. Il ne faisait que regarder.

Comme elle lui semblait jolie, éclairée par les derniers rayons du couchant !

On voyait par la fenêtre le soleil tout entier, doré et légèrement teinté de pourpre.

Il éclairait et dorait brièvement le salon, ainsi que la jeune femme, de sa lumière qui était vive sans être aveuglante.

Grokholski ne se lassait pas d'admirer. Lisa n'était certes pas une beauté. Sa frimousse de chatte aux yeux bruns, au petit nez retroussé, était fraîche et même piquante, ses cheveux peu opulents bouclaient, noirs comme du jais, son petit corps était gracieux, agile, bien proportionné, comme celui d'une anguille, mais pour ce qui est de l'ensemble... Du reste, il ne s'agit pas de mes goûts. Grokholski qui était gâté par les femmes et avait, au cours de son existence, aimé et rompu une centaine

236

de fois, voyait en elle une beauté. Il l'aimait et l'amour aveugle trouve la beauté idéale n'importe où.

— Ecoute, dit-il, la regardant droit dans les yeux. Je suis venu te parler, ma belle. L'amour ne supporte rien de vague, d'informe... Les relations mal définies, sais-tu... Je te l'ai dit hier, Lisa... Nous essaierons de résoudre aujourd'hui la question soulevée hier. Prenons en commun une décision... Que faire ?

Lisa bâilla et fit une grimace douloureuse en retirant la main droite de dessous la tête.

— Que faire ? répéta-t-elle d'une voix à peine perceptible.

— Oui, que faire ? Trouve quelque chose, petite personne avisée... Je t'aime et un homme amoureux est exclusif. Je suis plus qu'un égoïste. C'est au-dessus de mes forces d'accepter un partage avec ton mari. Quand je songe qu'il t'aime, lui aussi, je le dépèce mentalement en petits morceaux. D'autre part, tu m'aimes... La condition indispensable à l'amour est une entière liberté... Es-tu libre, toi ? N'es-tu pas déchirée par la pensée que cet homme est toujours là comme une épine dans l'œil ? Un homme que tu n'aimes pas, que tu détestes peut-être, c'est fort naturel... Cela en second lieu... Et troisièmement... Qu'est-ce qu'il y a en troisième lieu ? Eh bien, voici... Nous le trompons et cela c'est... malhonnête. La vérité avant tout, Lisa. Loin de nous le mensonge !

— Eh bien, que faut-il faire ?

— Tu peux le deviner... Je trouve nécessaire, indispensable de lui faire connaître notre liaison, de le quitter, de vivre libre. Tout ça, nous devons le faire le plus rapidement possible... Par exemple, ce soir même, tu... t'expliqueras avec lui... Il est temps d'en finir... Tu n'en as pas assez de m'aimer à la sauvette ?

— M'expliquer ? Avec Vania ?

— Bien sûr !

— C'est impossible. Je t'ai déjà dit hier, Michel, que c'était impossible !

— Pourquoi donc ?

— Il se vexera, se mettra à crier et nous fera des ennuis de toutes sortes... Ne le connais-tu pas ? Dieu nous en préserve ! Il ne faut pas s'expliquer avec lui ! Quelle idée !

Grokholski se passa la main sur le front et soupira.

— Oui, dit-il. Il se sentira plus que vexé... Je lui prends son bonheur. Il t'aime ?

— Il m'aime. Beaucoup.

— Voilà une complication de plus. On ne sait par quel bout commencer. Lui cacher, c'est lâche, s'expliquer avec lui, c'est le tuer... Un comble ! Que faire alors ?

Il se plongea dans la réflexion. Son visage pâle prit une expression soucieuse.

— Restons toujours comme nous le sommes, dit Lisa. Qu'il l'apprenne lui-même s'il en a envie.

— Mais c'est un... c'est un péché et... En fin de compte, tu es à moi et personne n'a le droit de croire que tu appartiens à un autre que moi ! Tu es à moi ! Je ne te céderai à personne... J'ai pitié de lui, Dieu m'en est témoin, Lisa ! Je souffre quand je le vois ! Mais... mais que faire, enfin ? Toi, tu ne l'aimes pas ? Alors, pourquoi te sacrifier en restant avec lui ? Il faut s'expliquer ! Expliquons-nous avec lui, et tu viens chez moi. Tu es ma femme, pas la sienne. Qu'il se débrouille comme il peut ! D'une façon ou d'une autre, il arrivera à surmonter son chagrin... Il ne sera pas le premier à qui cela arrive, ni le dernier... Tu veux t'enfuir ? Hein ? Réponds vite ! Tu veux t'enfuir ?

Lisa se leva et examina Grokholski d'un regard interrogateur.

— M'enfuir ?

— Oui... Aller dans ma propriété... Puis, en Crimée... Nous nous expliquerons avec lui par écrit... On peut partir la nuit. Il y a un train à une heure et demie. Oui ? D'accord ?

Lisa se gratta paresseusement la racine du nez et réfléchit.

— Bien, dit-elle et... elle se mit à pleurer.

Des taches rouges se mirent à danser sur ses joues, ses yeux se gonflèrent et les larmes coulèrent sur sa frimousse de chatte.

— Qu'est-ce qui te prend ? fit Grokholski, alarmé. Lisa ! Qu'as-tu ? Dis ! Pourquoi pleures-tu ? Pourquoi donc ? Ma gentille ! Petite maman !

Lisa tendit les bras vers lui et s'accrocha à son cou. Elle sanglotait.

— Je le plains, marmotta-t-elle. Ah ! comme je le plains !

— Qui ?

— Va... Vania.

— Et moi, je ne le plains pas ? Mais que faire ? Nous allons lui causer du chagrin. Il souffrira, il nous maudira... Mais est-ce notre faute si nous nous aimons ?

En disant ces mots, il s'écarta de Lisa comme s'il était piqué par une guêpe, et s'assit dans un fauteuil. Lisa desserra son étreinte et, rapide, se laissa tomber en un clin d'œil sur le divan.

Tous deux rougirent jusqu'au sang, baissèrent les yeux et se mirent à tousser.

Un gaillard d'une trentaine d'années, grand et large d'épaules, vêtu d'un uniforme de fonctionnaire, pénétra dans le salon. Il était entré sans se faire remarquer. Seul le craquement d'une chaise heurtée au passage près de la porte avait averti les amants de son arrivée, les obligeant à se retourner. C'était le mari.

Ils l'avaient aperçu trop tard. Lui avait vu que Grokholski tenait Lisa par la taille, que celle-ci enlaçait le cou blanc et aristocratique du jeune homme.

« Il a vu », songèrent-ils en même temps, s'efforçant de cacher leurs bras lourds et leurs regards confus...

Le visage rose du mari stupéfait était devenu blême.

Un silence étrange, douloureux, un silence qui déchire le cœur, dura trois minutes. Oh ces trois minutes ! Grokholski s'en souvient encore aujourd'hui.

Le mari fut le premier à se déplacer, à rompre le silence. Il s'approcha de Grokholski en revêtant son visage d'une grimace absurde qui ressemblait à un sourire, il lui tendit la main. Grokholski serra légèrement cette main molle et humide, et tressaillit de tout son corps comme s'il avait écrasé dans son poing une grenouille glacée.

— Bonjour, marmotta-t-il.

— Vous allez bien ? fit le mari d'une voix rauque à peine perceptible, et il s'assit en face de Grokholski en ajustant son col...

Il se fit un nouveau silence angoissant. Mais ce n'était plus le silence stupide de tout à l'heure... La première crise, la plus pénible, la plus débilitante, était passée.

Il ne restait maintenant à l'un des deux qu'à s'en aller pour chercher des allumettes ou n'importe quoi d'aussi futile. Tous deux avaient envie de partir. Ils restaient assis et, sans se regarder, se tiraillaient la barbe et cherchaient dans leur cerveau excité le moyen de sortir de cette situation terriblement embarrassante. Tous deux étaient en sueur. Tous deux souffraient atrocement, tous deux étaient dévorés de haine. Ils avaient envie d'en venir aux mains... mais comment s'y prendre et qui devait commencer ? Si, au moins, Lisa pouvait se retirer !

— Je vous ai vu hier à la réception, bafouilla Bougrov (c'était le nom du mari).

— J'y étais... oui... Vous avez dansé ?

— Hum... Oui. Avec la... avec la plus jeune des Loukotski... Elle danse lourdement... Affreux ce qu'elle danse mal. Une bavarde comme on n'en fait pas. (Une pause.) Elle parle sans arrêt.

— Oui... on s'est ennuyé. Moi aussi, je vous ai aperçu...

Grokholski regarda par hasard Bougrov... Ses yeux rencontrèrent les yeux hagards du mari et il ne put le supporter. Il se leva rapidement, lui saisit rapidement la main, la serra, prit son chapeau et se dirigea vers la porte. Il lui semblait qu'un million d'yeux étaient fixés sur son dos. Un acteur qui est sifflé et quitte la scène, le fat qui vient de recevoir une taloche et bat en retraite sous l'escorte de la police éprouvent la même sensation.

Aussitôt que le bruit des pas de Grokholski se fut évanoui, que la porte du vestibule eut grincé, Bougrov se leva et, après avoir fait plus d'une fois le tour du salon, se dirigea vers sa femme. Le minois de chatte se contracta et les paupières se mirent à battre comme dans l'attente d'une chiquenaude. Le mari s'approcha de Lisa et, piétinant sa robe, heurtant ses genoux avec les siens, secoua, pâle et grimaçant, les bras, la tête et les épaules.

— Et toi, espèce de pourriture, dit-il d'une voix sourde et larmoyante, si tu le laisses entrer ici ne fût-ce qu'une fois, alors je te... Qu'il n'ose pas faire un pas ! Je le tuerai ! Compris ? Sale créature ! Tu trembles ! Sale... té !

Il la prit par le coude, la secoua et la jeta comme un ballon de caoutchouc vers la fenêtre.

— Saleté ! Putain ! Tu n'as pas honte ?

Elle traversa la pièce sans presque toucher le sol du pied et se cramponna aux rideaux.

— Silence ! lança l'époux en s'approchant d'elle et, les yeux brillants, il tapa du pied.

Elle se tut. Les yeux fixés sur le plafond, elle sanglotait comme une petite fille repentante qu'on s'apprête à punir.

— Voilà ce que tu es ? Hein ? Avec ce freluquet ? C'est du beau ! Qui est passé devant l'autel ? Qui ? Elle est bonne, l'épouse et la mère ! Silence !

Il la frappa sur l'épaule, jolie et fragile.

— Silence ! Gueuse ! Tu auras mieux que ça ! Pour peu que ce coquin ose paraître ici encore une seule fois, si une seule fois encore — écoute bien ! — je t'aperçois avec ce salaud, alors ne demande pas grâce. J'irai en Sibérie, mais je te tuerai ! Lui aussi ! Sans regret ! Fiche le camp ! Je ne veux pas te voir !

Bougrov s'essuya le front et les yeux avec sa manche et se mit à déambuler à travers le salon ; pleurant de plus en plus fort, Lisa, dont les épaules et le petit nez retroussé tremblotaient, se mit à examiner la dentelle des rideaux.

— Tu t'amuses ! s'écria l'époux. La sotte a la tête remplie de sottises ! Rien que des caprices ! Avec moi, Lisavéta, ça ne marche plus ! Pas question ! Je n'aime pas ça ! Si tu veux faire des cochonneries... ouste ! Il n'y a pas de place pour toi dans ma maison ! File !... Tu t'es mariée, n'y pense donc plus, sors ces gandins de ta mauvaise tête. Toujours à faire des bêtises. Que ça ne se répète plus. Essaie de dire un mot ! Aime ton mari ! Tu es à lui, c'est lui que tu dois aimer ! C'est comme ça ! Tu n'en as pas assez d'un ? Décampe, sinon... Bourreaux !

Il demeura silencieux avant de s'écrier :

— File, on te dit ! Va dans la chambre d'enfants. Qu'est-ce que tu as à chialer ? C'est de ta faute et tu chiales ! Quelle créature ! L'année dernière, tu courais après Petka Tochkov et maintenant tu t'es accrochée à cette espèce de démon, que Dieu me pardonne... Pouah ! Il est temps que tu comprennes ton devoir ! Une épouse ! Une mère ! L'année dernière, ça a fait des embêtements, maintenant ce sera pareil ! Pouah !

Bougrov soupira bruyamment et des relents de xérès se répandirent dans l'air. Il revenait d'un dîner et était légèrement ivre.

— Tu n'as pas conscience de tes devoirs ? Non !... Faut vous les apprendre ! Vous êtes encore des ignorants !

Vos mères sont des traînées et vous... Pleure donc ! Oui ! Pleure !

Il s'approcha et retira le rideau des mains de sa femme.

— Ne reste pas à côté de la fenêtre... Les gens te voient qui pleures... Que ça ne se renouvelle pas. Les baisers te conduiront à ta perte. Tu vas tomber dedans. Tu crois que ça me fait plaisir de porter des cornes ? Tu m'en feras porter si tu cours avec des propres à rien... Allons, ça suffit... Une autre fois, tu... fais attention... car je... Lisa... finis...

Il poussa un soupir et enveloppa Lisa de relents de xérès.

— Tu es jeune et sotte, tu ne comprends rien... Je ne suis jamais à la maison... Alors, ils en profitent. Il faut être intelligente, avisée ! Ils te rouleront ! Je ne le supporterais pas... Alors moi, fini... Terminé ! Si c'est comme ça, tu n'as qu'à rendre l'âme. S'il y a trahison, je... je suis capable de tout. Je peux te battre à mort... et te chasser. Va donc retrouver tes coquins.

De sa grosse main molle *(horribile dictu)*, Bougrov essuya le visage humide de larmes de Lisa la dévergondée. Il traitait sa femme âgée de vingt ans comme une enfant.

— Allons, finissons-en... Je te pardonne, mais à condition que la prochaine fois... rien du tout... Je te pardonne pour la cinquième fois, quant à la sixième, je ne te pardonnerai pas. C'est juré. Le bon Dieu lui-même ne peut pas pardonner ce genre de choses.

Il se pencha et tendit ses lèvres luisantes vers la tête de Lisa.

Mais il ne réussit pas à l'embrasser...

Les portes du vestibule, de la salle à manger, de la salle, du salon, claquèrent avec fracas, et Grokholski fit irruption comme un ouragan. Il était pâle et tremblait. De ses mains qu'il agitait, il pétrissait son luxueux chapeau. Une redingote flottait sur ses épaules comme sur un portemanteau. Il personnifiait l'idée d'une fièvre violente. En l'apercevant, le mari s'éloigna de sa femme et se mit à regarder par une autre fenêtre. Grokholski s'élança vers lui et dit d'une voix tremblante en gesticulant, respirant avec difficulté et sans regarder personne :

— Ivan Pétrovitch ! Cessons de nous jouer la comédie l'un à l'autre ! Nous nous sommes assez menti ! Assez ! Je n'en peux plus ! Faites ce que vous voudrez, moi, je ne peux pas. En fin de compte, c'est dégoûtant et lâche ! C'est révoltant ! Tâchez de comprendre que c'est révoltant !

Hors d'haleine, Grokholski parlait d'une voix entrecoupée :

— Ce n'est pas dans mes principes. Vous aussi, vous êtes un homme honnête. Je l'aime ! Je l'aime plus que tout au monde ! Vous l'avez remarqué et... il est de mon devoir de vous le dire !

« Que faut-il répondre ? » songea le mari.

— Il faut en finir. Cette comédie ne peut plus traîner sans fin. Nous devons trouver une solution.

Grokholski aspira une grosse bouffée d'air et continua :

— Je ne peux pas vivre sans elle. Elle non plus. Vous êtes un homme cultivé, vous comprendrez que dans de telles conditions votre vie conjugale est impossible. Cette femme n'est pas à vous. Eh, oui... En un mot, je vous prie d'envisager ce problème d'une façon indulgente, d'une façon humaine. Ivan Pétrovitch ! Comprenez donc enfin : je l'aime, je l'aime plus que moi-même, plus que tout au monde et je n'ai pas la force de résister à cet amour !

— Et elle ? demanda le mari sur un ton bourru et quelque peu ironique.

— Interrogez-la ! C'est tout, interrogez-la ! Vivre avec un homme sans l'aimer, vivre avec vous en aimant un autre, c'est... c'est un calvaire !

— Et elle ? répéta Bougrov d'une voix qui n'était plus ironique.

— Elle... elle m'aime ! Nous nous aimons l'un l'autre... Ivan Pétrovitch ! Tuez-nous, méprisez-nous, poursuivez-nous, faites ce que vous voudrez... mais nous n'avons plus la force de vous cacher la vérité ! Nous sommes à cœur ouvert ! Jugez-nous tous les deux avec toute la sévérité d'un homme que nous... que le destin a privé de son bonheur !

Bougrov rougit comme une écrevisse trop longtemps cuite et regarda Lisa de côté. Il cligna les yeux. Ses doigts, ses lèvres, ses paupières se mirent à trembler. Le pauvre ! Le regard de Lisa, qui pleurait, lui prouvait que Grokholski avait raison, que c'était sérieux...

— Eh bien, alors ? marmotta-t-il. Si vous... Par les temps qui courent... Vous avez tout... en quelque sorte...

— Dieu m'est témoin, hurla Grokholski d'une voix de ténor aiguë, que nous vous comprenons ! Comme si nous ne comprenions pas, ne sentions pas ? Je sais quelle douleur je vous cause ! Dieu m'est témoin ! Mais soyez indulgent ! Je vous en supplie ! Nous ne sommes pas fautifs ! L'amour n'est pas une faute. Aucune volonté ne peut lui résister... Donnez-la-moi, Ivan Pétrovitch. Laissez-la partir avec moi ! Exigez ce que vous voudrez en échange de votre souffrance, prenez ma vie mais donnez-moi Lisa ! Je suis prêt à tout... Dites-moi comment, ne serait-ce que dans une faible mesure, je pourrais m'acquitter envers vous ! En échange de ce bonheur perdu, je peux vous en donner un autre ! Je le peux, Ivan Pétrovitch ! Je suis prêt à tout ! Ce serait une bassesse de ma part que de vous laisser insatisfait... Je vous comprends en cet instant même.

Le mari fit un geste comme pour dire : « Partez pour l'amour de Dieu ! » Une humidité traîtresse lui embuait les yeux... A présent, cela deviendrait visible qu'il était pleurnichard.

— Je vous comprends, Ivan Pétrovitch. Je vous procurerai un bonheur que vous n'avez jamais éprouvé. Que désirez-vous ? Je suis riche, je suis fils d'un homme influent... Vous acceptez ? Combien voulez-vous ?

Le cœur du mari se mit soudain à battre violemment... Il se cramponna des deux mains aux rideaux de la fenêtre.

— Voulez-vous... cinquante mille ? Ivan Pétrovitch, je vous en supplie... Ce n'est pas de la corruption, ce n'est pas un achat... Je voudrais compenser, ne fût-ce qu'un peu, par un sacrifice la perte incommensurable que vous faites. Voulez-vous cent mille ? Je suis d'accord. Voulez-vous cent mille ?

Grands dieux ! Deux énormes marteaux s'abattaient sur les tempes en sueur du malheureux Bougrov... Ses oreilles carillonnaient comme les clochettes d'une troïka russe.

— Acceptez ce sacrifice de ma part ! poursuivit Grokholski. Je vous en supplie ! Vous m'enlèverez un poids de la conscience. Je vous en prie !

Mon Dieu ! Derrière la fenêtre que Bougrov fixait d'un regard humide, sur la chaussée lavée par une légère averse printanière, passa une élégante voiture à quatre places. Les chevaux étaient rapides, fougueux, brillants, séduisants. A l'intérieur de la voiture avaient pris place des gens à l'air satisfait, coiffés d'un chapeau de paille et munis de longues cannes à pêche et de filets. Un lycéen en casquette blanche tenait à la main un fusil. Ils se rendaient à la campagne où ils allaient pêcher, chasser et boire du thé en plein air. Ils se dirigeaient vers ces lieux bénis où jadis le jeune Bougrov, fils d'un diacre de campagne, parcourait, pieds nus, brûlé de soleil et mille fois fortuné, les champs, les bois et les berges. Oh, que le mois de mai est tentant ! Qu'ils sont heureux ceux qui, ayant enlevé leur pesant uniforme, peuvent s'installer dans une voiture, s'élancer à travers les champs qui respirent l'odeur du foin coupé et où l'on entend le cri de la caille. Bougrov sentit son cœur se remplir d'une fraîcheur plaisante... Cent mille ! A la suite de la calèche, les rêves intimes de Bougrov prirent leur vol, rêves dont il aimait se délecter au cours de sa petite existence de fonctionnaire, enfermé dans des locaux administratifs ou dans son minable bureau... Une rivière profonde et poissonneuse, un vaste jardin aux allées étroites, aux petits jets d'eau, aux ombrages, aux fleurs, aux kiosques, une magnifique villa avec des terrasses et une tour, une harpe éolienne et des clochettes d'argent !... (Il avait appris l'existence de ces harpes dans des romans allemands.) Un ciel bleu et serein, un air transparent et pur, plein de parfums qui lui rappelaient son enfance de va-nu-pieds, affamé et maltraité... Se lever à cinq heures, se coucher à neuf ; dans la journée, pêcher, chasser, bavarder avec des paysans... Quel plaisir !

— Ivan Pétrovitch ! Ne me tourmentez pas ! Vous voulez cent mille ?

— Hum... Cent cinquante mille ! dit Bougrov d'une voix sourde, la voix d'un taureau enroué, et il se pencha, honteux de ses paroles, en attendant la réponse.

— Bien ! dit Grokholski. Entendu ! Merci, Ivan Pétrovitch... Tout de suite, je... Je ne vous ferai pas attendre...

Il se leva, mit son chapeau et se précipita à reculons hors de la pièce.

Le mari s'agrippa plus encore aux rideaux de la fenêtre. Il avait honte. La bassesse, la sottise de tout ce qui venait de se passer n'empêchait pas les rêves beaux et brillants de naître entre ses tempes battantes. Il était riche !

Lisa, qui n'avait rien compris et qui avait peur de voir son mari approcher et la rejeter de côté, se glissa toute tremblante par la porte entrouverte. Elle alla dans la chambre d'enfants, se coucha sur le lit de la nourrice et se plia en chien de fusil. Elle était secouée par des frissons.

Le mari resta seul. Il étouffait et ouvrit la fenêtre. Un merveilleux souffle d'air lui effleura le visage et le cou. Ce serait bon de le respirer, étalé sur les coussins d'une voiture... Là-bas, loin de la ville, du côté des villages et des villas, l'air est encore meilleur... Bougrov sourit même en pensant à la fraîcheur qui l'entourerait quand il sortirait sur la terrasse de sa villa pour admirer le paysage... Il rêva longtemps. Le soleil était déjà couché, mais il rêvait encore, essayant de toutes ses forces de chasser de son esprit l'image de Lisa qui l'accompagnait pas à pas dans tous ses songes.

— Je les ai apportés, Ivan Pétrovitch, murmura à son oreille Grokholski qui était revenu. Je les ai apportés... Recevez... Voilà, dans cette liasse, il y a quarante mille. Avec cette lettre, veuillez toucher après-demain vingt mille chez Valentinov... Voici une traite... Un chèque... Les trente mille qui restent, dans quelques jours. Mon intendant vous les apportera.

Rouge, excité, gesticulant de tous ses membres, Grokholski étala devant Ivan Pétrovitch des liasses, des papiers, des coupures. Cela faisait un grand paquet multicolore, bariolé. De sa vie, Bougrov n'avait vu richesse pareille. Il écarta ses gros doigts et, sans regarder son interlocuteur, se mit à remuer les liasses et les traites...

Tout l'argent remis, Grokholski parcourut la pièce à petits pas, en quête de la dulcinée vendue et achetée.

Son portefeuille et ses poches remplies, Bougrov cacha les traites dans le tiroir de la table et, après avoir vidé la moitié d'une carafe d'eau, s'élança dans la rue.

— Cocher ! cria-t-il d'une voix sauvage.

Le soir, vers onze heures et demie, sa voiture s'arrêtait devant l'entrée de l'*Hôtel de Paris*. Il monta bruyamment les escaliers et frappa à la porte de la chambre qu'habitait Grokholski. On le fit entrer. Le jeune homme faisait sa valise. Assise près d'une table, Lisa essayait des bracelets. En apercevant Bougrov, ils eurent peur tous les deux. Il leur sembla qu'il était venu chercher sa femme et rapporter l'argent qu'il avait pris à la légère, sur un coup de tête. Mais il ne venait pas chercher Lisa. Gêné par ses vêtements neufs et se sentant terriblement mal à l'aise, il s'inclina et resta sur le seuil dans une attitude de valet... Sa nouvelle tenue était magnifique. Il était méconnaissable. Un complet à la dernière mode, neuf, en lainage français, sortant tout droit de chez le tailleur, moulait son corps puissant qui jusqu'alors n'avait été revêtu que d'un uniforme ordinaire. A ses pieds brillaient des souliers aux boucles étincelantes. Il se tenait debout, cachant de sa main droite les breloques qu'il avait payées une heure auparavant trois cents roubles.

— Voilà à quel sujet je viens..., débuta-t-il. Les accords valent mieux que l'argent. Vous n'aurez pas le petit Micha...

— Quel Micha ? demanda Grokholski.

— Mon fils.

Grokholski et Lisa échangèrent un regard. Les yeux de la jeune femme se gonflèrent de larmes, le rouge lui monta aux joues, ses lèvres se mirent à trembler...

— Bien, dit-elle.

Elle pensa au petit lit tiède de son fils. Il eût été cruel de le remplacer par un divan froid de chambre d'hôtel. Elle consentit.

— Je continuerai à le voir, dit-elle.

Bougrov s'inclina, sortit et dévala les marches, être brillant qui fendait l'air de sa canne coûteuse.

— A la maison, dit-il au cocher. Demain matin, à cinq heures, je pars... Viens me chercher. Si je dors, réveille-moi. Nous irons à la campagne...

II

C'était une belle soirée d'août. Le soleil teinté de pourpre et bordé d'un fond doré se tenait au-dessus de l'horizon, prêt à disparaître derrière les collines lointaines. Ombres et pénombres avaient déjà fui les jardins, l'air se faisait humide, mais les cimes des arbres s'habillaient encore de dorures. Il faisait doux. Une pluie récente avait rafraîchi encore davantage l'air naturellement frais, clair et parfumé.

Je ne décris pas le mois d'août de la capitale, brumeux, pleureur, sombre, avec des aubes froides et humides à l'extrême. Dieu m'en préserve ! Ce n'est pas notre mois d'août nordique et rude que je décris. Je prie mon lecteur de se transporter en Crimée, sur une des plages, près de Théodosia, à l'endroit même où se trouve la villa d'un de mes héros. C'est une jolie villa, bien entretenue, entourée de massifs de fleurs et de buissons taillés. Derrière, à cent mètres environ, fleurit un verger qui sert de promenade aux estivants... Cette maison coûte cher à Grokholski : mille roubles par an, dit-on... Elle ne les vaut pas, mais elle est bien belle... Haute, fine, aux murs légers et aux balustrades très fines, fragile, délicate, peinte en bleu ciel, ornée de rideaux, de portières, de draperies, elle fait songer à une charmante et frêle demoiselle vêtue de mousseline.

Ce soir-là, Grokholski et Lisa étaient installés sur la terrasse. Lui lisait *Le Temps nouveau* en buvant du lait dans un gobelet vert. A portée de sa main, sur la table, se trouvait une bouteille d'eau de Seltz. Il s'imaginait malade d'un catarrhe des poumons et absorbait sur les conseils du docteur Dmitriev de grandes quantités d'eau de Seltz et de lait. Lisa était assise loin de la table, dans un fauteuil moelleux. Accoudée à la balustrade, son petit visage appuyé sur les poings, elle regardait la villa d'en face... Le soleil se reflétait dans les fenêtres. Les vitres flamboyantes éblouissaient Lisa... Derrière le jardin et les rares arbres disposés autour de la maison, on apercevait la mer avec ses vagues, son azur, son infini et ses voiles blanches... Il faisait si bon ! Grokholski lisait un feuilleton signé « l'Inconnu » et, toutes les dix lignes, levait sur le dos de Lisa ses yeux bleus. Ils exprimaient son vieil amour, passionné et ardent... Malgré son catarrhe imaginaire, il était infiniment heureux... Lisa, qui sentait son regard, songeait à l'avenir brillant de son petit Michel et savourait de tout son être la tranquillité et la douceur de vivre.

Elle ne s'intéressait pas autant à la mer, ni à l'éclat aveuglant des vitres de la villa voisine qu'aux voitures de déménagement qui s'y dirigeaient l'une après l'autre. Elles étaient chargées de meubles et d'ustensiles de ménage. Lisa observa le portail grillagé et les grandes portes vitrées de la maison qui s'étaient ouverts et les déménageurs qui s'affairèrent autour du mobilier en échangeant des jurons sans fin. On transporta à l'intérieur de grands fauteuils, un divan recouvert de velours rouge foncé, des tables destinées aux salons et à la salle à manger, un lit à deux places, un lit d'enfant... Il y avait encore quelque chose d'énorme, de lourd, recouvert d'une bâche...

Un piano, pensa Lisa, et son cœur se mit à battre.

Elle n'avait pas entendu depuis longtemps jouer de cet instrument et pourtant elle l'aimait tellement. Dans leur villa, il n'y avait rien pour faire de la musique. Grokholski et elle n'étaient musiciens que dans l'âme, sans plus.

Après le piano, on transporta encore un grand nombre de caisses et de gros paquets avec la mention « fragile ».

C'était de la vaisselle et des glaces. Une riche calèche étincelante passa à travers le portail, suivie de deux chevaux blancs qui ressemblaient à des cygnes.

Mon Dieu ! Quelle opulence ! songea Lisa, pensant à son vieux poney que Grokholski, qui n'aimait ni les voitures ni les chevaux, avait acheté pour cent roubles. A côté de ces chevaux blancs comme des cygnes, le poney lui sembla pareil à une punaise. Grokholski, qui redoutait les chevauchées rapides, avait acheté exprès un mauvais cheval.

— Quelle opulence ! murmurait Lisa en regardant les bruyants déménageurs.

Le soleil s'était caché derrière les collines, l'air avait commencé à perdre sa transparence et sa richesse, et pourtant on amenait et on transportait toujours le mobilier. Enfin, la nuit devint si sombre que Grokholski s'arrêta de lire les journaux, mais Lisa regardait, regardait toujours.

— On allume la lampe ? demanda-t-il, craignant qu'une mouche ne tombât dans le lait, mouche qu'il risquait d'avaler à cause de l'obscurité... Lisa ! On allume la lampe ? Ou bien reste-t-on dans l'obscurité, mon ange ?

La jeune femme ne répondit pas. Elle s'intéressait au tilbury qui s'était approché du portail de la villa voisine... Quel joli petit cheval y était attelé ! De taille moyenne, fin, gracieux... Un monsieur en haut-de-forme occupait la voiture.

Il tenait sur ses genoux un enfant de trois ans, sans doute un petit garçon. L'enfant battait des mains et poussait des petits cris d'émerveillement...

Subitement, Lisa laissa échapper un cri perçant, se leva et se jeta contre la balustrade.

— Qu'as-tu ? demanda Grokholski.

— Rien... Je n'ai rien... Il m'avait semblé...

Le grand monsieur aux larges épaules, en chapeau haut de forme, sauta à terre, saisit l'enfant dans ses bras et courut en gambadant vers la porte vitrée.

Elle s'ouvrit dans un vacarme et l'homme disparut dans la villa ténébreuse.

Deux larbins se précipitèrent vers le cheval et la voiture qu'ils guidèrent respectueusement à travers le portail. Bientôt les lumières s'éclairèrent dans la villa d'en face et des bruits de vaisselle, de couteaux et de fourchettes se firent entendre. Le monsieur en haut-de-forme dînait et, à en juger par la durée du tintement de la vaisselle, son repas se prolongeait. Lisa crut sentir l'odeur du bouillon de poulet et du canard rôti. Après le repas, elle entendit les sons discordants du piano. Selon toute vraisemblance, le monsieur en haut-de-forme avait envie d'amuser l'enfant et lui avait permis de taper sur le clavier.

Grokholski s'approcha de Lisa qu'il prit par la taille.

— Quel temps admirable ! dit-il. Quel air ! Sens-tu ? Je suis heureux, Lisa... même très heureux. Mon bonheur est si grand que j'ai peur qu'il ne s'effondre... Ce sont généralement les grandes choses qui s'effondrent... Mais sais-tu ? Malgré tout mon bonheur, je ne suis pas absolument... tranquille... Une obsédante pensée me torture... Elle me fait souffrir horriblement. Elle ne me laisse de paix ni jour ni nuit...

— Quelle pensée ?

— Laquelle ? Une pensée terrible, mon âme. Ce qui me tourmente, c'est le souvenir de ton mari. Je me suis tu jusqu'à présent craignant de troubler ta quiétude. Je n'ai plus la force de me taire. Où est-il ? Qu'est-il devenu ? Où est-il allé avec son argent ? C'est affreux ! Je m'imagine toutes les nuits son visage blême, douloureux, implorant. Réfléchis donc, mon ange ! Nous lui avons enlevé son bonheur ! Nous l'avons détruit, écrasé ! Nous avons construit notre bonheur sur les ruines du sien... L'argent qu'il a eu la générosité d'accepter, peut-il te remplacer pour lui ? Il t'aimait beaucoup, n'est-ce pas ?

— Beaucoup !

— Alors, tu vois ? Ou bien il s'est mis maintenant à boire, ou bien... J'ai peur pour lui ! Ah, comme j'ai peur ! Il faudrait peut-être lui écrire ? Il faut le consoler... Une bonne parole, tu sais...

Il soupira profondément, hocha la tête et, anéanti par une pénible pensée, se laissa tomber dans un fauteuil. La tête appuyée sur la main, il se mit à réfléchir. A en juger par son visage, ses méditations étaient douloureuses.

— Je vais aller me coucher, dit Lisa. C'est l'heure...

Elle gagna sa chambre, se dévêtit et se glissa sous les couvertures. Elle se couchait à dix heures du soir et se levait à dix heures du matin. Elle aimait à faire la sybarite.

Morphée la prit rapidement dans ses bras. Toute la nuit, elle eut les rêves les plus enchanteurs... De vrais romans, des nouvelles, des contes arabes... Le héros de tous ces songes était... le monsieur en haut-de-forme qui, la veille au soir, lui avait arraché un cri.

Le monsieur en haut-de-forme l'enlevait à Gro-kholski, chantait, les battait elle et son ami, fouettait sous sa fenêtre le petit garçon, lui faisait une déclaration d'amour, la promenait dans le tilbury. Ah, les rêves ! En une nuit, il arrive parfois que, les yeux clos et le corps allongé, on vive plus d'une dizaine d'années de bon-heur... Cette nuit-là, Lisa vécut très longuement, très heureusement, en dépit des coups reçus.

Elle s'éveilla avant huit heures, enfila une robe, arran-gea rapidement ses cheveux et, sans même chausser ses babouches tartares à bouts pointus, s'élança en toute hâte sur la terrasse. Protégeant d'une main ses yeux contre le soleil, retenant de l'autre son vêtement qui glissait, elle regarda la villa d'en face... Son visage s'illumina.

Plus de doute. C'était lui.

Sur la terrasse de la villa d'en face, le couvert était mis devant la porte vitrée. Un service à thé étincelant voisi-nait avec un petit samovar d'argent. Ivan Pétrovitch y était installé. Il tenait un verre à pied d'argent et prenait son thé de bon appétit. On pouvait s'en apercevoir car le claquement de ses lèvres parvenait jusqu'à l'oreille de Lisa. Ivan Pétrovitch portait une robe de chambre mar-ron à fleurs noires dont les énormes glands pendaient jusqu'à terre. C'était la première fois de sa vie que Lisa voyait son mari revêtu d'une robe de chambre aussi coû-teuse... Le petit Michoutka était assis sur l'un des genoux de son père et l'empêchait de boire du thé. Il sautillait en essayant d'attraper la lèvre grasse de son papa. Après trois ou quatre bouchées, le papa se penchait sur l'enfant et l'embrassait sur la tempe. Un chat gris, la queue dressée en l'air, se frottait à un des pieds de la table, exprimant d'un miaulement plaintif son envie de manger.

Lisa se cacha derrière une tenture et couva des yeux les membres de son ancienne famille. La joie illumina son visage.

— Michel ! murmura-t-elle. Micha ! Tu es là, Micha ! Mon trésor. Comme il aime Ivan ! Seigneur !

Et elle éclata de rire quand Michel remua avec une cuillère le thé de son père.

— Comme Ivan l'aime ! Mes chéris !

La joie, le bonheur lui faisaient battre le cœur et tourner la tête. Elle se laissa tomber dans un fauteuil et se remit à ses observations.

« Comment sont-ils tombés ici ? se demandait-elle en envoyant des baisers aériens à Michoutka. Qui leur a donné le bon conseil de venir ? Mon Dieu ! Est-il possible que toutes ces richesses leur appartiennent ? Les chevaux blancs comme des cygnes qu'on a amenés hier par le grand portail, sont-ils à Ivan ? Ah ! »

Après le thé, Bougrov rentra dans la maison.

Au bout de dix minutes, il apparut sur le perron et... stupéfia Lisa. Ce jeune homme que, depuis sept ans à peine, on avait cessé d'appeler Vania ou Vaniouchka, qui, pour vingt kopecks, était prêt à casser la figure à n'importe qui et à mettre la maison sens dessus dessous, était maintenant vêtu diablement bien. Il portait un chapeau de paille à large bord, de magnifiques bottes étincelantes, un gilet de piqué. Mille soleils grands et petits brillaient dans ses breloques. Il tenait élégamment dans sa main droite une paire de gants et un stick.

Que d'arrogance et de vanité dans sa pesante silhouette quand, d'un geste gracieux, il ordonna au laquais de faire avancer le cheval.

Il s'assit dans le tilbury d'un air important et demanda aux domestiques qui entouraient la voiture de lui passer Michel et les cannes à pêche qu'ils tenaient. L'enfant à côté de lui, il l'entoura de son bras gauche, tira sur les guides et démarra.

— Hue ! hue ! cria Michoutka.

Sans s'en apercevoir, Lisa agita son mouchoir en signe d'adieu. Si elle s'était regardée dans un miroir, elle aurait vu un visage rougi par l'émotion, souriant et en même temps couvert de larmes. Elle était dépitée de ne pas se trouver près de Michel qui avait l'air triomphant et de ne pouvoir — pourquoi donc ? — l'embrasser tout de suite.

Pourquoi donc ? Trêve de sentiments délicats !

— Gricha ! Gricha ! cria Lisa en entrant précipitamment dans la chambre pour réveiller Grokholski. Lève-toi ! Ils sont arrivés ! Mon chéri !

— Qui est arrivé ? demanda-t-il en s'éveillant.

— Les nôtres... Vania et Micha. Ils sont arrivés ! Dans la villa qui est en face... Je regarde, et ils y sont... Ils prenaient du thé... Micha aussi... Si tu voyais quel petit ange il est devenu, notre Michel ! Sainte Mère de Dieu !

— Qui ? Mais tu es... Qui est venu ? Où ?

— Vania et Micha... Je regarde la villa qui est en face et ils y sont assis en train de boire du thé. Le petit sait boire tout seul. Tu t'es aperçu hier du déménagement ? C'étaient eux !

Grokholski se rembrunit, se frotta le front et pâlit.

— Il est là ? Ton mari ? demanda-t-il.

— Mais oui...

— Pour quoi faire ?

— Ils vont sans doute vivre ici... Ils ne savent pas que nous sommes là. S'ils l'avaient su, ils auraient regardé de notre côté, au lieu de boire du thé et... ne prêter aucune attention...

— Où est-il maintenant ? Pour l'amour de Dieu, exprime-toi clairement ! Ah ! Voyons, où est-il ?

— Il est allé à la pêche avec Micha... En tilbury. As-tu vu hier les chevaux ? Ce sont leurs chevaux... Ceux de Vania... Il les conduit. Sais-tu, Gricha ? Nous allons inviter le petit chez nous... Nous l'inviterons, n'est-ce pas ? C'est un si joli petit garçon ! Il est adorable !

Grokholski s'était mis à réfléchir pendant que Lisa parlait, parlait...

— Quelle rencontre inattendue, dit-il après une méditation qui avait été longue et douloureuse comme d'habitude. Qui pouvait s'attendre à cette rencontre ici ? Eh bien... tant pis... Soit. Le sort en a donc décidé ainsi. J'imagine son embarras quand il nous verra !

— Allons-nous inviter Micha ?

— Micha, oui, nous l'inviterons... C'est avec l'autre que la rencontre sera gênante... De quoi pourrais-je parler avec lui ? De quoi ? Ce sera gênant pour lui et gênant pour moi... Il vaut mieux ne pas se voir. Si c'est nécessaire, nous conduirons les pourparlers par l'entremise des domestiques... Ma petite Lisa, j'ai tellement mal à la tête... aux bras, aux jambes... Des courbatures partout. Est-ce que j'ai la tête brûlante ?

Elle passa la paume de la main sur son front et le trouva brûlant.

— J'ai fait des rêves affreux toute la nuit... Je ne me lèverai pas aujourd'hui, je resterai couché… Il faut que je prenne de la quinine. Fais-moi servir le thé ici, mon amour...

Il prit de la quinine et passa toute la journée allongé sur son lit. Il buvait de l'eau chaude, gémissait, changeait de linge, geignait et accablait son entourage d'un ennui mortel. Quand il s'imaginait avoir pris froid, il devenait insupportable. Lisa était sans cesse obligée d'interrompre ses observations intéressantes pour courir de la terrasse à la chambre de Grokholski. A l'heure du déjeuner, elle dut lui appliquer un cataplasme ! Quel ennui que tout cela, lecteur, si la villa d'en face n'était venue à l'aide de mon héroïne... Elle ne la quitta pas du regard toute la journée et exultait de joie.

A dix heures, Ivan Pétrovitch et Michoutka, de retour de la pêche, déjeunèrent. A deux heures, ils dînèrent pour partir en calèche vers quatre heures. Les chevaux blancs les emportèrent avec la vitesse de l'éclair. A sept heures, ils reçurent des visiteurs, des hommes. On dressa deux tables sur la terrasse, et la partie de cartes dura jusqu'à minuit. Un des invités joua fort bien du piano. Les invités jouaient, buvaient, mangeaient, s'amusaient. Ivan Pétrovitch raconta, riant à gorge déployée, une histoire arménienne ; sa voix était si sonore qu'on l'entendait dans toutes les villas avoisinantes. On s'amusait beaucoup ! Michoutka resta levé jusqu'à minuit.

« Le petit est joyeux, il ne pleure pas, songea Lisa, il ne se souvient pas de sa maman. Il m'a donc oubliée ! »

Son cœur s'emplit d'une profonde amertume. Elle pleura toute la nuit. Elle se sentait torturée et par sa petite conscience, et par le dépit, et par l'angoisse, et par le désir passionné de parler à l'enfant, de l'embrasser. Le matin, elle se leva, la tête douloureuse et les yeux rougis par les larmes. Grokholski crut en être la cause.

— Ne pleure pas, ma chérie ! lui dit-il. Je suis déjà guéri... La poitrine me fait encore un peu mal mais ce n'est rien.

A l'heure où ils buvaient du thé, on déjeunait dans la villa en face. Ivan Pétrovitch contemplait son assiette et ne voyait rien sauf un morceau d'oie suintant de graisse.

— Je suis très content, murmura Grokholski, jetant un coup d'œil à Bougrov. Très content qu'il vive confortablement. Puisse une ambiance convenable assoupir son chagrin. Cache-toi, Lisa ! Ils vont te voir... Je ne suis pas disposé à lui parler en ce moment... Que Dieu le garde ! A quoi bon troubler sa quiétude ?

En revanche, le dîner ne se passa pas aussi paisiblement. C'est pendant le repas que se produisit la « situation gênante » dont Grokholski avait eu peur. Au moment où l'on servait des perdrix, le plat préféré de Grokholski, Lisa se troubla soudain et son compagnon se mit à s'essuyer le visage avec sa serviette. Ils avaient aperçu Bougrov sur la terrasse de la villa d'en face.

Debout, appuyé à la balustrade, les yeux écarquillés, il attachait ses regards sur eux.

— Sors, Lisa... Sors..., murmura Grokholski. Je disais bien qu'il fallait dîner à l'intérieur ! Tu es, vraiment...

Après les avoir bien regardés, Bougrov se mit à crier. Grokholski l'examina et s'aperçut qu'il avait l'air très surpris.

— C'est vous ? lança Bougrov. Vous ? Vous êtes là, vous aussi ? Bonjour !

Grokholski passa les doigts sur sa poitrine pour expliquer qu'il ne pouvait crier à une telle distance. Le cœur de la jeune femme se mit à battre très fort, elle voyait trouble... Bougrov quitta sa terrasse en courant, traversa le chemin et, quelques instants plus tard, se trouvait au pied de celle où dînaient Grokholski et Lisa. Adieu, les perdrix !

— Bonjour, dit-il, rougissant et fourrant ses grosses mains dans ses poches. Vous êtes là ? Vous aussi, vous êtes là ?

— Oui, nous aussi, nous sommes là...

— Comment ça se fait ?

— Et vous ?

— Moi ? C'est toute une histoire ! Un vrai poème, mon cher ! Ne vous dérangez pas, mangez ! Je vivais, savez-vous, depuis que... dans le département d'Orlov. J'y avais loué un petit domaine. Un joli domaine ! Mais mangez donc ! J'y vivais depuis la fin mai et maintenant, je suis parti... Il faisait froid et en plus le docteur m'a conseillé d'aller en Crimée...

— Seriez-vous malade ? demanda Grokholski.

— C'est comme si... on dirait que là... quelque chose qui bouillonne...

En disant « là », Ivan Pétrovitch se passa la main du cou jusqu'à la moitié du ventre.

— Vous aussi, vous êtes ici... Bon... C'est très agréable ! Il y a longtemps ?

— Depuis juin.

— Et toi, Lisa, comment vas-tu ? Tu te portes bien ?

— Oui, répondit-elle, confuse.

— Tu dois t'ennuyer de Michoutka, hein ? Il est ici, avec moi... Je vous l'enverrai tout à l'heure avec Nikifor. C'est très agréable ! Eh bien, au revoir ! Je dois partir à présent... Hier, j'ai fait la connaissance du prince Tez-Gaïmasov... Un brave type, bien qu'il soit arménien ! Aujourd'hui, on joue au croquet chez lui... Nous allons faire une partie... Au revoir ! Mon cheval est déjà prêt...

Il tourna sur place, secoua la tête, fit adieu de la main et courut chez lui.

— Le malheureux ! dit Grokholski en le suivant des yeux et poussant un profond soupir.

— En quoi est-il malheureux ?

— Te voir sans avoir le droit de t'appeler sa femme !

« Imbécile ! osa songer Lisa. Chiffe ! »

Dans l'après-midi, elle serrait dans ses bras et embrassait l'enfant amené par Nikifor. Michoutka avait commencé par pleurer mais quand on lui offrit de la confiture de cornouilles, il sourit amicalement.

Les trois jours suivants, Grokholski et Lisa ne virent pas Bougrov. Il était toujours absent et ne rentrait que la nuit. Le quatrième jour, il vint de nouveau chez eux à l'heure du déjeuner... Il entra, leur tendit la main à l'un et à l'autre, et s'assit à leur table. Son visage était grave...

— Je viens pour affaires, dit-il. Lisez ça !

Et il tendit une lettre à Grokholski.

— Lisez ! Lisez à haute voix.

Grokholski lut ce qui suit :

« Mon cher consolateur, mon inoubliable fils Ivan ! J'ai reçu ta lettre pleine d'amour et de respect dans laquelle tu invites ton vieux père dans la bienfaisante et amicale Crimée pour y respirer l'air propice et visiter des pays qui me sont inconnus. Comme suite à ta lettre ci-dessus, je réponds qu'aussitôt en congé je viendrai chez toi mais pour un bref séjour. Mon collègue, le père Guérassime, est un homme malade, de faible constitution, et ne peut demeurer longtemps seul. Je suis profondément touché de constater que tu n'oublies pas tes parents, ton père et ta mère... Tu soutiens ton père par ta tendresse et tu n'oublies pas ta mère dans tes prières ; c'est ainsi qu'il convient de faire. Viens me rejoindre à Théodosie. Qu'est-ce que cette ville de Théodosie ? Comment est-elle ? Il sera fort agréable de la visiter. Ta marraine qui t'a porté sur les fonts baptismaux s'appelle Théodosie. Tu m'écris que Dieu a daigné te faire gagner deux cent mille. J'en suis ravi. Mais je ne te complimente pas d'avoir sans raison quitté ton emploi, bien qu'ayant acquis un poste respectable. Il convient même à un riche de servir. Je te bénis toujours, à l'heure qu'il est et pour l'éternité. Andronov Ilia et Serejka te saluent. Tu devrais leur envoyer une dizaine de roubles à chacun. Ils sont dans la misère ! Ton père affectionné, le pope Piotr Bougrov. »

Grokholski lut la lettre ; lui et Lisa lancèrent à Bougrov un regard interrogateur.

— Voyez-vous de quoi il s'agit ? commença Ivan en hésitant. Lisa, je te demanderai de ne pas te faire voir pendant son séjour, de te cacher. Je lui ai écrit que tu étais malade et partie au Caucase pour te soigner. Si tu le rencontrais... tu comprends toi-même... Ce serait gênant... Hum...

— Bien, répondit Lisa.

« C'est possible, songea Grokholski. S'il fait un sacrifice, pourquoi ne pas en faire un, nous aussi ? »

— Je vous en prie... Parce que s'il te voyait, il arriverait un malheur... Il a des principes sévères. Il nous maudirait tous. Lisa, ne sors pas de ta chambre, voilà tout... Il ne restera pas longtemps. Ne te fais pas de souci...

Le père Piotr ne se fit pas attendre longtemps. Un beau matin, Ivan Pétrovitch accourut et murmura d'une voix mystérieuse :

— Il est arrivé ! Maintenant il dort ! Alors, s'il vous plaît !

Et Lisa se cloîtra entre quatre murs. Elle ne se permettait pas de sortir dans la cour, ni sur la terrasse. Elle ne pouvait apercevoir le ciel qu'à travers les rideaux... Pour son malheur, le père était toujours dehors, dormait même sur la terrasse... D'habitude, le père Piotr, petit pope en soutane marron, coiffé d'un haut chapeau aux bords relevés, se promenait à pas lents autour de la villa et regardait avec curiosité, à travers ses lunettes de grand-père, les « terres inconnues ». Ivan Pétrovitch l'accompagnait, la médaille de Stanislas à la boutonnière. En général, il ne la portait pas, mais il aimait parader devant sa famille. Il l'exhibait toujours en compagnie de ses parents.

Lisa s'embêtait à mourir. Grokholski souffrait aussi. Il était obligé de se promener seul, sans elle. Tout juste s'il ne pleurait pas, mais... il fallait se soumettre au destin. Par-dessus le marché, tous les matins, Bougrov venait communiquer à voix basse l'inutile bulletin de santé du petit père Piotr. Quel ennui que ces nouvelles !

— Cette nuit, il a bien dormi ! déclarait-il. Hier, il s'est fâché parce que je n'avais pas de concombres salés... Il s'est mis à aimer Michoutka. Il lui caresse tout le temps la tête...

Enfin, au bout de deux semaines, le pope fit une dernière fois le tour des villas et partit à la grande satisfaction de Grokholski. Saturé de promenades, il s'en allait très content... Le couple reprit l'existence normale. Grokholski bénissait à nouveau son sort... Mais son bonheur ne fut pas de longue durée... Un nouveau malheur l'attendait, pire que la présence du père Piotr.

Ivan Pétrovitch avait pris l'habitude de venir rendre visite tous les jours. Il était un garçon, à vrai dire, excellent mais particulièrement pénible. Il arrivait au moment du dîner, mangeait avec le couple et ne démarrait plus. Ç'aurait été peu de chose. Mais il fallait lui acheter pour son repas de la vodka dont Grokholski avait horreur. Il en buvait cinq ou six petits verres et parlait sans discontinuer pendant tout le dîner. Même cela, on aurait pu le supporter. Seulement il restait là jusqu'à deux heures du matin en empêchant ses hôtes de dormir... Et le plus fort, c'est qu'il se permettait de parler de choses qu'il aurait mieux valu passer sous silence... Vers deux heures du matin, ivre de champagne et de vodka, il prenait Michoutka dans ses bras et lui disait en pleurant devant Grokholski et Lisa :

— Mon enfant ! Michel ! Que suis-je ? Qui ? Je suis... un salaud ! J'ai vendu ta mère ! Vendu pour trente deniers... Que Dieu me punisse ! Michel Ivanytch ! Mon petit poulet ! Où est ta mère ? Pfft ! Partie ! Vendue en esclavage ! Alors ? Je suis donc... un salaud.

Ces larmes et ces paroles retournaient l'âme de Grokholski. Il jetait un coup d'œil timide sur Lisa, toute pâle, et il se tordait les mains.

— Allez dormir, Ivan Pétrovitch, disait-il craintivement.

— J'y vais... Viens, Michoutka ! Dieu nous jugera ! Je ne peux songer au sommeil quand je sais que ma femme est une esclave... Mais ce n'est pas Grokholski qui en est coupable... Ma marchandise, son argent... Qui veut la fin, veut les moyens !

Ivan Pétrovitch n'était pas moins insupportable dans la journée. Pour la plus grande terreur de Grokholski, il ne quittait pas Lisa. Il l'emmenait à la pêche, lui racontait des anecdotes, se promenait avec elle. Une fois même, profitant d'un rhume de Grokholski, il promena la jeune femme dans sa calèche, Dieu sait où, jusqu'à la nuit...

« C'est révoltant ! Inhumain ! » songeait Grokholski en se mordant les lèvres.

Il aimait embrasser Lisa à tout bout de champ. Il ne pouvait vivre sans ces baisers doucereux, mais la présence de Bougrov les rendait quelque peu gênants... Un supplice ! L'infortuné se sentait solitaire. Pourtant le destin eut bientôt pitié de lui. Brusquement, Ivan Pétro-vitch disparut on ne sait où pendant une semaine entière. Des invités étaient venus le voir et l'avaient entraîné chez eux. Ils avaient aussi emmené Michoutka.

Un beau matin, Grokholski revint de promenade, gai et réjoui.

— Il est revenu, dit-il à Lisa en se frottant les mains. Je suis très heureux qu'il soit revenu... Ha ! ha ! ha !

— Pourquoi ris-tu ?

— Il a des femmes avec lui...

— Quelles femmes ?

— Je ne sais pas... C'est bien qu'il se soit trouvé des femmes. C'est même parfait... Il est encore si jeune, si frais... Viens donc ici ! Regarde...

Il conduisit Lisa sur la terrasse et lui indiqua la villa d'en face. Tous les deux furent pris de fou rire. Le tableau était comique. Ivan Pétrovitch se tenait sur sa terrasse et souriait. Au-dessous se tenaient deux dames brunes et Michoutka. Les dames discutaient quelque chose à haute voix, en français, et riaient très fort.

— Des Françaises, dit Grokholski. Celle qui est plus près n'est pas mal du tout. De la cavalerie légère, mais cela ne fait rien... Même parmi ce genre de femmes, il y en a d'excellentes. Mais qu'elles sont... effrontées.

Il était drôle de voir Ivan Pétrovitch qui se penchait par-dessus la balustrade et, tendant ses longs bras, sai-sissait par les épaules l'une des Françaises, la soulevait et la posait, toute secouée de rires, sur la terrasse.

Après les deux dames, ce fut le tour de Michoutka. Les femmes redescendirent en courant et l'ascension recommença...

— Quels muscles, tout de même ! marmotta Gro-kholski en observant la scène.

Le jeu se renouvela cinq ou six fois. Les Françaises étaient si gentilles qu'elles ne se gênaient pas le moins du monde quand, au moment de leur ascension, le vent passablement fort en prenait à son aise avec leurs vêtements gonflés. Grokholski baissait pudiquement les yeux quand, arrivées sur le balcon, elles enjambaient la balustrade. Lisa, elle, regardait et riait aux éclats ! Qu'est-ce que ça pouvait lui faire ? Ce n'étaient pas les hommes qui se conduisaient mal, ce qui l'aurait sûrement fait rougir, c'étaient les femmes !

Le soir, Bougrov passa en trombe et annonça, non sans gêne, qu'il n'était plus célibataire.

— Ne croyez pas que c'est n'importe qui, dit-il. Bien sûr, ce sont des Françaises, elles ne font que crier, boivent du vin, mais... c'est normal. C'est l'éducation que reçoivent les Françaises ! Rien à faire... C'est le prince, ajouta-t-il, qui me les a cédées... Pour presque rien... Il insistait pour que j'accepte... Il faut que je vous fasse faire un jour la connaissance du prince. C'est un homme instruit ! Il ne fait qu'écrire, écrire... Savez-vous comment elles s'appellent ? L'une Fanny et l'autre Isabelle... L'Europe ! Ha ! ha !... L'Occident ! Au revoir !

Ivan Pétrovitch laissa tranquilles Lisa et Grokholski, ne quittant pas ses dames d'une semelle. Toute la journée on entendait dans sa villa des conversations, des rires et un bruit de vaisselle. Les lumières s'éteignaient très tard dans la nuit. Grokholski était aux anges. Enfin, après un long et douloureux entracte, il goûtait de nouveau le bonheur et la paix. Ivan Pétrovitch ne connaissait pas avec deux femmes la félicité que lui éprouvait avec une seule. Mais, hélas ! Le destin n'a pas de cœur. Il joue avec les Grokholski, les Lisa, les Ivan et les Michoutka comme avec des pions. Une fois de plus, Grokholski perdit sa quiétude.

Un jour (environ une semaine et demie plus tard), s'étant réveillé un peu tard, il sortit sur son balcon et se trouva en présence d'un tableau qui le frappa de stupeur, de révolte et le plongea dans une profonde indignation. Au pied de la terrasse de la villa d'en face se trouvaient les deux Françaises et, avec elles, Lisa. Tout en bavardant, la jeune femme jetait des coups d'œil furtifs sur sa villa : le despote, le tyran n'était-il pas réveillé ? (C'est ainsi que Grokholski s'expliquait les regards de Lisa.) Les manches retroussées, Ivan Pétrovitch, qui se tenait sur la terrasse, souleva Isabelle, puis Fanny, et ensuite... Lisa. Pendant qu'il hissait la dernière, Grokholski crut voir qu'il la serrait contre lui... Elle passa, comme les autres, une jambe par-dessus la balustrade... Oh, ces femmes ! Toutes sans exception, elles sont des sphinx !

Lorsque Lisa quitta son mari pour revenir à la maison et, comme si de rien n'était, entra sur la pointe des pieds dans la chambre à coucher, Grokholski, pâle, des plaques roses sur les joues, était prostré dans la pose d'un homme à bout de forces et gémissait.

En apercevant Lisa, il sauta à bas de son lit et arpenta la chambre.

— Voilà où vous en êtes ? glapit-il d'une voix aiguë de ténor. Voilà où vous en êtes ? Je vous suis très reconnaissant ! C'est révoltant, madame ! Pour tout dire, c'est immoral ! Tâchez de le comprendre !

Lisa pâlit et, bien entendu, se mit à pleurer. Quand les femmes savent qu'elles ont raison, elles jurent et pleurent, mais quand elles se reconnaissent coupables, elles ne font que pleurer.

— En compagnie de ces dépravées ? Ça... C'est... c'est plus que n'importe quelle indécence ! Savez-vous ce qu'elles sont ? Des moins que rien ! Des cocottes ! Et vous, une femme honnête, vous allez vous fourrer là-dedans ! Quant à lui... lui ! Qu'est-ce qu'il veut ? Qu'est-ce qu'il veut de moi ? Je ne comprends pas ! Je lui ai donné la moitié de ma fortune, plus de la moitié ! Vous le savez vous-même ! Je lui ai donné plus que je ne possède... Je lui ai presque tout donné... Et lui ? J'ai supporté votre tutoiement auquel il n'a plus aucun droit, j'ai supporté vos promenades, vos embrassades après le dîner... j'ai tout supporté, mais cela, je ne le supporterai pas... Lui ou moi ! Qu'il parte d'ici, ou c'est moi qui partirai ! Je ne peux plus vivre ainsi... non ! Tu le comprends toi-même... Ou lui ou moi... Assez ! Une goutte de plus ferait déborder le vase... De toute façon, j'ai déjà beaucoup souffert... Je vais aller lui parler tout de suite... A l'instant même ! Qu'est-ce qu'il est en réalité ? C'est donc ainsi qu'il est ? Eh bien, non... Il a tort d'être présomptueux à ce point...

Grokholski dit encore un grand nombre de choses courageuses et mordantes, mais n'y alla pas « de suite » : il avait eu peur, il avait eu honte. Il n'alla chez Ivan Pétrovitch qu'au bout de trois jours.

Lorsqu'il pénétra dans la villa, il resta bouche bée. Il était stupéfait par le luxe et la richesse dont s'était entouré Bougrov. Une tenture de velours, des chaises d'un prix exorbitant... on osait à peine faire un pas. Grokholski avait connu dans sa vie bien des gens riches, mais n'avait jamais vu chez aucun un luxe aussi effréné. Et quel désordre ne vit-il pas quand, avec un serrement de cœur inexplicable, il pénétra dans le salon ! Des assiettes, des bouts de pain traînaient sur le piano, un verre était posé sur une chaise, sous la table se trouvait une corbeille pleine de chiffons informes. Les bords des fenêtres étaient parsemés de coquilles de noix... Au moment de l'arrivée de Grokholski, Bougrov lui-même semblait détraqué. Rouge, ébouriffé, à peine vêtu, il errait à travers le salon et parlait tout seul... Il paraissait bouleversé. Michel, assis sur le divan, ébranlait les airs de ses cris perçants.

— C'est affreux, Grégori Vassilitch ! dit Bougrov en voyant le visiteur. Quel désordre, quel désordre !... Asseyez-vous donc ! Excusez-moi d'être en costume d'Adam et Eve... Ça ne fait rien... Quel épouvantable désordre ! Je ne comprends pas comment les gens peuvent vivre ici ? Je ne comprends pas ! Les domestiques n'obéissent pas, le climat est affreux, tout est cher... Tais-toi ! cria-t-il en s'arrêtant soudain devant Michoutka. Tais-toi ! Tu n'entends pas ? Animal ? Vas-tu te taire ?

Et il tira l'oreille de l'enfant.

— C'est révoltant, Ivan Pétrovitch, dit Grokholski d'une voix pleurarde. Peut-on battre des enfants si petits ? Vous êtes vraiment...

— Il n'a qu'à ne pas hurler... Tais-toi ! Je vais te fouetter !

— Ne pleure pas, Micha, mon chéri... Ton papa ne te touchera plus. Ne le battez pas, Ivan Pétrovitch ! C'est encore un enfant... Allons, allons... Tu veux un petit cheval ? Je t'en enverrai un... Vous avez, vraiment... le cœur dur...

Après un silence, Grokholski demanda :

— Et comment vont vos dames, Ivan Pétrovitch ?

— J'en sais rien... Je les ai chassées... Sans cérémonie. Je les aurais gardées encore, mais ça devenait gênant : le petit grandit... L'exemple du père... Si j'étais seul, ce serait autre chose... A quoi bon les garder ? Pff... Une comédie, rien d'autre ! Je leur parle russe, elles me répondent en français... Elles ne comprennent rien. Et têtues comme des mulets.

— Je suis venu vous parler affaires, Ivan Pétrovitch... Hum... Rien de particulier, simplement... deux ou trois mots... Au fait, j'ai une prière à vous adresser.

— Laquelle ?

— Ne vous serait-il pas possible, Ivan Pétrovitch, de partir... d'ici ? Nous sommes très heureux que vous soyez là, c'est fort agréable, mais c'est embarrassant, voyez-vous... Vous me comprenez. C'est un peu embarrassant... Des relations pas très définies, une gêne éternelle dans nos rapports... Il faut nous séparer... C'est même indispensable... Excusez-moi, mais... vous comprenez certainement vous-même que dans de telles circonstances, la cohabitation mène à... des réflexions... C'est-à-dire pas à des réflexions, mais à un sentiment gênant...

— Oui... C'est juste. J'y ai pensé moi-même. Bon, je m'en irai.

— Nous vous serons très reconnaissants. Croyez, Ivan Pétrovitch, que nous garderons de vous un excellent souvenir. Le sacrifice que vous avez...

— Entendu... Mais où vais-je fourrer tout ça ? Ecoutez, achetez-moi ce mobilier ? Vous voulez bien ? Il n'est pas cher... Huit mille, dix mille... Les meubles, la calèche, le piano...

— Bien... Je vous en donne dix...

— C'est parfait ! Je partirai dès demain... J'irai à Moscou. Ici, la vie est impossible ! Tout est cher. Affreusement cher ! L'argent... Je n'ai pas les moyens... J'ai de la famille... Dieu soit loué, vous m'achetez le mobilier... J'aurai tout de même un peu plus d'argent, sinon je ferai faillite...

Grokholski se leva, fit ses adieux et, plein de liesse, retourna chez lui. Le soir même, il envoya dix mille roubles à Bougrov.

Le lendemain matin de bonne heure, Michoutka et son père étaient déjà à Théodosie.

III

Quelques mois passèrent. Ce fut le printemps.

Il apporta des jours lumineux et clairs qui font paraître la vie moins haïssable et ennuyeuse, et la terre plus agréable... Un souffle tiède montait de la mer et des champs... La terre se recouvrit d'herbe nouvelle et les arbres de jeunes pousses vertes. La nature avait ressuscité et apparaissait vêtue de sa nouvelle parure.

Il semble que de nouveaux espoirs, de nouveaux désirs devraient surgir dans l'homme au moment où dans la nature tout est jeunesse, fraîcheur et renouveau. Mais il est difficile de ressusciter un homme.

Grokholski habitait toujours la même villa. Ses espoirs et ses désirs, petits, sans envergure, se concentraient toujours sur la même Lisa, sur elle seule, sur rien d'autre. Comme autrefois, il ne la quittait pas des yeux et se réjouissait en pensant : « Que je suis heureux ! » Le pauvre homme se sentait en effet terriblement heureux. Comme autrefois, Lisa restait assise sur la terrasse et regardait d'un air morne et obscur la villa d'en face, les arbres qui l'entouraient et la mer que l'on apercevait au loin. Elle continuait à se taire toujours davantage, à pleurer souvent ; quelquefois elle appliquait un sinapisme à Grokholski. Du reste, on pouvait la féliciter avec quelque chose de nouveau. Un ver la rongeait. Ce ver, c'est l'ennui. Lisa souffrait beaucoup ; elle souffrait de l'absence de son fils, regrettait la vie d'autrefois, la gaieté, sans avoir été particulièrement joyeux, son passé l'était davantage que le présent. Lorsqu'elle vivait avec son mari, elle allait quelquefois au théâtre, au cercle, en visite. Tandis qu'ici, avec Grokholski ? Ici, c'était le vide, le calme. Pour toute compagnie, un seul homme et même lui, avec ses maladies et ses baisers doucereux, ressemblait à un vieux grand-père pleurnichard et sainte-nitouche. Quel ennui ! Mikheï Serguéévitch n'est pas là, lui qui aimait danser la mazurka avec elle, ni Spiridon Nicolaïtch, fils du directeur des *Nouvelles départementales*, qui chante fort bien et récite des vers. Pas de table à hors-d'œuvre, ni d'invités, pas de Gérasimovna, la nourrice, qui la grondait sans cesse parce qu'elle mangeait beaucoup de confitures... Il n'y a personne ! Il ne restait qu'à se coucher et à mourir de chagrin. Grokholski se réjouissait de cette solitude mais... il avait tort de le faire. Il devait expier son égoïsme plus tôt qu'il ne le faut. Au commencement de mai, quand l'air lui-même semblait amoureux et n'en pouvait plus à force de bonheur, Grokholski perdit tout : et la femme aimée et...

Cette année-là, Bougrov revint en Crimée. Il ne loua pas la villa d'en face, mais traînait de ville en ville en compagnie de Michoutka. Il buvait, mangeait, dormait et jouait aux cartes. Quant à la pêche à la ligne, à la chasse et aux Françaises qui, soit dit entre nous, l'avaient quelque peu grugé, il n'en avait plus du tout envie. Il avait maigri, perdu son éclat et son large sourire, s'affublait de vêtements en grosse toile. Ivan Pétrovitch venait parfois à la villa de Grokholski. Il apportait à Lisa des confitures, des bonbons, des fruits et, dirait-on, s'efforçait de la distraire de son ennui. Ses visites n'inquiétaient pas Grokholski, d'autant plus qu'elles étaient rares, courtes et se faisaient apparemment dans l'intérêt de Michoutka que l'on n'avait aucune raison de priver de sa mère. Bougrov arrivait, déballait ses cadeaux et, après avoir dit quelques mots, s'en allait. Ce n'est pas avec Lisa mais avec Grokholski qu'il échangeait de rares paroles. Quant à la jeune femme, il ne lui parlait pas. Grokholski était tranquille... Mais il y a un proverbe russe dont il aurait dû se souvenir : « N'aie pas peur du chien qui aboie mais de celui qui se tait... » Proverbe venimeux mais parfois indispensable dans la vie courante.

Une fois, alors qu'il se promenait dans son jardin, Grokholski entendit deux voix. L'une était une voix d'homme, l'autre celle d'une femme. La première appartenait à Bougrov, la seconde, à Lisa. Il prêta l'oreille et, pâle comme la mort, s'approcha sans bruit des deux interlocuteurs. Il s'arrêta derrière un lilas et se mit à observer et à écouter. Il sentit ses pieds et ses mains se glacer. Une sueur froide apparut sur son front. Il se cramponna à quelques branches pour ne pas chanceler et tomber. Tout était fini !

Bougrov tenait Lisa par la taille et lui disait :

— Ma chérie ! Que devons-nous faire ? Il faut croire que c'est la volonté de Dieu. Je suis un misérable... Je t'ai vendue. Je me suis laissé tenter par cette maudite richesse, que le diable m'emporte !... A quoi ça sert, la richesse ? Ça ne donne qu'ennuis et vantardise, c'est tout ! Ni repos, ni bonheur, ni promotion en grade... Je suis là comme une souche, à la même place, sans faire un pas en avant... Tu as entendu ? Andréï Markouzine est devenu chef de bureau... Andréï, cet idiot ! Et moi, je ne bouge pas... Mon Dieu, mon Dieu ! Je t'ai perdue et j'ai perdu tout mon bonheur. Je suis un misérable ! Une crapule ! Tu penses que je vais faire bonne figure au Jugement dernier ?

— Partons d'ici, Vania ! dit Lisa en se mettant à pleurer. Je m'ennuie... Je meurs d'ennui.

— Impossible... J'ai pris l'argent.

— Eh bien, rends-le !

— J'aurais voulu le rendre, mais... holà !... arrête-toi, cheval ! J'ai tout dépensé ! Il faut se résigner, maman... C'est Dieu qui nous punit. Moi, pour ma cupidité, et toi, pour ta légèreté. Eh bien... Il ne reste qu'à expier... Ça ira mieux dans l'autre monde !

Sous le fardeau de ses sentiments religieux, Bougrov leva les yeux au ciel.

— Mais je ne peux pas vivre ici ! Je m'ennuie !

— Que faire ? Et moi, je ne m'ennuie pas ? Est-ce que je m'amuse sans toi ? Je n'en peux plus, j'ai maigri. La poitrine a commencé à me faire mal !... Tu es ma femme légitime, la chair de ma chair... nous ne faisons qu'un... Tu n'as qu'à vivre et souffrir. Moi, je viendrai de temps en temps, je te rendrai visite...

Et, penché vers Lisa, Bougrov murmura d'une voix qui n'était pas suffisamment basse pour ne pas être entendue à quelques mètres :

— La nuit aussi, je viendrai chez toi, ma petite Lisa... Ne t'inquiète pas... Je suis à Théodosie, tout près... Je vivrai ici, près de toi, en attendant d'avoir tout gaspillé... Ce sera bientôt fait, jusqu'au dernier kopeck ! Ah ! Est-ce que c'est une vie ? J'ai le cafard, je suis malade... Je souffre de la poitrine, je souffre du ventre...

Il se tut. C'était à présent le tour de Lisa... Mon Dieu, que cette femme était cruelle ! Elle commença par pleurer et se plaindre, puis elle énuméra tous les défauts de son amant et ses propres souffrances. A l'entendre, Grokholski avait l'impression d'être un bandit, un malfaiteur, un assassin...

— Il m'a torturée à mort, dit-elle pour terminer.

Après avoir embrassé Lisa et pris congé, Bougrov se heurta, près de la petite porte du jardin, à Grokholski qui l'y attendait.

— Ivan Pétrovitch ! dit celui-ci d'une voix mourante. J'ai tout entendu, tout vu... Ce n'est pas honnête de votre part, mais je ne vous accuse pas... Vous aussi, vous l'aimez... Mais rendez-vous compte qu'elle est à moi. A moi ! Je ne peux pas vivre sans elle ! Comment ne le comprendriez-vous pas ? Admettons que vous l'aimiez et que vous souffriez, mais est-ce que je ne vous ai pas payé, tout au moins en partie, pour vos souffrances ? Partez, pour l'amour de Dieu ! Partez, pour l'amour de Dieu ! Quittez ces lieux pour toujours. Je vous en supplie ! Sinon, vous me ferez mourir...

— Je n'ai pas où aller, dit Bougrov d'une voix sourde.

— Hum... Vous avez déjà tout dépensé... Vous vous laissez entraîner facilement... Bon, ça va... Allez dans ma propriété, dans la province de Tchernigov... Vous voulez bien ? Je vous donne cette propriété... Elle est petite, mais bonne... Bonne, parole d'honneur !

Bougrov eut un large sourire. Il se sentit soudain transporté au septième ciel.

— Je vous en fais cadeau... Aujourd'hui même, j'écrirai à mon intendant et lui enverrai une procuration pour rédiger un acte d'achat. Dites partout que vous avez acheté cette terre... Partez ! Je vous en conjure !

— Bon... Je partirai... Je comprends.

— Allons chez le notaire... de suite, dit Grokholski, déridé, et il alla donner l'ordre d'atteler.

Le lendemain soir, alors que Lisa se trouvait sur le banc où elle avait habituellement ses rendez-vous avec

Bougrov, Grokholski s'approcha doucement d'elle. Il s'assit à ses côtés et lui prit la main.

— Tu t'ennuies, ma petite Lisa, dit-il après un court silence. Tu t'ennuies ? Pourquoi n'irions-nous pas quelque part ? Pourquoi restons-nous toujours à la maison ? Il faut sortir, s'amuser, faire des connaissances... N'est-ce pas ?

— Je n'ai besoin de rien, dit-elle, et, pâle et amaigrie, elle contempla le petit chemin que Bougrov empruntait pour venir la voir.

Grokholski se mit à réfléchir. Il savait qui elle attendait, de qui elle avait besoin.

— Allons à la maison, Lisa. Il fait humide ici...

— Rentre... Je viens tout de suite.

Grokholski réfléchit encore.

— Tu l'attends ? demanda-t-il en faisant une grimace comme si on lui serrait le cœur avec des tenailles chauffées à blanc.

— Oui... Je veux envoyer de petites chaussettes à Michoutka.

— Il ne viendra pas.

— Qu'en sais-tu ?

— Il est parti...

Lisa ouvrit de grands yeux.

— Il est parti... Parti à Tchernigov. Je lui ai fait cadeau de ma propriété...

Elle devint affreusement pâle et se retint à l'épaule de Grokholski pour ne pas tomber.

— Je l'ai accompagné jusqu'au bateau... A trois heures...

Elle se prit la tête dans les mains, se déplaça et, s'effondrant sur le banc, se mit à trembler.

— Vania ! se lamenta-t-elle. Vania ! Moi aussi, je pars, Vania... Mon chéri !

C'était une crise de nerfs...

Depuis ce jour-là et jusqu'en juillet, dans le parc où aimaient se promener les estivants, on pouvait voir deux ombres. Elles erraient du matin au soir et rien qu'à les regarder, les passants se sentaient pris de tristesse. L'ombre de Grokholski suivait inlassablement l'ombre de Lisa. Je les appelle ainsi parce qu'ils avaient tous deux perdu leur aspect d'autrefois.

Ils avaient maigri, pâli, s'étaient rapetissés et ressemblaient davantage à des revenants qu'à des êtres humains... Ils dépérissaient comme la puce dans l'histoire classique du juif qui vend de la poudre insecticide.

Au commencement de juillet, Lisa s'enfuit laissant à Grokholski une note pour dire qu'elle se rendait pour quelque temps auprès de « son fils ». Pour quelque temps ! Elle avait fui la nuit, pendant qu'il dormait.

Après avoir lu la lettre, Grokholski erra une semaine entière autour de la villa, comme un fou, sans manger, sans dormir. En août, il eut le typhus, en septembre, il allait à l'étranger. Là, il se mit à boire. Il pensait trouver un apaisement dans le vin et dans la débauche. Sa fortune y passa tout entière, mais le malheureux ne réussit pas à chasser de son esprit l'image de sa bien-aimée à la frimousse de chatte. On ne meurt pas de bonheur, on ne meurt pas davantage de chagrin. Grokholski blanchit mais ne mourut pas. Il vit toujours. En revenant de l'étranger, il alla jeter « un petit coup d'œil » sur Lisa. Bougrov le reçut à bras ouverts et le retint chez lui pour un temps indéterminé. Il y est encore...

J'ai eu l'occasion cette année de passer par Grokholevka, la propriété de Bougrov. J'ai trouvé les hôtes à table. Ivan Pétrovitch manifesta une grande joie en me voyant et me retint à dîner. Il était devenu plus gros et quelque peu flasque. Comme autrefois, il avait le visage charnu, reluisant, rose. Pas encore de calvitie. Lisa, elle aussi, avait pris de l'embonpoint. Cela ne lui allait pas.

Son petit visage ne faisait plus songer à une chatte mais, hélas, à un phoque. Ses joues se sont étoffées en haut, en bas et sur le côté. Les Bougrov vivent parfaitement. Ils ne manquent de rien. La maison regorge de domestiques et de victuailles.

Après le dîner, la conversation s'engagea. J'avais oublié que Lisa n'était pas musicienne et la priai de nous jouer du piano.

— Elle ne joue pas, dit Bougrov. Ce n'est pas une joueuse... Hé ! Quelqu'un ! Ivan ! Allez chercher Grigori Vassilitch ! Qu'est-ce qu'il fait donc ? (Et, se tournant vers moi :) Le musicien va venir tout de suite... Il joue de la guitare. Nous gardons le piano pour Michoutka qui prend des leçons de musique.

Cinq minutes plus tard, Grokholski entrait dans le salon ; il avait l'air endormi, hirsute, n'était pas rasé. Il me salua et s'assit dans un coin.

— Quelle idée de se coucher si tôt ? lui dit Bougrov. Que deviens-tu, mon vieux ? Tu dors, tu dors... espèce de marmotte ! Joue-nous quelque chose de gai.

Grokholski accorda la guitare, pinça les cordes et entonna :

— J'attendais hier mon amoureux...

Tout en écoutant la chanson, je regardai la physionomie repue de Bougrov et songeai : « Sale gueule ! » J'avais envie de pleurer... La chanson terminée, Grokholski nous salua et sortit.

— Que faut-il faire de lui ? me dit Bougrov comme Grokholski s'en allait. Il me donne du souci ! Le jour, il ne fait que réfléchir, réfléchir... et la nuit il gémit. Il dort, et en même temps il gémit et il geint. C'est une sorte de maladie... Je n'arrive pas à m'imaginer comment on peut l'aider. Il nous empêche de dormir ! J'ai peur qu'il ne perde la raison ! On pourrait croire qu'il vit mal chez moi... mal en quoi ? Il mange avec nous, il boit avec nous... Evidemment, nous ne lui donnons pas d'argent... Si on lui en donnait, il le boirait ou le gaspillerait... Quel tracas pour moi ! Que Dieu me pardonne, pécheur que je suis !

On m'invita à passer la nuit. Quand je m'éveillai le lendemain matin, Bougrov sermonnait quelqu'un dans la pièce voisine.

— Force un imbécile à prier Dieu, il se cassera le front contre les dalles ! Quelle idée de peindre des rames en vert ? Réfléchis donc, caboche ! Raisonne un peu ! Pourquoi tu te tais ?

— Je... je... me suis trompé..., essayait de se disculper une voix de ténor.

C'était Grokholski.

Il m'accompagna à la gare.

— C'est un despote, un tyran, chuchota-t-il tout le long de la route. C'est un homme noble, mais un tyran. Il n'a pas le cœur ni le cerveau évolués... Il me torture. Je l'aurais quitté depuis longtemps s'il n'y avait pas cette femme étonnante. Ça me fait de la peine de l'abandonner. On souffre moins à deux.

Il soupira, puis continua :

— Elle est enceinte... Vous l'avez vu ? En réalité, c'est mon enfant... Le mien... Elle a vite fait de reconnaître son erreur et s'est donnée à moi de nouveau. Elle ne peut pas le supporter...

— Vous êtes une chiffe ! ne pus-je me retenir de dire à Grokholski.

— Oui, je suis un homme faible... Tout cela est vrai. C'est ma nature. Vous connaissez mon origine ? Feu mon père persécutait un petit fonctionnaire. Il le persécutait affreusement ! Il lui empoisonnait l'existence ! Eh bien... Feu ma mère avait le cœur sensible, elle sortait du peuple, c'était une toute petite bourgeoise... Par pitié, elle avait rapproché d'elle ce fonctionnaire... Alors... C'est ainsi que je suis né... D'un homme pourchassé... Comment voulez-vous que j'aie du caractère ? De quelle origine ? Voilà le deuxième coup de cloche... Adieu ! Revenez nous voir et ne répétez pas à Ivan Pétrovitch ce que je vous ai dit à son sujet !

Je serrai la main de Grokholski et sautai dans le train. Il fit un salut en direction de mon wagon et se dirigea vers le tonneau d'eau potable. Sans doute avait-il soif.

FLEURS TARDIVES

Dédié à N. J. Korokov

I

Par un sombre après-midi d'automne, la vieille princesse Priklonski et sa fille Maroussia étaient réunies dans la chambre du jeune prince Egorouchka.

Toutes deux l'imploraient comme seules savent le faire les femmes malheureuses, en invoquant le Christ, l'honneur, les cendres du cher disparu ; elles se tordaient les mains en sanglotant.

Debout, immobile en face de son fils, la princesse laissait libre cours aux paroles et aux larmes. Elle interrompait à chaque instant Maroussia, et déversait sur son fils un torrent de reproches, parfois durs et amers, de caresses, d'insultes et de prières. Mille fois au moins elle avait parlé du marchand Fourov qui menaçait de protester leurs traites, de son époux décédé, qui, à l'heure qu'il est, devait se retourner dans sa tombe, etc.

Elle avait même parlé du docteur Toporkov. Ce docteur Toporkov était une épine dans le cœur de tous les Priklonski. Son père, familièrement appelé Senka, avait été valet de chambre et serf de feu le prince. Nikifor, son oncle du côté maternel, remplissait encore les mêmes fonctions auprès du jeune prince Egorouchka. On se souvenait toujours des taloches dont on gratifiait le futur docteur dans son enfance pour des couverts, des bottes ou un samovar mal astiqués. Et maintenant, le croiriez-vous, le jeune et brillant médecin habite une grande maison luxueuse et roule carosse comme pour narguer les Priklonski qui marchent à pied et n'en finissent pas de marchander lorsqu'il leur arrive de prendre une voiture.

— Tout le monde l'estime, disait la princesse sans essuyer ses larmes, il est riche, beau, séduisant, reçu dans la meilleure société. Ton ancien domestique, le neveu de Nikifor. J'en rougis ! Et pourquoi ? Tout simplement parce qu'il se conduit bien, ne fait pas la noce, n'a pas de mauvaises fréquentations... Il travaille du matin au soir... Et toi ? Mon Dieu, saints du Paradis !

La princesse Maroussia, jeune fille d'une vingtaine d'années, jolie comme une héroïne de roman anglais avec ses magnifiques boucles couleur de lin, ses grands yeux intelligents et bleus comme le ciel du midi, adjurait elle aussi son frère avec tout autant de passion.

Elle parlait en même temps que sa mère, embrassait la moustache piquante de son frère, tout imprégnée de relents de vin suri, caressait son crâne dégarni et se serrait contre lui comme un jeune chien effrayé. Elle ne lui disait que des choses tendres. Maroussia aurait été incapable de lui dire quelque chose qui ressemble à un reproche. Elle l'aimait tant ! A ses yeux, ce frère noceur, ce hussard en retraite, le prince Egorouchka était l'incarnation de toutes les sagesses et des plus rares vertus ! Elle croyait, croyait jusqu'au fanatisme que ce grand dadais d'ivrogne avait un cœur que les fées elles-mêmes pouvaient lui envier. Elle voyait en lui un malheureux, un incompris. Elle excusait tous ses débordements d'ivrogne presque avec ravissement. Et pour cause : Egorouchka l'avait persuadée qu'il noyait dans le vin et la vodka le chagrin d'un amour sans espoir qui consumait encore son âme de hussard et qu'il essayait d'oublier dans les bras des prostituées « la merveilleuse image de sa bien-aimée ». Quelle Maroussia, quelle femme ne considère l'amour comme un sentiment mille fois respectable et qui excuse tout ? Laquelle ?

— Georges, disait-elle en se serrant contre lui et en baisant son visage hâve au nez rougi par l'alcool. Je sais, tu bois de chagrin ! Mais tous les malheureux sont-ils obligés de boire ? Accepte cette épreuve, souffre et lutte ! Sois héroïque ! Avec ton intelligence ! Avec une âme aussi honnête, aussi aimante que la tienne on doit savoir parer les coups du sort. Oh ! vous les hommes, quand vous n'avez pas de chance, que vous êtes lâches !

Et Maroussia (pardonnez-lui, lecteur) se souvint de Roudine, personnage si bien décrit par Tourgueniev, et se mit à en parler à Egorouchka.

Le jeune prince, étendu sur son lit, regardait le plafond de ses minuscules yeux rouges. Sa tête bourdonnait doucement. Son estomac ressentait une agréable satiété. Il venait de dîner, avait bu une bouteille de vin rouge et maintenant, en fumant un cigare de trois kopecks, il se sentait une âme de pacha. Des pensées et des sentiments divers grouillaient dans sa cervelle fumeuse et dans son âme lamentable. Sa mère et sa sœur en larmes lui faisaient pitié, mais il avait, en même temps, une furieuse envie de les mettre à la porte car elles l'empêchaient de s'assoupir, de piquer un somme. Il était en colère parce qu'elles osaient lui faire la morale et pourtant de petits remords tourmentaient sa conscience (probablement toute petite elle aussi). Il était bête, sans l'être assez toutefois pour ne pas se rendre compte que la maison des Priklonski allait à la ruine et qu'il en était en grande partie responsable.

La princesse et Maroussia ne finissaient pas d'implorer.

On avait allumé les lampes du salon, une visiteuse était venue et elles le suppliaient toujours. Las d'être étendu sans dormir, Egorouchka s'étira en faisant craquer ses articulations et dit :

— D'accord, je vais me corriger !

— Parole d'honneur ?

— Que Dieu me damne !

La mère et la sœur lui prirent les mains et l'obligèrent de jurer, encore une fois, sur Dieu et sur l'honneur. Egorouchka jura encore une fois sur Dieu et sur l'honneur et dit qu'il préférait être foudroyé sur place plutôt que de continuer cette vie désordonnée. La princesse le força à baiser l'icône. Il baisa l'icône en se signant par trois fois. Le serment était fait, un vrai serment en bonne et due forme.

— Nous te croyons ! lui dirent les deux femmes en se jetant à son cou.

Elles étaient pleines de confiance. Du reste, comment ne pas croire à la parole d'honneur, au serment, au baiser à l'icône, à tout cela réuni ? Et puis l'amour va toujours de pair avec une confiance irraisonnée. Réconfortées, rayonnantes, semblables aux juifs qui célèbrent la résurrection de Jérusalem, elles étaient toutes prêtes à célébrer la régénération d'Egorouchka. La visiteuse reconduite, elles se blottirent dans un coin et se mirent à parler à voix basse de la manière dont leur Egorouchka allait se corriger et de la nouvelle vie qui l'attendait. Elles décidèrent qu'un brillant avenir s'ouvrait à lui, qu'il arrangerait bientôt leurs affaires et qu'elles ne seraient pas réduites à franchir l'odieux Rubicon de l'extrême misère réservé à ceux qui ont dilapidé leur fortune. Elles décidèrent aussi qu'Egorouchka épouserait sans faute une belle et riche héritière. Il était si beau lui-même, si intelligent et si bien né, qu'aucune femme n'aurait l'audace de le dédaigner. Pour terminer, la princesse raconta à sa fille la biographie de leurs ancêtres, qu'Egorouchka allait bientôt imiter. Le grand-père avait été ambassadeur et connaissait toutes les langues européennes, le père commandait un des régiments les plus célèbres. Quant au fils il serait... serait... qu'est-ce qu'il serait ?

— Vous verrez ce qu'il sera ! conclut Maroussia. Vous le verrez bien !

S'étant mises au lit, elles parlèrent encore longuement de ce brillant avenir. Lorsqu'elles s'endormirent, elles firent les rêves les plus merveilleux. Leurs songes étaient tellement beaux qu'elles souriaient de bonheur ! Vraisemblablement, le sort les dédommagerait ainsi de toutes les angoisses qu'elles allaient vivre le lendemain. Le sort n'est pas toujours avare, il lui arrive parfois de payer d'avance.

Vers trois heures du matin, à l'instant précis où la princesse voyait son *bébé** vêtu d'un brillant uniforme de général, que Maroussia applaudissait en songe un beau discours de son frère, une modeste voiture de louage s'arrêta devant la maison des princes Priklonski. Le maître d'hôtel du *Château des Fleurs* y soutenait la noble dépouille d'Egorouchka ivre mort. Le jeune prince était dans un état d'inconscience totale et se dodelinait dans les bras du garçon comme une oie qu'on vient de tuer et qu'on transporte à la cuisine. Le cocher sauta de son siège et sonna à la porte d'entrée. Nikifor et le cuisinier accoururent, réglèrent la course et hissèrent le corps inanimé le long des escaliers. D'une main rendue experte par l'habitude, sans manifester ni surprise ni réprobation, le vieux Nikifor déshabilla son maître, le déposa au plus profond d'un lit de plume et tira une couverture sur lui. Les domestiques n'échangèrent aucune parole. Ils avaient pris l'habitude depuis longtemps de considérer leur maître comme une chose qu'il fallait transporter, déshabiller, border. Aussi n'étaient-ils ni étonnés ni horrifiés. L'état d'ivresse d'Egorouchka leur paraissait tout à fait normal.

Mais le lendemain matin, force leur fut d'être inquiets.

Vers onze heures, tandis que la princesse et Maroussia buvaient leur café, Nikifor entra dans la salle à manger et fit savoir à Leurs Excellences que quelque chose n'allait pas chez Egorouchka.

— Peut-être bien qu'il va mourir, dit le domestique. Si vous voulez venir voir.

Les visages de la princesse et de Maroussia devinrent blancs comme du linge. Un morceau de biscuit tomba des lèvres de la princesse. Maroussia renversa sa tasse et porta ses deux mains à la poitrine dans laquelle battait un cœur surpris et alarmé.

— A trois heures du matin Monsieur est rentré éméché comme d'habitude, expliqua Nikifor d'une voix tremblante. Et voilà qu'à présent, Dieu sait pourquoi, il s'agite comme un possédé et ne cesse de gémir...

Se tenant par la main, les deux femmes coururent dans la chambre à coucher d'Egorouchka.

Le teint cireux, hirsute, les traits tirés, étendu sous une épaisse couverture de laine, Egorouchka respirait avec difficulté, frissonnait, se démenait. Sa tête et ses mains ne restaient pas un instant en place. Il tremblait et semblait avoir des convulsions. Des gémissements sortaient de sa poitrine. Une petite boule rouge qui devait être du sang était collée à sa moustache. En se penchant, Maroussia aurait pu voir une plaie à sa lèvre supérieure et constater qu'il lui manquait deux dents. Un relent d'alcool entourait le corps secoué de fièvre.

La princesse et Maroussia tombèrent à genoux et éclatèrent en sanglots.

— Nous sommes responsables de sa mort ! dit Maroussia en se prenant la tête à deux mains. Hier soir nous l'avons harcelé de nos reproches et... Il n'a pas pu le supporter ! Il a une âme tendre ! Nous sommes coupables, maman.

Conscientes de leur faute, ouvrant de grands yeux, tremblant de tous leurs membres, elles se serraient l'une contre l'autre. C'est ainsi que tremblent et se blottissent les uns contre les autres les malheureux qui entendent le craquement sinistre du plafond prêt à s'écrouler sur eux et à les écraser de son poids énorme.

Le cuisinier eut l'idée de courir chercher un médecin. Le docteur Ivan Adolfovitch arriva. C'était un petit homme bedonnant dont on ne voyait que la calvitie et les petits yeux porcins et stupides. On l'accueillit à bras ouverts. Il renifla l'air de la chambre d'Egorouchka, tâta le pouls du malade, soupira profondément et fit la grimace.

— Ne vous inquiétez pas, Votre excellence, dit-il à la princesse avec son fort accent germanique. Je ne sais pas, mais je ne crois pas que votre fils coure, si j'ose dire, un grand danger... ce n'est rien.

Mais il tint un tout autre langage à Maroussia.

— Je ne sais pas, princesse, mais à mon avis... tout le monde a son avis, princesse... mais d'après moi... *schwach*[1], comme disent les Allemands... Tout dépend, tout dépend, si j'ose dire, de la crise.

— C'est grave ? demanda la jeune fille d'une voix blanche.

Ivan Adolfovitch fronça le front et se mit à expliquer que chacun avait son opinion... On lui donna un billet de trois roubles. Il remercia d'un air confus, toussota et disparut.

Ayant repris leurs esprits, les deux femmes résolurent d'envoyer chercher un médecin célèbre. Les médecins célèbres sont chers mais... que faire ? La vie d'un être aimé est plus précieuse que l'argent. Le cuisinier courut chez le docteur Toporkov qui, bien entendu, n'était pas chez lui. Il fallut donc lui laisser un mot. Le docteur fut

1. *Schwach* : faible. Employé au sens figuré, veut dire « ça va mal ».

long à venir. Le cœur serré, les deux femmes l'attendirent avec angoisse toute la journée, toute la nuit, toute la matinée suivante. Elles songèrent à appeler un autre médecin et résolurent de traiter Toporkov de goujat quand il viendrait, de le lui lancer en pleine figure, afin qu'à l'avenir il n'ose plus se faire attendre de la sorte. Malgré toute leur inquiétude, les habitants de la maison Priklonski étaient profondément indignés. Enfin le jour suivant, vers deux heures de l'après-midi, une calèche s'arrêta devant le perron. Nikifor courut aussi rapidement qu'il pouvait pour ouvrir la porte et, quelques secondes plus tard, il aidait respectueusement son neveu à quitter son manteau de drap. Toporkov s'annonça par une petite toux sèche et se dirigea vers la chambre du malade sans saluer personne. Gravement, comme un général, il traversa la salle de réception, le salon, la salle à manger en faisant retentir à travers toute la maison le craquement de ses bottes bien cirées. Sa silhouette massive inspirait le respect. Bien bâti, de belle allure, il avait un visage régulier et impassible qui semblait sculpté dans de l'ivoire. Il portait des lunettes cerclées d'or, ce qui achevait de lui donner un air imposant. En dehors de ses muscles vigoureux, il n'avait presque rien conservé de son origine plébéienne. C'était un homme du monde, un gentleman. Son visage rose était beau, et même, s'il fallait en croire ses patientes, fort beau. Il avait le cou très blanc, presque comme un cou de femme. Ses cheveux soyeux étaient malheureusement coupés trop court. Si Toporkov avait eu le moindre souci de son apparence, il ne les aurait pas portés courts, mais bouclés et retombant sur le col. Son beau visage immobile et froid, trop sec et trop sérieux pour paraître agréable, n'exprimait rien, sauf une lassitude profonde, causée par un travail épuisant.

Maroussia alla à sa rencontre et lui dit d'une voix suppliante en ouvrant ses grands yeux bleus et en se tordant les mains :

— Sauvez-le, docteur ! Je vous en supplie, vous êtes notre seul espoir.

Jamais encore elle n'avait imploré personne avec tant de passion.

Toporkov passa sans rien dire et se dirigea vers Egorouchka.

— Ouvrez les vasistas ! ordonna-t-il en s'approchant du malade. Pourquoi sont-ils fermés ? On ne respire pas ici !

La princesse Maroussia et Nikifor se précipitèrent vers les fenêtres et vers le poêle. Les doubles fenêtres n'avaient pas de vasistas. Le poêle était éteint.

— Il n'y a pas d'aération, dit timidement la princesse.

— C'est étrange... hum... Que peut faire un médecin dans de pareilles conditions ! Je ne peux pas le soigner.

Puis, élevant légèrement la voix, Toporkov ajouta :

— Transportez-le dans le salon ! Il y fait moins étouffant. Appelez les domestiques !

Nikifor empoigna la tête du lit. La princesse, confuse de n'avoir comme domestiques que Nikifor, un cuisinier et une femme de chambre à demi aveugle, se précipita avec sa fille vers le lit et tira de toutes ses forces. Le vieillard impotent et les deux faibles femmes soulevèrent le lit en ahanant et le transportèrent en trébuchant à chaque pas. Elles n'avaient pas grande confiance en leur force et craignaient de laisser tomber le malade. La robe de la princesse craqua sur l'épaule, elle sentit une douleur déchirante dans le ventre. Des taches vertes se mirent à papillonner devant les yeux de Maroussia ; elle ne sentait plus ses mains. Egorouchka était terriblement lourd ! Quant au docteur en médecine Toporkov, il suivait gravement et fronçait sévèrement les sourcils à la pensée qu'on lui faisait perdre son temps à de pareilles bagatelles. Il ne leva pas le petit doigt pour venir en aide aux femmes ! L'animal !...

On plaça le lit à côté du piano, Toporkov tira la couverture et, tout en interrogeant la princesse, se mit à déshabiller le malade toujours en proie à des convulsions. La chemise fut enlevée en une seconde.

— Abrégez, je vous prie ! disait-il d'un ton cassant. Cela n'a rien à voir avec la maladie ! Ceux qui n'ont rien à faire ici peuvent se retirer.

Toporkov tapota la poitrine d'Egorouchka avec un petit marteau, puis il mit le malade sur le ventre et tapota son dos. Enfin, il l'ausculta en reniflant (les médecins reniflent toujours quand ils auscultent) et diagnostiqua une crise de delirium tremens banale.

— Une camisole de force ne serait pas de trop, dit-il de sa voix égale en martelant les mots.

Après avoir donné quelques conseils, il écrivit l'ordonnance puis se dirigea rapidement vers la porte. Tout en rédigeant l'ordonnance, il demanda entre autres le nom d'Egorouchka.

— Prince Priklonski, répondit la princesse.

— Priklonski ? répéta Toporkov.

« Tu as vite oublié le nom de tes anciens propriétaires ! » se dit la princesse.

Elle n'avait pas osé penser le mot « maîtres » ; l'ancien serf avait une allure si imposante !

Dans le vestibule, elle s'approcha de lui et demanda le cœur serré :

— Il n'est pas en danger, docteur ?

— Je ne pense pas.

— A votre avis, il va guérir ?

— Je le suppose, répondit le médecin d'un ton glacé, et après un rapide salut, il descendit les marches pour retrouver ses chevaux aussi beaux et aussi imposants que lui.

Après le départ du docteur la princesse et Maroussia eurent enfin un soupir de soulagement. Le célèbre Toporkov leur avait donné de l'espoir.

— Comme il est attentif et gentil ! dit la princesse qui, dans son cœur, bénissait tous les docteurs du monde.

Les mères n'aiment la médecine et ne lui font confiance que lorsque leurs enfants sont malades !

— Un monsieur important ! remarqua Nikifor qui n'avait vu depuis longtemps dans la maison de ses maîtres d'autres visiteurs que des camarades de débauche d'Egorouchka.

Il ne serait pas venu à l'idée du vieillard que ce monsieur imposant n'était autre que le Kolka tout crotté qu'il lui arrivait souvent jadis de tirer par les pieds de dessous une charrette pour lui infliger une correction.

La princesse avait caché à Nikifor que son neveu était docteur.

Le soir, après le coucher du soleil, Maroussia terrassée par le chagrin et la fatigue fut prise de frissons et obligée de s'aliter. Ses frissons furent suivis de fièvre et d'un point de côté. Elle délira toute la nuit en gémissant.

— Maman ! Je vais mourir !

Aussi Toporkov, qui arriva vers dix heures du matin, eut-il deux malades à soigner au lieu d'un : Egorouchka et la jeune fille. Il diagnostiqua chez Maroussia une congestion pulmonaire.

La maison des Priklonski sentait la mort. Invisible mais terrifiante, elle rôdait au chevet des deux lits, menaçant sans cesse la vieille princesse folle de désespoir de lui arracher ses deux enfants.

— Je ne sais, madame ! lui disait Toporkov. Je ne peux pas le savoir, je ne suis pas prophète. Nous y verrons plus clair dans quelques jours.

Ces mots qui déchiraient l'infortunée vieille femme, il les disait d'un ton sec, glacial. Si au moins il avait eu une parole d'espoir ! Pour comble de malheur, Toporkov n'ordonnait presque rien aux malades et se contentait de tapoter, d'ausculter et de réprimander la princesse pour l'air vicié et les cataplasmes mis de travers ou en dehors des heures indiquées. Elle considérait tous ces trucs modernes comme des balivernes ne pouvant mener à rien. Nuit et jour, elle allait d'un lit à l'autre, oubliant tout au monde, faisant des vœux et des prières.

Elle considérait le delirium tremens et la congestion pulmonaire comme les maladies les plus dangereuses du monde et, quand elle aperçut du sang dans les expectorations de sa fille, elle la crut tuberculeuse au dernier degré et perdit connaissance.

Vous imaginez donc sa joie quand, au bout de sept jours de maladie, Maroussia lui sourit en disant :

— Je suis guérie.

Egorouchka reprit conscience le même jour. Lorsque Toporkov arriva, la vieille princesse se précipita vers lui et lui dit en riant et pleurant de joie :

— Docteur, je vous dois la vie de mes enfants, je vous remercie !

Elle avait l'impression de frôler une divinité.

— Qu'y a-t-il, madame ?

— Je vous dois tout ! vous avez sauvé mes enfants !

— Ah, oui... le septième jour ! Je l'attendais au bout de cinq jours. Du reste aucune importance. Donnez cette poudre matin et soir. Continuez les compresses. On peut remplacer cette couverture par une plus légère. Donnez à votre fils des boissons acidulées. Je passerai demain soir.

Après avoir légèrement incliné la tête, l'homme illustre se dirigea vers la porte d'un pas mesuré de général.

II

Il y a parfois en automne des journées claires et transparentes, légèrement glacées, qui vous font accepter volontiers le froid, l'humidité et le poids des caoutchoucs. L'air imprégné des parfums de l'automne est si pur qu'on peut distinguer le bec d'un corbeau perché sur le clocher. Dès que vous sortez, vos joues prennent immédiatement de belles couleurs roses et saines qui rappellent les pommes de Crimée. Les feuilles jaunies, tombées depuis longtemps, attendent patiemment la première neige. Piétinées par les passants, elles brillent au soleil avec des reflets de pièces d'or. La nature s'endort lentement, paisiblement. Pas un souffle d'air, pas un son. La terre immobile, muette, comme épuisée par le printemps et l'été, se laisse dorloter par la caresse des pâles rayons du soleil. Devant ce calme naissant, vous n'échappez pas au désir de paix et de repos.

C'était par une de ces journées que, assis à la fenêtre, Maroussia et son frère attendaient la dernière visite du docteur Toporkov. Une lumière suave et douce pénétrait par les fenêtres de la maison des Priklonski. Elle jouait sur les tapis, les chaises, le piano. Tout était baigné de lumière. Maroussia et Egorouchka regardaient la rue et fêtaient leur guérison. Les convalescents sont toujours joyeux, surtout lorsqu'ils sont jeunes. Ils sentent et comprennent la valeur de la santé, chose qu'un homme bien portant apprécie rarement. La santé, c'est la liberté, mais qui d'autre que le prisonnier libéré jouit pleinement de cette liberté ? Maroussia et Egorouchka se sentaient comme des prisonniers libérés. Comme ils étaient bien ! Ils avaient envie de respirer à pleins poumons, de regarder dehors, de bouger et ils pouvaient réaliser leurs désirs à chaque instant. Fourov, les traites protestées, la médisance, la conduite d'Egorouchka, la misère, tout était oublié. Ils ne se souvenaient que des choses agréables, apaisantes : du beau temps, des bals en perspective, de leur maman qui était si bonne et... du docteur. Maroussia ne faisait que rire et babiller. Le grand sujet de conversation était le docteur qu'on attendait d'une minute à l'autre.

— Un homme extraordinaire, un homme tout-puissant ! disait-elle. Son art aussi est tout-puissant. Juge un peu, Georges, quel magnifique exploit d'affronter la nature et de la vaincre !

Elle parlait en ponctuant d'exclamations avec ses mains et ses yeux chacune de ses phrases emphatiques mais sincères.

Egorouchka écoutait les paroles admiratives de sa sœur, clignotait des yeux et hochait la tête en signe d'assentiment. Lui aussi respectait le visage austère de Toporkov et était convaincu qu'il lui devait entièrement la guérison. La princesse était assise à côté d'eux et, le visage rayonnant, partageait l'enthousiasme de ses enfants.

Ce qui lui plaisait chez le docteur, ce n'était pas seulement son art de guérir les malades, mais ce quelque chose de positif qu'elle avait pu lire sur son visage.

On ne sait pas pourquoi, mais les personnes âgées aiment les caractères positifs.

— C'est dommage qu'il soit d'origine si médiocre, dit la princesse avec un timide coup d'œil vers sa fille. Et puis sa profession... n'est pas particulièrement appétissante... Toujours obligé de tripoter des tas de choses... Fi !

La jeune princesse rougit et alla brusquement s'asseoir dans un fauteuil plus éloigné de sa mère. Egorouchka lui aussi ressentit un malaise.

Il ne pouvait plus supporter la morgue des aristocrates et leurs grands airs. La pauvreté est une école impitoyable et il lui était arrivé plus d'une fois d'essuyer le dédain de personnes plus riches que lui.

— De nos jours, Mutter, répondit-il en haussant les épaules d'un air méprisant, quand on a une tête sur les épaules et une grande poche à son pantalon, eh bien ! on est d'excellente origine. Tandis que si on a un derrière à la place de la tête et une bulle de savon en guise de poche, on est un zéro. Voilà tout !

Les paroles d'Egorouchka n'étaient pas de son cru ! Il les tenait d'un séminariste avec lequel il s'était battu il y avait deux mois au cours d'une partie de billard.

— J'échangerais bien volontiers mon titre contre sa tête et ses poches, ajouta-t-il.

Maroussia leva sur lui des yeux pleins de reconnaissance.

— Je vous dirais bien des choses, maman, mais vous ne comprendriez pas, soupira-t-elle. Rien ne vous fera changer d'opinion... C'est bien dommage.

Gênée d'être prise en flagrant délit d'étroitesse d'esprit, la princesse essayait de se justifier.

— J'ai connu à Pétersbourg un docteur, il était baron, dit-elle. Oui... oui... Et à l'étranger aussi... C'est vrai... L'instruction compte beaucoup. Mais oui...

Toporkov arriva vers une heure. Comme la première fois, il entra sans regarder personne.

— Pas de boissons alcoolisées, évitez les excès autant que possible, dit-il à Egorouchka après avoir posé son chapeau. Surveillez le foie. Le vôtre est déjà bien gros. Cette augmentation de volume doit être attribuée à l'usage de l'alcool ! Buvez les eaux minérales prescrites.

Et, se tournant vers Maroussia, il lui donna à elle aussi quelques derniers conseils.

Elle écouta avec attention, comme si on lui racontait une histoire intéressante, en regardant l'homme de science droit dans les yeux.

— Je suppose que vous avez compris ? lui demanda-t-il.

— Oh oui ! *Merci**.

La visite dura exactement quatre minutes.

Le docteur toussa, prit son chapeau et inclina la tête. Le frère et la sœur fixèrent leur mère avec insistance. Maroussia était devenue toute rouge.

Rougissante elle aussi, se dandinant comme un canard, la princesse s'approcha de Toporkov et fourra maladroitement sa main dans la main blanche du docteur.

— Permettez-moi de vous remercier ! dit-elle.

Egorouchka et Maroussia baissèrent les yeux. Toporkov rajusta ses lunettes et aperçut une petite liasse. Sans se troubler, ni baisser les yeux, il humecta un de ses doigts et on entendit le léger froissement des billets qu'il comptait. Il y avait douze billets de vingt-cinq roubles. Ce n'était pas pour rien que Nikifor était parti la veille avec les bracelets et les boucles d'oreilles de la princesse. Un petit nuage lumineux glissa sur la figure de Toporkov, quelque chose qui ressemblait au rayonnement que l'on voit habituellement sur les peintures figurant les saints ; il sourit légèrement. Il était visiblement satisfait de ses honoraires. Après avoir compté l'argent, il le mit dans sa poche, salua de nouveau et se dirigea vers la porte.

Les trois Priklonski regardaient fixement le dos du docteur et sentaient leurs cœurs se serrer. Leurs yeux exprimaient une espèce de tendresse humaine : cet homme s'en allait, il ne reviendrait plus. Pourtant ils avaient pris l'habitude d'entendre son pas mesuré, sa voix nette qui martelait chaque syllabe, de voir son visage sérieux. Une idée germa dans l'esprit de la princesse ; elle ressentit subitement un besoin de tendresse pour cet homme de pierre.

« Pauvre orphelin, songea-t-elle. Il est seul au monde. »

— Docteur, dit-elle de sa voix douce de vieille dame.

Il se retourna :

— Vous désirez ?

— Ne prendriez-vous pas un verre de café avec nous ? Ça nous ferait plaisir !

Toporkov plissa le front et tira lentement sa montre de sa poche. Ayant regardé l'heure et réfléchi un instant, il répondit :

— Je boirai une tasse de thé.

— Asseyez-vous, je vous en prie ! Là !

Le docteur posa son chapeau et s'assit, droit comme un mannequin auquel on aurait plié les genoux et redressé le cou et les épaules. Les deux femmes s'affairaient autour de lui. Maroussia ouvrait de grands yeux inquiets, comme si elle devait résoudre un problème insoluble. Nikifor, en habit noir défraîchi et gants gris, se mit à courir à travers toutes les pièces. Dans toute la maison tintèrent les tasses et résonnèrent les petites cuillers. Quelqu'un vint demander d'un air mystérieux, à la dérobée, qu'Egorouchka sorte une minute du salon. On attendit le thé pendant une dizaine de minutes. Toporkov restait impassible, les yeux fixés sur la pédale du piano, sans proférer le moindre son. La porte du salon s'ouvrit enfin et Nikifor apparut tout rayonnant avec un grand plateau dans les mains. Le plateau était garni de deux verres dans leurs supports d'argent, un pour le docteur, l'autre pour Egorouchka. Autour des verres, dans la symétrie la plus parfaite, on voyait un pot de crème fraîche, un autre contenant de la crème épaissie au four, un sucrier avec une pince, des rondelles de citron avec une petite fourchette et des biscuits.

Derrière Nikifor venait Egorouchka dont le visage, à force de dignité, prenait une expression stupide.

La princesse, le front humide de sueur, et Maroussia, avec de grands yeux, fermaient la marche.

— Servez-vous, je vous en prie, dit la vieille dame en s'adressant au docteur.

Egorouchka prit un verre, s'assit et but une gorgée d'un air circonspect. Les deux femmes s'assirent à l'écart et se mirent à étudier attentivement la personne de Toporkov.

— Ce n'est peut-être pas assez sucré ? demanda la princesse.

— C'est assez sucré.

Et comme on pouvait s'y attendre, il se fit un silence, un de ces silences lourds, pesants, pendant lesquels, sans raison, on se sent horriblement gêné et mal à l'aise.

Le docteur buvait en silence. Selon toute apparence, il ignorait tous ceux qui l'entouraient et ne voyait rien d'autre que sa tasse de thé.

Les deux femmes, qui brûlaient d'envie de bavarder avec un homme intelligent, ne savaient pas par quel bout commencer : elles redoutaient de paraître sottes. Le jeune prince regardait le docteur et on voyait à ses yeux qu'il avait une question à poser, mais qu'il ne s'y décidait pas. Il régnait un silence de mort troublé parfois par des bruits de déglutition. Toporkov avalait vite, sans se gêner et buvait n'importe comment en faisant beaucoup de bruit. On avait l'impression que chaque gorgée de thé tombait de sa bouche dans un gouffre et s'y écrasait sur quelque chose de grand et de lisse. Nikifor aussi troublait parfois le silence, car il ne cessait de remuer les lèvres et de mâcher comme s'il goûtait littéralement le docteur.

— Est-il vrai que c'est nuisible de fumer ? se décida enfin Egorouchka.

— La nicotine, alcaloïde du tabac, agit sur l'organisme comme un poison violent. Le poison est introduit par chaque cigarette en quantité négligeable, mais en revanche il est ingéré de façon permanente. La quantité de poison et sa virulence sont en rapport direct avec la continuité de son usage.

La princesse et Maroussia échangèrent un regard : quel homme intelligent ! Egorouchka battit des paupières et sa face de poisson s'allongea. Le pauvre n'avait rien compris à ce que disait le docteur.

— Dans notre régiment, commença-t-il, désireux de ramener la conversation savante sur un terrain plus simple, il y avait un officier. Un certain Kochetchkine, un garçon très bien. C'est fou ce que vous lui ressemblez ! C'est fou ! Comme deux gouttes d'eau. Impossible de vous distinguer. Ce ne serait pas un de vos parents ?

En guise de réponse, le docteur laissa échapper un bruit de déglutition et les coins de ses lèvres se levèrent et se contractèrent en un sourire dédaigneux. Il méprisait visiblement Egorouchka.

— Dites-moi, docteur, suis-je définitivement rétablie ? demanda Maroussia. Puis-je compter sur une guérison complète ?

— Je le suppose. Je compte sur une guérison complète basée sur le fait que...

Et le docteur leva la tête, fixa les yeux sur Maroussia et se mit à parler des conséquences de la congestion pulmonaire. Il parlait d'un ton mesuré, détachant chaque mot sans élever ni baisser la voix. On l'écoutait volontiers et même avec plaisir. Malheureusement cet homme froid ne savait pas mettre sa science à la portée des profanes et n'estimait d'aucune utilité de se mettre à la portée des cervelles d'autrui. Il mentionna plusieurs fois le mot « abcès », « prolifération grumeleuse », il parlait bien, mais de façon incompréhensible. Il fit toute une conférence émaillée de termes médicaux sans prononcer une seule parole à la portée de ses auditeurs, ce qui ne les empêchait pas de rester assis bouche bée, regardant le savant avec un sentiment de quasi-vénération. Le regard de Maroussia était rivé sur ses lèvres. Elle saisissait au vol chacune des paroles prononcées par le docteur. Elle l'observait et comparait son visage à ceux qui l'entouraient quotidiennement.

Ce visage intelligent et fatigué ressemblait si peu aux faces stupides des amis d'Egorouchka, qui l'importunaient sans cesse de leurs visites et de leurs assiduités. Jamais Maroussia ne leur avait entendu dire une parole sensée ou généreuse. Non, ils ne venaient pas à la cheville de cet homme froid et indifférent, mais intelligent et altier.

« Il est beau, songeait la jeune fille en admirant à la fois les traits, la voix, et les paroles du docteur. Quel esprit et quel savoir ! Pourquoi Georges est-il militaire ? Lui aussi devrait être savant ! »

Egorouchka considérait le docteur avec attendrissement et songeait :

« Puisqu'il nous parle de choses intelligentes, c'est qu'il nous considère comme des gens intelligents. Une chance que nous ayons su garder notre rang dans la société. J'ai été joliment idiot d'avoir inventé cette histoire de Kochetchkine. »

Quand le docteur eut terminé sa conférence, les auditeurs poussèrent un soupir profond comme s'ils venaient d'accomplir un exploit.

— C'est merveilleux de tout savoir ! dit la princesse.

Maroussia se leva et se dirigea vers le piano et comme pour remercier Toporkov se mit à jouer. Elle avait envie d'entraîner le docteur dans une conversation moins impersonnelle, car chacun sait que la musique favorise les confidences, et aussi de lui montrer son talent de musicienne.

— C'est du Chopin, dit la vieille princesse avec un sourire languissant en joignant les mains comme une pensionnaire. C'est ravissant ! Ma fille est aussi une excellente chanteuse. C'est mon élève. J'avais moi-même autrefois une fort jolie voix. Vous connaissez bien...

Et elle cita le nom d'une cantatrice russe célèbre.

— Je l'ai formée... oui, monsieur... Je lui ai donné des leçons. Une délicieuse jeune fille ! Elle était apparentée au prince défunt... Vous aimez le chant ? Du reste, quelle question ! Qui n'aime pas le chant ?

Maroussia en était au meilleur passage de la valse. Elle se retourna en souriant. Elle voulait lire sur le visage du docteur quelle impression produisait son jeu.

Mais elle ne put rien y déchiffrer ; ses traits demeuraient placides et froids comme auparavant. Le docteur buvait hâtivement son thé.

— J'adore ce passage, dit Maroussia.

— Je vous remercie, dit-il. Cela me suffit.

Il avala la dernière gorgée, se leva et prit son chapeau sans exprimer la moindre envie d'écouter la fin de la valse. La vieille princesse se leva d'un bond, tandis que la jeune fille, confuse et mortifiée, referma le piano.

— Vous partez déjà, dit la vieille dame qui s'était rembrunie. Vous ne désirez plus rien ? J'espère, docteur, que maintenant... Vous connaissez le chemin de la maison... Passez nous voir un soir... Ne nous oubliez pas...

Toporkov salua deux fois, serra gauchement la main de Maroussia et se dirigea en silence vers son manteau.

— Un glaçon ! une pierre ! dit la vieille princesse après son départ. C'est affreux ! Un bout de bois, qui ne sait pas rire ! Ça ne valait pas la peine de jouer pour lui, Marie ! On aurait dit qu'il ne restait que pour le thé. Il l'a bu et il est parti.

— Mais il est intelligent, maman ! Prodigieusement intelligent ! Avec qui peut-il parler chez nous ? Je suis ignorante, Georges est renfermé et ne dit jamais rien. Est-ce que nous pouvons soutenir une conversation intelligente ? Non !

— Voilà ce que vous appelez un plébéien ! Bravo, le neveu de Nikifor ! proféra Egorouchka en vidant les pots de crème. Rationnellement, indifféremment, subjectivement... Il vous en débite, le coquin ! Un plébéien ? Regardez sa voiture ! Quel chic !

Tous les trois tournèrent les yeux vers la voiture dans laquelle le célèbre médecin, enveloppé de sa pelisse d'ours, venait de s'installer. La princesse rougit d'envie tandis qu'Egorouchka clignait de l'œil et sifflait d'un air plein de sous-entendus. La voiture n'intéressait nullement Maroussia. Elle n'avait d'yeux que pour le docteur qui occupait entièrement sa pensée. Personne n'échappe au charme de la nouveauté.

Or pour Maroussia, Toporkov avait l'attrait du neuf...

La première neige tomba, puis la seconde et la troisième et le long hiver s'installa avec ses froids à pierre fendre, ses congères, ses glaçons. Je n'aime pas l'hiver et je ne crois pas ceux qui prétendent l'aimer. On gèle dans les rues, les appartements sont enfumés et on a les pieds constamment humides. Tantôt rude comme une belle-mère, tantôt pleurant comme une vieille fille, avec ses clairs de lune féeriques, les troïkas, la chasse, les concerts et les bals, l'hiver vous fatigue rapidement. En vérité, il est trop long pour ne pas empoisonner plus d'un tuberculeux solitaire.

Chez les Priklonski, la vie suivait son train. Les deux jeunes gens étaient complètement rétablis et même leur mère cessa de les traiter en malades. Les affaires ne s'arrangeaient pas plus qu'avant. Au contraire, tout allait de mal en pis, et l'argent se faisait chaque jour plus rare. La princesse avait engagé et réengagé tout ce qui était possible, aussi bien les bijoux de famille que ceux acquis au cours de son existence. Nikifor continuait à raconter dans les boutiques où on l'envoyait faire de menues emplettes à crédit que ses maîtres lui devaient trois cents roubles et ne songeaient pas à le payer. Le cuisinier disait la même chose, si bien qu'un commerçant lui avait fait cadeau d'une paire de vieilles bottes. Fourov devenait de plus en plus pressant. Il ne voulait plus accorder de délai, menaçait de protester les traites et répondait par des insolences aux supplications de la princesse. Les autres créanciers suivaient son exemple. Tous les matins la princesse était obligée de voir des notaires, des huissiers, des créanciers. On parlait d'une action en justice.

Comment auparavant, l'oreiller de la princesse était constamment humide de larmes. Elle tenait bon dans la journée, mais laissait libre cours à ses larmes la nuit et ne cessait de pleurer jusqu'au matin. Il ne fallait pas chercher bien loin la raison de ces larmes. Elle était à portée de la main, sautait aux yeux par son relief et son évidence. La misère, d'incessantes blessures d'amour-propre de la part de gens qu'elle n'estimait même pas, de Fourov, du cuisinier, des petits commerçants du quartier, la disparition des objets cuivrés qui prenaient le chemin du mont-de-piété touchaient la princesse en plein cœur. Egorouchka continuait sa vie de débauche, Maroussia n'était pas établie. N'était-ce pas suffisant pour pleurer ? L'avenir semblait recouvert de nuages à travers lesquels la princesse apercevait de sinistres fantômes. Quel espoir pouvait-on avoir dans l'avenir ? Il s'annonçait menaçant.

Il y avait de moins en moins d'argent mais Egorouchka faisait de plus en plus la noce. Il la faisait avec acharnement, avec rage, comme s'il voulait rattraper le temps perdu pendant sa maladie. Il buvait tout ce qu'il avait et tout ce qu'il n'avait pas, son bien propre et le bien d'autrui. Il montrait dans ses débordements une insolence, une effronterie diaboliques. Sans le moindre scrupule, il empruntait de l'argent au premier venu, jouait aux cartes sans un sou en poche, se faisait offrir des repas somptueux et roulait carrosse dans les voitures de ses amis en oubliant de payer le cocher. Il n'avait que peu changé : autrefois, il se mettait en colère lorsqu'on se moquait de lui, tandis que, maintenant, il n'éprouvait qu'une gêne passagère quand on le rossait ou qu'on le mettait à la porte.

Seule Maroussia avait changé. Son cœur nourrissait un sentiment nouveau, Ce sentiment terrible était la désillusion. Soudain, sans savoir pourquoi, son frère ne lui apparaissait plus comme un incompris mais comme un homme ordinaire, un homme comme les autres, peut-être pire que les autres... Elle cessa de croire à son amour désespéré. Ce sentiment nouveau était terrible. Maroussia passait des heures assise près de la fenêtre à regarder machinalement la rue, tout en imaginant le visage de son frère, s'efforçant d'y trouver quelque chose d'harmonieux qui empêchait la désillusion. Mais elle n'arrivait à y déceler qu'insignifiance, lâcheté et vilenie.

Ce visage décevant était entouré d'autres, guère plus réconfortants. Les camarades d'Egorouchka, les invités, les vieilles amies compatissantes de sa mère, sa mère elle-même toujours triste et hébétée de chagrin, remplissaient le cœur de Maroussia d'une morne lassitude. Oh, que la vie était vulgaire, fade et stupide, auprès de ces êtres proches, aimés, mais insignifiants !

L'angoisse serrait son cœur. Un seul désir passionné et coupable lui coupait le souffle. Par moments, elle avait une furieuse envie de s'enfuir, mais où ? Là, évidemment, où vivent des gens que la misère ne fait pas trembler, des gens qui ne se livrent pas à la débauche, qui travaillent, qui ne passent pas des journées entières à bavarder avec des vieilles femmes bornées ou des ivrognes stupides... Dans l'imagination de Maroussia se dressait un visage sérieux et intelligent, un visage où elle discernait l'esprit, la sueur, la fatigue. Il était impossible d'oublier ce visage-là. Le docteur Toporkov passait chaque jour à toute allure dans son luxueux traîneau, conduit par un cocher imposant, devant la maison des Priklonski. Il avait beaucoup de clients.

Elle le voyait chaque jour, sous le jour le plus favorable, c'est-à-dire quand le docteur travaillait ou faisait semblant de travailler. Il commençait ses visites à l'aube pour les finir tard dans la soirée, après avoir parcouru toutes les rues et les ruelles de la ville. Sa façon d'être assis dans le traîneau ne différait en rien de sa façon de s'asseoir dans un fauteuil. Il était aussi digne, tenait la tête et les épaules aussi droites et ne regardait que droit devant lui. On ne pouvait apercevoir que son front blanc et lisse et ses lunettes cerclées d'or qui dépassaient du col duveteux de sa pelisse d'ours, mais cela suffisait à Maroussia. Il lui semblait que les yeux de ce bienfaiteur de l'humanité lançaient à travers ses lunettes des éclairs glacés et méprisants.

« Cet homme a le droit d'être dédaigneux, pensait-elle. C'est un sage. Quel luxueux traîneau, quels chevaux merveilleux ! Dire que c'est un ancien serf. Il faut être un hercule pour oublier sa naissance de domestique, pour devenir inabordable comme lui. »

Seule Maroussia se souvenait du docteur. Les autres avaient commencé à l'oublier et l'auraient certainement oublié tout à fait s'il ne s'était rappelé à leur souvenir. Il le fit d'une façon étrange.

Le lendemain de Noël, à midi, les Priklonski étaient chez eux. Ils entendirent dans le vestibule un timide coup de sonnette. Nikifor ouvrit.

— La princesse est là ? dit une voix chevrotante et, sans attendre la réponse, une petite vieille se glissa dans le salon. Bonjour, princesse, bonjour, Votre Excellence ! Comment allez-vous, bienfaitrice ?

— Que désirez-vous ? demanda la princesse en toisant la visiteuse avec curiosité.

Egorouchka pouffa de rire. Il trouvait que la tête de la bonne femme ressemblait à un petit melon trop mûr avec la queue en l'air.

— Vous ne me reconnaissez pas ? Vous ne vous souvenez pas ? Vous avez oublié Prokhorovna ? J'ai reçu dans mes bras le jeune prince à sa naissance.

La petite vieille se glissa vers Egorouchka, lui baisa rapidement l'épaule et la main.

— Je n'y comprends rien, marmotta Egorouchka en essuyant la main sur sa veste. Ce vieux diable de Nikifor laisse entrer toute sorte de...

— Que désirez-vous ? répéta la princesse.

Elle trouvait que la vieille dégageait une forte odeur d'huile rance.

La visiteuse s'assit dans un fauteuil et, après de longs préambules accompagnés de sourires malicieux et de minauderies (les marieuses font toujours des mines), elle déclara que la princesse avait de la marchandise et qu'elle, la vieille, avait un acquéreur. Maroussia rougit très fort. Egorouchka pouffa de rire et, intéressé, s'approcha de la visiteuse.

— Bizarre, dit la princesse. Vous êtes venue faire une proposition de mariage ? Je te félicite, Marie ! Mais quel est donc le prétendant ? Peut-on savoir ?

La vieille respira avec bruit, fouilla dans son corsage et sortit un mouchoir d'indienne rouge, qu'elle dénoua et secoua énergiquement. Un dé à coudre et une photographie tombèrent sur la table. Tout le monde fit la grimace, car le mouchoir rouge aux fleurs jaunes dégageait une forte odeur de tabac.

La princesse prit la photographie et l'approcha nonchalamment de ses yeux.

— C'est un beau garçon, ma bonne dame, expliquait la marieuse. Il est riche, distingué... un homme extraordinaire, la sobriété en personne.

Stupéfaite, la princesse passa la photographie à Maroussia, dont le petit visage devint blanc comme neige.

— C'est étrange, dit la mère. Le docteur aurait pu, je suppose, venir lui-même... A quoi bon avoir recours à un intermédiaire... Un homme cultivé et soudain... C'est lui qui vous a envoyée ? Lui-même ?

— Lui-même... Vous lui plaisez beaucoup. Une famille si distinguée.

Soudain Maroussia poussa un cri perçant et, serrant la photographie dans ses mains, sortit précipitamment du salon.

— Bizarre, continua la princesse. Etonnant... Je ne sais pas quoi vous dire... Je ne m'attendais pas du tout à cela de la part du docteur... A quoi bon vous avoir dérangée ? Il aurait pu venir lui-même... C'est même vexant... Pour qui nous prend-il ? Nous ne sommes pas des marchands. Les marchands eux-mêmes, du reste, vivent autrement de nos jours.

— Quel phénomène ! beugla Egorouchka en inspectant la tête de la vieille.

Le hussard en retraite mourait d'envie de lui donner une chiquenaude. Il n'aimait pas les vieilles femmes, tout comme un gros chien n'aime pas les chats, et quand il voyait une tête qui ressemblait à un melon, il était pris d'une excitation purement canine.

— Eh bien, madame, dit la marieuse en soupirant. Il a beau de ne pas avoir de titre, je peux vous assurer... Vous êtes pour sûr nos bienfaiteurs. Oh ! misère de misère ! C'est tout comme s'il était noble ? Il a de l'instruction, il est riche, le bon Dieu lui a accordé tout le luxe, Sainte Mère de Dieu... Si vous désirez qu'il vienne, vous aurez satisfaction. Il viendra. Pourquoi ne viendrait-il pas ? Il peut bien venir...

Et prenant la princesse par l'épaule, la vieille l'attira vers elle et lui murmura à l'oreille :

— Il demande soixante mille... On sait ce que c'est ! La femme est une chose, l'argent en est une autre. Vous comprenez, bien sûr... Moi, qu'il dit, je ne prendrai pas une femme sans argent. Comme je veux qu'elle soit heureuse, qu'elle ne manque de rien, il faut qu'elle ait son capital...

La princesse s'empourpra et, faisant crisser le lourd tissu de sa robe, elle se leva de son fauteuil.

— Veuillez faire savoir au docteur que nous sommes extrêmement surpris, dit-elle, offensés... C'est inadmissible. Je ne puis rien vous dire de plus. Georges, pourquoi te tais-tu ? Qu'elle s'en aille ! Toutes les patiences ont des limites.

Après le départ de la marieuse, la princesse se prit la tête dans les mains, tomba sur le divan et gémit :

— Voilà où nous en sommes ! se lamentait-elle. Mon Dieu ! Un méchant petit médicastre, un sale type, un ancien domestique, nous fait une demande en mariage ! Un homme distingué. Ah ! Ah ! Parlez-moi de ce genre de distinction ! Il a envoyé une marieuse ! Hélas, votre père n'est plus là ! Il n'aurait pas admis une chose pareille ! Vulgaire imbécile ! Goujat !

La princesse était moins vexée que sa fille eût été demandée en mariage par un plébéien que du fait qu'on eût exigé soixante mille roubles qu'elle ne possédait pas. La moindre allusion à sa pauvreté la touchait comme une injure. Elle se lamenta toute la soirée et se réveilla deux fois dans la nuit pour pleurer.

Mais c'est sur Maroussia que la visite de la marieuse avait fait le plus d'impression. La pauvre petite tremblait de fièvre. Elle se jeta sur son lit et, cachant sa tête brûlante sous son oreiller, essaya, de toutes ses forces, de résoudre cette question :

« Comment est-ce possible ? »

C'était un problème ardu, Maroussia ne savait y répondre. Cette question exprimait à la fois sa surprise, son trouble et une joie secrète dont l'aveu lui paraissait à tel point honteux qu'elle avait envie de se le cacher à elle-même.

« Est-ce possible ? Lui, Toporkov... Non, non. Il doit y avoir un malentendu ! La vieille a dû raconter des histoires... »

Cependant, des rêves secrets, des rêves doux et enchanteurs se pressaient dans sa tête. Ils faisaient battre son cœur et remplissaient tout son petit être d'une exaltation étrange. Lui, Toporkov, voulait l'épouser ? Lui qui avait tant de prestance, de beauté, d'intelligence ! Lui, qui consacrait sa vie à l'humanité et... qui possédait un traîneau si luxueux.

« Est-ce possible ? »

« Il est digne d'amour, décida Maroussia vers le soir. Oh ! j'accepte ! Je suis libre de préjugés et je suivrai ce serf jusqu'au bout du monde ! Si ma mère dit un seul mot de consentement, je la quitte ! J'accepte ! »

Quant aux autres questions secondaires, elle n'avait pas le temps de les résoudre. Elle ne s'en préoccupait pas ! Pourquoi envoyer une marieuse ? pourquoi et comment le docteur s'était-il épris d'elle ? pourquoi ne venait-il pas lui-même, puisqu'il l'aimait ? Qu'avait-elle à faire de ces questions-là et de beaucoup d'autres ? Elle était stupéfaite, bouleversée... heureuse... cela suffisait.

— J'accepte, murmurait-elle en s'efforçant d'imaginer « son » visage aux lunettes cerclées d'or et son regard intelligent, grave et fatigué. Qu'il vienne ! J'accepte.

Tandis que Maroussia, consumée de bonheur, s'agitait dans son lit, la marieuse allait d'une maison de marchands à l'autre, et distribuait d'une main généreuse les photographies de Toporkov. Elle cherchait la marchandise qu'elle pourrait proposer à l'acheteur « distingué ». Toporkov ne l'avait pas envoyée spécialement chez les Priklonski. Il l'avait envoyée « où bon te semble ». Son mariage, dont il sentait la nécessité, le laissait indifférent : la marieuse pouvait aller où elle voulait, cela lui était égal... Il avait besoin de soixante mille roubles. Soixante mille, tout rond. On ne lui céderait pas à moins la maison qu'il se proposait d'acheter. Il ne savait où emprunter cette somme et on ne lui faisait pas crédit. Il ne restait qu'une solution : faire un riche mariage. C'est ce qu'il envisageait. Maroussia ne jouait vraiment aucun rôle dans les projets matrimoniaux du docteur Toporkov.

Vers une heure du matin, Egorouchka entra doucement dans la chambre de sa sœur. Maroussia, déjà déshabillée, essayait de s'endormir. Ce bonheur inattendu l'avait épuisée : elle éprouvait le besoin de calmer, par n'importe quel moyen, son cœur dont les battements, lui semblait-il, emplissaient toute la maison. Chacune des petites rides du visage d'Egorouchka recélait des milliers de secrets. Il toussota, lui jeta un regard entendu et, avec l'air de vouloir lui apprendre quelque chose de secret, s'assit à ses pieds et se pencha légèrement vers son oreille.

— Sais-tu ce que je viens te dire, Macha, commença-t-il à voix basse. Je vais te dire franchement... ma façon de voir, quoi... Parce que moi, pour ton bonheur... Epouse-le, ce Toporkov ! Ne tergiverse pas, marie-toi, et qu'on n'en parle plus ! C'est un homme qui sous tous les rapports... Et puis il est riche... Tant pis qu'il soit de basse extraction. Tu t'en fiches.

Maroussia serra les paupières. Elle était gênée. En même temps, ça lui faisait plaisir de constater la sympathie de son frère pour Toporkov.

— Et puis, il est riche. Au moins tu ne manqueras pas de pain. Tandis que si tu attendais un prince ou un comte, tu aurais le temps de crever de faim... Tu sais qu'on n'a plus le sou ! Tout volatilisé ! Plus rien ! Tu dors, oui ou non ? Qui ne dit mot consent ?

Maroussia sourit, Egorouchka se mit à rire et pour la première fois de sa vie lui appliqua un gros baiser sur la main.

— Marie-toi, va ! C'est un homme cultivé. Comme nous allons être bien ! Et la vieille ne pleurnichera plus !

Egorouchka était plongé dans un rêve. Enfin, il hocha la tête et dit :

— Seulement voilà ce qui m'échappe... Pourquoi diable a-t-il envoyé cette marieuse ? Pourquoi n'est-il pas venu lui-même ? Il y a là quelque chose qui ne tourne pas rond... Il n'est pas homme à envoyer une marieuse.

« C'est vrai, pensa la jeune fille avec un tressaillement subit. Il y a là quelque chose qui ne va pas... C'est stupide d'envoyer une marieuse. Oui, en fait, qu'est-ce que cela veut dire ? »

Egorouchka, qui d'ordinaire ne possédait pas l'art de la réflexion, semblait avoir trouvé une réponse :

— Il n'a pas le temps d'aller partout. Il est occupé toute la journée. Il court comme un possédé d'un malade à l'autre.

Maroussia se tranquillisa, mais pour peu de temps. Après s'être tu un instant, son frère reprit :

— Voilà encore quelque chose que je ne comprends pas : il a fait dire par cette sorcière que la dot ne devait pas être inférieure à soixante mille. Tu as entendu ? « Autrement, c'est inutile », a-t-elle spécifié.

Maroussia ouvrit soudain de grands yeux, un frisson secoua tout son corps. Elle s'assit d'un bond, oubliant de cacher ses épaules sous la couverture. Ses yeux lançaient des flammes, ses joues étaient cramoisies.

— C'est la vieille qui a dit ça ? demanda-t-elle en tirant Egorouchka par le bras. Dis-lui que c'est un mensonge ! Des hommes comme lui... ne peuvent pas dire ça. Lui et... l'argent ? Tu veux rire ! Il n'y a que les gens

qui ignorent sa fierté, son honnêteté et son désintéressement qui peuvent le suspecter d'une telle bassesse.
Oui ! C'est un homme admirable ! On ne veut pas le
comprendre !

— Je le pense aussi, répondit Egorouchka. La vieille
a menti... Elle a voulu faire du zèle, elle l'a pris pour un
marchand !

Maroussia hocha affirmativement la tête et se glissa
sous la couverture. Egorouchka se leva, et s'étira de tout
son long.

— Maman ne cesse de pleurer, dit-il. Mais n'y faisons pas attention. Alors, c'est d'accord ? Parfait. Inutile de faire de manières. Femme de docteur... Ha, ha !
Femme de docteur !

Il lui tapota les pieds et, très satisfait, sortit de la
chambre. S'étant mis au lit, il composa mentalement
une longue liste de gens qu'il inviterait au mariage.

« Il faudra prendre du champagne chez Aboltoukhov,
pensa-t-il en s'endormant. Les hors-d'œuvre chez Kort-
chatov... il a du caviar frais. Voyons... et puis du
homard... »

Le lendemain matin, la jeune fille s'habilla simplement, mais non sans coquetterie, et se mit à la fenêtre.
Elle attendait... A onze heures, Toporkov passa à toute
allure sans s'arrêter. Après le déjeuner, sa voiture attelée de chevaux moreaux ne s'arrêta pas davantage et le
docteur ne jeta même pas un regard vers la fenêtre derrière laquelle l'attendait Maroussia, un ruban rose dans
les cheveux.

« Il est pressé, songea-t-elle en l'admirant. Il viendra
dimanche... »

Mais dimanche passa, sans qu'il vienne. Un mois, deux
mois... trois mois s'écoulèrent et le docteur ne venait toujours pas... Il ne pensait même pas aux Priklonski tandis
que Maroussia se consumait dans l'attente. Mille démons
aux griffes crochues lui arrachaient le cœur. « Pourquoi ne
vient-il pas ? se demandait-elle. Pourquoi ? Ah, je sais... Il

est offensé parce que... qu'est-ce qui a pu l'offenser ? Peut-être l'attitude sans délicatesse de maman envers la vieille marieuse. Il doit se dire que je ne peux pas l'aimer... »

— L'animal ! grommelait Egorouchka qui avait déjà été une dizaine de fois chez Aboltoukhov pour lui demander s'il pouvait se procurer du champagne de qualité supérieure.

Après Pâques, qui tombait à la fin de mars, Maroussia cessa d'attendre.

Un jour, Egorouchka entra dans sa chambre et lui apprit, avec un rire méchant, que son « fiancé » épousait la fille de riches marchands.

— Nous avons l'honneur de vous adresser nos félicitations ! Nous avons bien l'honneur ! Ha, ha, ha !

Cette nouvelle frappa cruellement ma petite héroïne. Découragée, elle fut, pendant des mois, l'image même d'une peine et d'un désespoir sans bornes. Elle renonça au ruban rose de sa chevelure et se mit à haïr la vie. Mais comme l'amour est injuste et partial, Maroussia sut trouver encore une fois une justification à « sa » conduite. Elle n'avait pas en vain lu tant de romans où des hommes et des femmes se mariaient par dépit, par désespoir, par vengeance.

« C'est par dépit qu'il a épousé cette idiote, songeait-elle. Nous avons eu tort de prendre du mauvais côté sa demande en mariage, son recours à la marieuse. Des hommes comme lui n'oublient pas les injures ! »

Le rose disparut des joues de la jeune fille, ses lèvres désapprirent à sourire, sa pensée se refusa aux rêves d'avenir. Elle commença à désespérer. Il lui semblait avoir perdu avec Toporkov le but de l'existence. Que lui importait la vie si elle devait se contenter des imbéciles, des parasites, des noceurs. Elle sombra dans la mélancolie ; sans rien voir ni entendre, sans regarder autour d'elle, elle traînait la morne existence dont s'accommodent tant de jeunes et vieilles demoiselles.

Ses nombreux prétendants, les membres de sa famille, ses relations, rien ne suscitait plus son intérêt. La situation matérielle déplorable la laissait indifférente et apathique. Elle s'aperçut à peine que la banque avait vendu la maison des princes Priklonski avec tout son bric-à-brac historique et familier et qu'il avait fallu déménager dans un petit appartement modeste, bon marché, de style petit-bourgeois. Tout cela avait l'apparence d'un rêve, d'un rêve interminable et douloureux, non exempt parfois de moments agréables. Car Maroussia rêvait de Toporkov sous tous ses aspects, dans son traîneau, avec ou sans sa pelisse, assis, debout ou marchant gravement. Toute sa vie n'était qu'un rêve.

Mais l'orage éclata et le rêve quitta les yeux bleus aux cils de lin... La vieille princesse ne pouvant supporter la ruine, elle tomba malade et mourut dans le nouvel appartement. Elle laissait à ses enfants sa bénédiction et quelques robes. Cette mort fut un coup terrible pour la jeune fille. Le rêve s'envola pour faire place au chagrin.

III

L'automne vint, aussi humide et boueux que le précédent.

Le ciel était gris et larmoyant. Les nuages sombres comme enduits de boue recouvraient entièrement le ciel. Leur masse immobile engendrait la tristesse.

On eût dit que le soleil n'existait plus ; de toute une semaine, il n'avait pas jeté un regard sur la terre, comme s'il eût craint de salir ses rayons dans la boue liquide...

Les gouttes de pluie battaient les vitres avec une force particulière, le vent pleurait dans les cheminées et hurlait comme un chien qui a perdu son maître. Tous les visages portaient l'empreinte d'un mortel ennui.

Mais mieux valait un ennui désespéré que la tristesse insondable répandue, ce matin-là, sur le visage de Maroussia. Pataugeant dans la boue, mon héroïne se rendait chez le docteur Toporkov. Pourquoi y allait-elle ?

« Je vais me faire soigner ! » se disait-elle.

Mais ne la croyez pas, lecteur ! Ce n'était pas sans raison que son visage trahissait une lutte intérieure.

Arrivée chez Toporkov, elle tira timidement la sonnette. Son cœur battait à tout rompre. Au bout d'une minute, on entendit des pas derrière la porte. Elle sentit ses jambes se glacer et se dérober sous elle. La serrure claqua et Maroussia vit devant elle le minois interrogateur d'une femme de chambre avenante.

— Le docteur est là ?

— Nous ne recevons pas aujourd'hui. Demain ! répondit la femme de chambre, et, frissonnant sous la bouffée d'air humide venant du dehors, elle recula d'un pas.

La porte se rabattit au nez de Maroussia, grinça et se referma bruyamment.

Toute confuse, la jeune fille rentra chez elle d'un pas lent.

Un spectacle gratuit et quotidien l'y attendait. Un spectacle nullement princier !

Dans le petit salon, le prince Egorouchka était assis en tailleur sur le divan recouvert d'une indienne neuve et brillante. Son amie Calérie Ivanovna, étendue par terre à ses pieds, jouait avec lui à un jeu stupide. Le gagnant recevait en même temps que vingt kopecks le droit de donner une chiquenaude sur le nez de son adversaire. Egorouchka buvait de la bière, sa dulcinée du madère. Calérie Ivanovna jouissait d'un petit privilège réservé aux dames. Elle pouvait remplacer les vingt kopecks par un baiser. Ce jeu les mettait au comble de la joie. Ils riaient aux éclats, se pinçaient et se poursuivaient à travers l'appartement. Quand il gagnait, Egorouchka semblait heureux comme un roi. Il prenait un plaisir extrême aux minauderies dont Calérie accompagnait ses baisers.

Maigre, longue et brune, Calérie Ivanovna avait des sourcils charbonneux et des yeux saillants d'écrevisse. Elle venait tous les jours voir Egorouchka. Elle arrivait chez les Priklonski vers dix heures, prenait le thé, déjeunait, dînait et s'en allait vers une heure du matin. Egorouchka essayait de persuader sa sœur que Calérie était chanteuse, qu'elle était une dame fort respectable, etc.

— Parle-lui un peu ! insistait Egorouchka. C'est une femme d'une intelligence ! C'est fou !

A mon avis, Nikifor voyait beaucoup plus juste quand il l'appelait traînée ou Cavalerie Ivanovna. Il la haïssait de toute son âme et fulminait quand il était obligé de la servir. Il voyait juste et son instinct de vieux serviteur dévoué lui disait que la place de cette femme n'était pas auprès de ses maîtres... Calérie était sotte et insignifiante, ce qui ne l'empêchait pas de quitter tous les jours la maison des Priklonski l'estomac plein et les poches remplies d'argent gagné, persuadée qu'ils ne pourraient pas se passer d'elle. Malgré le titre peu glorieux de femme de croupier du Cercle, elle régentait toute la maison. Cette race de canailles adore mettre les pieds sur la table.

Maroussia vivait de la pension qu'elle touchait depuis la mort de son père. Malgré l'importance de la pension, la part de Maroussia était infime. Elle aurait suffi cependant à lui assurer une existence modeste si Egorouchka n'avait pas eu tant d'exigences.

Ne voulant ni ne sachant travailler, il se refusait à croire à sa pauvreté et se mettait en rage quand on l'obligeait à tenir compte des circonstances et à modérer ses caprices dans la mesure du possible.

— Calérie Ivanovna n'aime pas le veau, disait-il à sa sœur. Il lui faut du poulet rôti. Enfin que diable ! Vous vous chargez de faire marcher la maison et vous ne savez pas vous y prendre ! Et que ce maudit veau ne revienne pas demain sur la table. Cette femme va mourir de faim.

Maroussia discutait à peine et achetait du poulet pour éviter les ennuis.

— Pourquoi n'y a-t-il pas eu de rôti aujourd'hui ? fulminait Egorouchka.

— Parce que nous avons mangé du poulet hier, répondait-elle.

Mais Egorouchka connaissait mal l'arithmétique ménagère et ne voulait tenir compte de rien. Il exigeait avec entêtement de la bière pour lui et du vin pour Calérie.

— Est-ce qu'on peut faire un bon repas sans vin ? demandait-il, et il haussait les épaules en s'étonnant de la bêtise humaine. Nikifor ! Il faut du vin, veilles-y ! Tu n'as pas honte, Maroussia ! Ce n'est tout de même pas à moi de m'occuper du ménage ! On dirait que ça vous amuse de me mettre en colère.

C'était un sybarite accompli. Calérie se mit bientôt à intervenir à son tour.

— Est-ce qu'il y a du vin pour le prince ? demandait-elle pendant qu'on mettait le couvert. Et la bière, où est-elle ? Il faut aller en chercher. Princesse, donnez de l'argent au domestique pour la bière ! Vous avez de la monnaie ?

La princesse répondait qu'elle avait de la monnaie et donnait ses derniers kopecks. Calérie et Egorouchka mangeaient et buvaient sans s'apercevoir que la montre, les bagues, les boucles d'oreilles de Maroussia partaient les unes après les autres chez le prêteur et qu'elle vendait au fripier ses jolies robes.

Ils ne voyaient pas plus qu'ils n'entendaient les soupirs du vieux Nikifor quand il ouvrait son coffre pour prêter à sa maîtresse l'argent pour le repas du lendemain. Le prince et sa petite-bourgeoise, ces créatures vulgaires et stupides, se préoccupaient fort peu de tout cela.

Le lendemain, vers neuf heures, Maroussia se rendit chez le docteur. La même servante avenante lui ouvrit la porte. En l'introduisant dans le vestibule et la débarrassant de son manteau, elle dit avec un soupir :

— Vous êtes bien au courant, mademoiselle ? Le docteur ne prend pas moins de cinq roubles pour une consultation. Vous le savez, n'est-ce pas ?

« Pourquoi me dit-elle ça ? songea Maroussia. Quelle audace ! Le docteur ne doit pas savoir, le pauvre, qu'il a une domestique si insolente ! »

En même temps, son cœur se serrait car elle n'avait que trois roubles en poche. Il ne la chasserait tout de même pas pour ces deux malheureux roubles.

Du vestibule, elle passa dans la salle d'attente où il y avait déjà beaucoup de malades. Bien entendu, la plus grande partie des assoiffés de guérison étaient des dames. Elles occupaient tous les sièges de la pièce et bavardaient, assises en groupe. On parlait avec animation des choses, des gens, du temps, des maladies, du docteur, des enfants... Les dames parlaient à haute voix et riaient comme si elles étaient chez elles. En attendant leur tour, quelques-unes tricotaient et brodaient. Personne dans la salle d'attente n'était simplement ou pauvrement vêtu. Toporkov recevait dans une pièce voisine. Chacun entrait à son tour. Les malades pénétraient dans le cabinet du docteur, pâles, graves, le visage contracté. Ils en sortaient rouges, couverts de sueur comme après une confession, rassérénés, comme débarrassés d'un fardeau trop lourd, et parfaitement heureux. Le docteur ne consacrait pas plus de dix minutes à chaque cliente. Les maladies ne devaient pas être très graves.

« Tout cela ressemble à du charlatanisme », aurait pensé Maroussia, si sa pensée n'avait été prise ailleurs.

Elle entra la dernière dans le cabinet du docteur. En pénétrant dans cette pièce remplie de livres dont les reliures portaient des inscriptions en français et en allemand, elle tremblait comme une poule plongée dans l'eau froide. Le docteur se tenait debout au milieu de la pièce, la main gauche appuyée sur le bureau.

« Il est beau ! » fut la première pensée de la malade. Le docteur ne posait jamais. Sans doute ignorait-il l'art de le faire. Toutefois, ses attitudes étaient toujours empreintes d'une dignité inégalable. La pose dans laquelle l'avait surpris Maroussia ressemblait à celle d'un modèle choisi par un peintre pour figurer la noble silhouette d'un chef d'armée. Sa main appuyée sur le bureau touchait presque les piles de billets de cinq et de dix roubles, que venaient de lui donner ses patientes. Des instruments aux usages mystérieux, des appareils de toute sorte, des tubes étaient disposés dans un ordre impeccable. Tout cela, avec le luxe du mobilier, contribuait au caractère solennel du tableau.

La porte fermée derrière elle, Maroussia s'arrêta. Le docteur lui désigna un fauteuil. Elle s'en approcha d'un pas hésitant. D'un geste majestueux, le docteur s'assit dans le sien et fixa sur mon héroïne un regard interrogateur.

« Il ne m'a pas reconnue ! se dit-elle. Il m'aurait parlé. Mon Dieu, que veut dire ce silence ? Par quoi dois-je commencer ? »

— Eh bien ? articula Toporkov.

— Je tousse, murmura la jeune fille, et pour apporter une confirmation à ses paroles elle toussa deux fois.

— Depuis longtemps ?

— Deux mois... Je tousse surtout la nuit.

— Hum... De la fièvre ?

— Non, je ne crois pas.

— Je crois vous avoir déjà soignée ? Qu'aviez-vous ?

— Une congestion pulmonaire.

— Hum... Oui, je me souviens. Vous êtes mademoiselle Priklonski ?

— Oui... Mon frère était également malade à ce moment-là.

— Vous prendrez cette poudre avant de vous coucher... évitez les refroidissements.

Il écrivit rapidement l'ordonnance, se leva et reprit sa première pose. Maroussia se leva également.

— Rien de plus ?

— Non.

Les yeux de Toporkov glissèrent sur Maroussia. En fait, il regardait la porte.

Son temps était compté. Il attendait le départ de la jeune fille. Mais elle ne bougeait pas, ne le quittait pas des yeux, l'admirait et attendait qu'il lui dise quelque chose. Comme il était beau ! Une minute entière s'écoula en silence. Enfin elle eut conscience de son regard impatient et du bâillement qu'il essayait d'étouffer. Elle lui tendit alors un billet de trois roubles et se dirigea vers la porte.

Le docteur jeta l'argent sur la table et referma la porte derrière la malade.

Maroussia rentra furieuse.

« Pourquoi ne lui ai-je pas parlé ? Pourquoi ? Je ne suis qu'une poltronne ! Tout s'est passé si bêtement... je n'ai fait que le déranger. Pourquoi ai-je tenu cet horrible argent dans la main comme pour bien le faire voir ? Les questions d'argent sont si délicates... C'est si facile de froisser quelqu'un ! Il faut savoir payer discrètement. Pourquoi n'ai-je rien dit ?... Il m'aurait raconté, expliqué... J'aurais compris la visite de la marieuse. »

Arrivée à la maison, elle se coucha, la tête sous l'oreiller comme elle avait coutume de le faire quand elle était agitée. Mais elle n'arriva pas à se calmer. Egorouchka entra dans sa chambre et se mit à marcher de long en large en tapant des talons et en faisant grincer ses bottes. Il avait un air mystérieux...

— Qu'est-ce qu'il y a ? demanda sa sœur.

— Je pensais que tu dormais et ne voulais pas te déranger. Je vais te dire une nouvelle très agréable.

Calérie Ivanovna accepte de vivre chez nous. Elle a enfin cédé à mes prières.

— *C'est impossible ! C'est impossible** !

— Pourquoi impossible ? Elle est très gentille... Elle t'aidera à tenir la maison. Nous l'installerons dans la chambre d'angle.

— Mais c'est la chambre où maman est morte ! C'est impossible !

Maroussia frissonna comme si on l'avait piquée avec une épingle. Des taches rouges apparurent sur ses joues.

— C'est impossible ! Georges, tu me tueras si tu m'obliges à vivre avec cette femme ! Mon petit Georges, il ne faut pas ! Mon chéri, je t'en supplie !

— Pourquoi te déplaît-elle ? Je ne comprends pas ! Une femme comme une autre... Elle est gaie, intelligente.

— Je ne l'aime pas...

— Mais moi je l'aime ! J'aime cette femme et je veux qu'elle vive avec moi !

Maroussia fondit en larmes... Le désespoir déforma son pâle visage...

— Je mourrai si elle vient vivre ici...

Egorouchka sifflota entre ses dents et, après avoir fait quelques pas, sortit de la chambre de Maroussia. Au bout d'une minute, il entrait de nouveau.

— Prête-moi un rouble, dit-il.

Maroussia lui donna le rouble. Il fallait bien récompenser Egorouchka pour le combat terrible que livrait, d'après elle, son amour pour Calérie au sentiment du devoir.

Vers le soir, Calérie vint voir la petite princesse.

— Pourquoi ne m'aimez-vous pas ? lui demanda-t-elle en l'embrassant. Je suis malheureuse !

Maroussia se dégagea de son étreinte et répondit :

— Je n'ai aucune raison de vous aimer !

Cette phrase lui coûta cher ! Une semaine après Calérie était installée dans la chambre où était morte *maman**. Elle jugea la vengeance nécessaire et n'y alla pas de main morte.

— Pourquoi tant de chichis ? disait-elle à tous les repas. Pauvre comme vous l'êtes, vous devriez saluer bien bas les braves gens. Si j'avais su que vous étiez tellement dans la gêne, jamais je n'aurais accepté de vivre chez vous. Pourquoi me suis-je amourachée de votre frère ? ajoutait-elle avec un soupir.

Reproches, allusions et sourires se terminaient par des railleries au sujet de la pauvreté de Maroussia, ce qui laissait Egorouchka parfaitement indifférent, car il se sentait coupable envers Calérie. Le rire stupide de la maîtresse de son frère, cette épouse de croupier, empoisonnait la vie de la jeune fille. Faible, impuissante, ne sachant que faire, elle restait pendant des soirées entières dans la cuisine à pleurer dans le giron de Nikifor.

Nikifor se lamentait avec elle et avivait ses blessures par des souvenirs du passé.

— Dieu les punira ! Il ne faut plus pleurer, disait-il pour la consoler.

Dans le courant de l'hiver, Maroussia retourna chez Toporkov.

Quand elle pénétra dans son cabinet elle le vit assis dans un fauteuil, toujours aussi beau et plein de majesté... Mais cette fois-ci, son visage portait les traces d'une lassitude profonde... Les paupières battaient comme celles d'un homme qui manque de sommeil. Sans regarder la malade, il lui indiqua d'un mouvement de menton le fauteuil placé en face de lui. Elle s'assit.

« Le chagrin est inscrit sur son visage, se dit Maroussia en le regardant. Il est sûrement très malheureux avec sa marchande. »

Ils restèrent une minute silencieux. Oh, avec quelle joie elle lui aurait raconté ses malheurs ! Elle lui aurait appris des choses qu'il ne pourrait trouver dans aucun des livres français ou allemands qui l'entouraient.

— Je tousse, murmura-t-elle.

Il lui lança un coup d'œil rapide.

— Hum... De la fièvre ?

— Oui... le soir...

— Vous transpirez la nuit ?

— Oui.

— Déshabillez-vous...

— Mais... c'est-à-dire... comment ?

Toporkov lui indiqua la poitrine d'un geste impatient. Rougissante, Maroussia déboutonna le haut de son corsage.

— Déshabillez-vous plus vite, je vous prie !... fit le docteur en s'armant d'un petit marteau.

Maroussia tira sur une manche. Le docteur s'approcha et d'une main experte, en un clin d'œil, fit tomber sa robe jusqu'à la ceinture.

— Défaites votre chemise ! dit-il, et, sans attendre que Maroussia obéisse, il déboutonna sa chemisette. Au grand effroi de sa patiente, il se mit à donner de petits coups de marteau sur la poitrine blanche et amaigrie.

— Laissez tomber vos bras... Ne bougez pas... Je ne vais pas vous manger, grommelait Toporkov tandis qu'elle rougissait et souhaitait disparaître sous terre.

Ayant terminé avec le marteau, le docteur prit son stéthoscope. Le sommet du poumon gauche rendait un son assourdi. Il entendait distinctement des râles et la respiration difficile.

— Habillez-vous, fit le docteur, puis il lui posa des questions sur l'appartement qu'elle habitait, lui demanda si elle menait une existence normale, etc.

— Il faut que vous alliez à Samara, dit-il en lui faisant tout un sermon sur la façon de vivre normalement. Vous boirez du lait de jument. J'ai fini. Je ne vous retiens plus.

Maroussia boutonna maladroitement sa robe, tendit gauchement cinq roubles et, après une légère pause, sortit du cabinet du médecin.

« Il m'a gardée une demi-heure, se disait-elle sur le chemin du retour, et je n'ai rien dit ! Je n'ai rien dit ! Pourquoi ne lui ai-je pas parlé ? »

Elle pensait moins à Samara qu'au docteur. Que lui importait Samara ? Il est vrai que, là-bas, elle ne verrait pas Calérie Ivanovna, mais par contre elle n'y verrait pas davantage Toporkov !

Que le diable emporte Samara ! Furieuse contre elle-même, Maroussia triomphait. Le docteur l'avait trouvée malade, et maintenant rien ne s'opposait à ce qu'elle aille le voir autant qu'il lui plairait, sans cérémonie, éventuellement toutes les semaines ! Il faisait si bon dans son cabinet, il était si confortable ! Le divan du fond de la pièce était particulièrement agréable. Elle aurait aimé s'y asseoir près de lui et parler d'un tas de choses, lui raconter ses ennuis et lui conseiller de ne pas se faire payer si cher par les malades. Bien entendu, les riches peuvent et doivent payer. Tandis que les pauvres auraient besoin d'une réduction.

« Il ne connaît pas la vie et ne sait pas distinguer un riche d'un pauvre, pensait Maroussia. Je lui apprendrai. »

Un spectacle de choix l'attendait au retour. Egorouchka se vautrait sur le divan en proie à une crise de nerfs. Il sanglotait, tempêtait, tremblait comme dans un accès de fièvre. Des larmes inondaient sa face d'ivrogne.

— Calérie m'a quitté, pleurnichait-il. Voilà deux nuits qu'elle n'est pas rentrée. Elle est fâchée contre nous !

Mais Egorouchka avait tort de se lamenter. Le soir même, Calérie revenait, lui pardonnait et l'emmenait au club.

La vie de débauche d'Egorouchka était à son apogée. Non content de la modeste pension de Maroussia, il se mit au « travail ». Il empruntait aux domestiques, trichait au jeu, volait de l'argent et des affaires à sa sœur. Un jour qu'il marchait à côté d'elle, il subtilisa dans sa poche deux roubles qu'elle avait péniblement économisés pour acheter des bottines. Il en garda un et dépensa l'autre pour des poires qu'il apporta à Calérie. Ses amis l'abandonnaient. Les gens qui fréquentaient autrefois la maison des Priklonski, les relations de Maroussia le traitaient en pleine figure de « Son Excellence le Tricheur ». Même les filles du *Château des Fleurs* le regardaient avec méfiance et se moquaient de lui quand, après avoir emprunté de l'argent à une nouvelle victime, il les invitait à souper.

Maroussia était parfaitement consciente de cette apogée de débauche.

Le sans-gêne de Calérie allait crescendo.

— Je vous en prie, ne fouillez pas dans mes vêtements, lui dit un jour Maroussia.

— Vos vêtements ne s'en porteront pas plus mal, répondit Calérie. Si vous me prenez pour une voleuse, d'accord, je m'en vais.

Maudissant sa sœur, Egorouchka se traîna toute une semaine aux pieds de Calérie pour la supplier de rester.

Mais une vie pareille ne pouvait durer éternellement. Toutes les histoires ont une fin et ce petit roman va lui aussi se terminer.

Carnaval vint et avec lui les signes annonciateurs du printemps.

Les jours se firent plus longs, les toits se mirent à ruisseler, et les champs exhalèrent une fraîcheur qui faisait pressentir le printemps.

Par une de ces soirées de Carnaval, Nikifor était assis près du lit de Maroussia... Egorouchka et Calérie n'étaient pas à la maison.

— J'ai la fièvre, je brûle, Nikifor, disait la jeune fille.

Le domestique avivait les blessures de sa maîtresse par des souvenirs du passé et par ses lamentations. Il parlait du prince, de la princesse, de leur vie... Il décrivait les forêts où feu le prince aimait chasser, les prairies à travers lesquelles il galopait à la poursuite des lièvres, la prise de Sébastopol... Le prince avait été blessé à Sébastopol. Nikifor avec volubilité racontait. Maroussia aimait la façon dont il parlait du domaine vendu il y avait cinq ans aux enchères, pour payer des dettes.

— On sort sur la terrasse, disait Nikifor, c'est le printemps. On n'en finit pas de regarder la création ! La forêt est encore noire, mais on dirait qu'elle respire la joie ! La rivière est belle et profonde. Dans sa jeunesse, votre mère aimait pêcher à la ligne... Elle restait là près de l'eau pendant des journées entières... Elle adorait la campagne, la nature.

Nikifor parlait tant que sa voix finissait par s'enrouer. Maroussia l'écoutait et ne le laissait pas partir. Le visage du vieux domestique reflétait ses paroles si bien que la jeune fille imaginait son père, sa mère, le domaine. Elle l'écoutait les yeux fixés sur son visage et elle avait envie de vivre, d'être heureuse, de pêcher dans la même rivière que sa mère. La rivière et, au-delà de la rivière, des champs, plus loin encore la forêt d'un bleu sombre, le tout inondé d'un doux soleil printanier, tout cela existait... Il faisait bon vivre.

— Mon cher, mon bon Nikifor, dit-elle en serrant sa main décharnée, veux-tu me prêter cinq roubles demain ? Pour la dernière fois... Tu peux, dis ?

— Sûr, que je peux... J'en ai juste cinq. Prenez-les. Après, on verra bien.

— Je te les rendrai. Prête-les-moi.

Le lendemain matin, Maroussia mit sa plus belle robe, noua un ruban rose dans ses cheveux et alla chez Toporkov. Avant de sortir elle se regarda une dizaine de fois dans un miroir. Une nouvelle femme de chambre la reçut dans le vestibule.

— Vous êtes au courant, dit-elle, tout en débarrassant la jeune fille de son manteau. Le docteur ne prend pas moins de cinq roubles pour une visite.

Cette fois, la salle d'attente regorgeait de monde. Tous les sièges étaient occupés. Un homme s'était même assis sur le piano. La consultation commença à dix heures. A midi, le docteur dut l'interrompre pour faire une opération et ne la reprit qu'à deux heures. Le tour de Maroussia ne vint qu'à quatre heures.

N'ayant rien pris de la journée, exténuée par l'attente, tremblante de fièvre et d'émotion, elle ne sut pas comment elle s'était retrouvée dans un fauteuil en face du docteur. Elle avait la tête vide, la bouche sèche. Un épais brouillard lui voilait les yeux. A travers ce brouillard papillotaient les mains, le petit marteau et la tête du docteur.

— Vous êtes allée à Samara ? lui demanda-t-il. Pourquoi n'y êtes-vous pas allée ?

Elle ne répondait pas. Il entendit en l'auscultant que le bruit sourd du côté gauche avait gagné tout le poumon. Le haut du côté droit rendait lui aussi un son étouffé.

— Inutile d'aller à Samara. Ne partez pas, dit Toporkov.

A travers le brouillard qui l'enveloppait, Maroussia lut sur le visage sévère et froid du docteur quelque chose qui ressemblait à la compassion.

— Je n'irai pas, murmura-t-elle.

— Dites à vos parents de ne pas vous laisser sortir. Evitez les nourritures lourdes et difficiles à digérer.

Il commença par donner des conseils, puis, entraîné par son sujet, lui fit toute une conférence.

Elle restait assise sans écouter et regardait ses lèvres à travers un nuage. Il parlait depuis longtemps. Enfin il se tut, se leva et attendit son départ, en la fixant à travers ses lunettes.

Mais elle ne s'en allait pas. Heureuse d'être assise dans un bon fauteuil, elle appréhendait le retour à la maison, auprès de Calérie.

— J'ai fini, dit le docteur. Vous êtes libre.

Elle se tourna vers lui et le regarda.

« Ne me chassez pas », aurait pu lire dans ses yeux le docteur s'il avait été un tant soit peu physionomiste.

De grosses larmes roulaient des yeux de Maroussia. Ses bras inertes pendaient de chaque côté du fauteuil.

— Je vous aime, docteur ! murmura-t-elle.

Et, comme si son cœur s'était embrasé, son visage et son cou s'empourprèrent.

— Je vous aime ! répéta la jeune fille presque inerte, et elle laissa tomber sa tête sur le bord de la table.

Et le docteur ? Le docteur... rougit pour la première fois de sa vie professionnelle. Il battit des paupières comme un petit garçon que l'on s'apprête à punir. Jamais aucune de ses malades ne lui avait dit de mots pareils ni de cette façon étrange ! Aucune femme ! Aurait-il mal entendu ?

Son cœur battait à grands coups... Il toussota pour se donner une contenance.

— Mikolacha ! fit une voix dans la pièce voisine, et à travers la porte entrebâillée apparurent les joues rouges de sa marchande.

Profitant de cet appel, le docteur sortit précipitamment de son cabinet. Il était heureux de s'accrocher à n'importe quel prétexte pour couper court à cette situation embarrassante.

Dix minutes plus tard, quand il revint dans son cabinet, il trouva Maroussia étendue sur le divan... Elle était couchée sur le dos, la tête renversée en arrière, les bras et les cheveux touchant le tapis. Elle avait perdu connaissance. Rouge, le cœur serré, Toporkov s'approcha doucement et défit maladroitement son laçage. Sans s'en rendre compte, il arracha une agrafe et déchira la robe. Ses ordonnances, ses cartes de visite, ses photographies s'éparpillèrent sur le divan, abandonnant leur cachette dans les replis de la robe de Maroussia.

Le docteur aspergea le visage de la jeune fille. Elle ouvrit les yeux, se souleva sur un coude et prit un air pensif. Une question semblait la préoccuper. « Où suis-je ? »

— Je vous aime ! gémit-elle en le reconnaissant.

Son regard de petit animal blessé s'arrêta sur lui, plein d'amour et de prière.

— Que puis-je faire ? demanda-t-il, désemparé...

Il posa cette question d'une voix douce et presque tendre qui ne ressemblait en rien à celle, métallique et sévère, que connaissait Maroussia.

Le coude de la jeune fille fléchit, sa tête roula sur le divan, mais elle le regardait toujours.

Il restait là, de plus en plus gêné par ce regard suppliant. Son cœur battait à se rompre, sa tête était pleine de pensées étranges et inattendues. Mille souvenirs oubliés surgissaient dans sa mémoire fébrile. D'où venaient ces souvenirs ? Etait-ce les yeux de Maroussia, remplis d'amour et de prière ardente, qui avaient ressuscité le passé ?

Il revoyait son enfance, passée à astiquer les samovars des patrons. Les samovars et les taloches le firent penser à ses « bienfaiteurs et bienfaitrices », vêtus de lourds manteaux d'hiver, à l'école paroissiale où ils l'avaient envoyé pour sa jolie voix, aux verges, à la kacha pleine de sable. Le souvenir du séminaire remplaça bientôt l'école paroissiale. Les rêves, le latin, les lectures, la faim, l'amourette avec la fille de l'économe, la fuite, il n'avait rien oublié. Sans un sou en poche, chaussé de bottes trouées, il entrait à l'université malgré l'opposition de ses bienfaiteurs. Quel bon souvenir, que cette fuite !

Puis ce furent encore des années de faim et de froid, des années consacrées aux études. Chemin ardu, que celui qu'il avait choisi !

Enfin il avait gagné, il s'était ouvert sa voie vers la vie, qu'y avait-il trouvé ? Oui, il connaissait son métier, lisait beaucoup, travaillait avec acharnement et se sentait encore capable de travailler jour et nuit...

Toporkov jeta un coup d'œil sur les coupures de cinq et de dix roubles entassées sur la table, pensa aux dames qui venaient de les lui donner et rougit... Etait-ce pour cela qu'il avait parcouru ce chemin difficile ? Oui, uniquement pour cela... Ses souvenirs semblaient avoir eu raison de son attitude orgueilleuse. Il paraissait plus petit, plus ridé.

— Que puis-je faire ? répéta Toporkov en regardant toujours les yeux de Maroussia.

Ces yeux le remplissaient de honte. Que répondrait-il si la jeune fille lui demandait :

— Qu'as-tu fait, qu'as-tu acquis depuis que tu exerces ta profession ?

Des coupures de cinq et de dix roubles, rien d'autre ! Il leur avait tout sacrifié. En revanche, il possédait la science, la vie, le repos, un appartement princier, une table choisie, des chevaux, en un mot tout ce qu'on appelle le confort.

Que tout cela était loin de ses rêves d'étudiant ! Subitement il se mit à haïr ces fauteuils, ce divan de velours précieux, ce sol recouvert d'un épais tapis, ces appliques, cette pendule qu'il avait payée trois cents roubles !

Il fit un pas en avant et souleva Maroussia le plus haut possible pour qu'elle ne touche aucun de ces objets maudits.

— Ne reste pas couchée sur ce divan ! dit-il, en se détournant.

En guise de remerciement, une cascade de magnifiques cheveux de lin roula sur sa poitrine. Ses lunettes cerclées d'or touchaient presque le visage, les yeux de Maroussia. Que ses yeux étaient beaux ! Ils donnaient envie de les toucher.

— Je voudrais du thé ! murmura la jeune fille.

Le lendemain, Toporkov était assis près de Maroussia dans un compartiment de première classe. Il l'emmenait dans le sud de la France. Cet homme étrange savait qu'il n'y avait aucun espoir de guérison, il ne le savait que trop, mais il l'emmenait quand même. Il ne cessait de l'ausculter, de lui poser des questions. Refusant de croire à la science, il essayait de toutes ses forces de trouver, en posant l'oreille sur la poitrine de Maroussia, la moindre lueur d'espoir.

L'argent, qu'hier encore il amassait avec tant de soin, volait par gros paquets tout le long de la route. Il aurait donné sa fortune pour qu'un poumon seulement ne fasse pas entendre les râles menaçants.

Elle et lui étaient avides de vivre. Pour eux, le soleil venait de se lever et ils attendaient la naissance du jour. Mais, hélas, le soleil ne peut rien contre les ténèbres, et les fleurs tardives ne résistent pas à l'automne. La princesse Maroussia ne vécut que trois jours dans le midi de la France.

A son retour, Toporkov reprit sa vie habituelle. Comme par le passé, il soigne les dames et entasse les billets de cinq roubles. Toutefois on peut constater qu'il a changé. Quand il parle aux femmes, ses yeux se détournent et regardent dans le vide... On dirait qu'il a peur de regarder en face un visage féminin.

Egorouchka se porte bien. Il a abandonné Calérie et vit maintenant chez le docteur qui l'a pris en affection. Le menton d'Egorouchka lui rappelle celui de Maroussia ; voilà pourquoi Toporkov lui permet de dilapider ses billets de cinq roubles.

Egorouchka est très content.

MAUVAISE RENCONTRE

*(Tiré des annales de la banque
Ligovski-Tchernoretchensk)*

Que j'ai sommeil ! pensais-je, assis devant mon bureau, à la banque. Aussitôt rentré, je me couche !

— Quel bonheur ! murmurai-je, debout devant mon lit, après avoir expédié le dîner. Il fait bon vivre sur cette terre ! Vraiment bon !...

Sans cesser de sourire, m'étirant et me pelotonnant voluptueusement sous mes couvertures, comme un chat au soleil, je fermai les yeux et commençai à m'endormir. Des fourmis se mirent à courir derrière mes paupières closes ; un brouillard envahissait mon cerveau. Je sentais quelque chose comme un battement d'ailes emporter vers le ciel des fourrures floconneuses tandis que je sombrais dans une masse cotonneuse... Tout était immense, doux, duveteux et imprécis... De petits bons-hommes se mirent à courir dans le brouillard et après avoir tournoyé un moment ils disparurent dans le vague. Dès que le dernier bonhomme se fut évanoui, alors que Morphée était sur le point de gagner la partie, je tressaillis.

— Ivan Ossipitch, venez ! clama une voix rauque.

J'ouvris les yeux. Dans la chambre voisine, on entendit un bruit, puis quelqu'un déboucha une bouteille. Je me retournai et tirai la couverture sur ma tête.

« Je vous aimais, l'amour peut-être, encore... »
entonna une voix de baryton derrière la cloison.

— Pourquoi ne vous procureriez-vous pas un piano ?
demanda une autre voix.

— Nom de nom, grommelai-je, ils ne me laisseront
pas dormir !

On déboucha une autre bouteille et j'entendis un cli-
quetis de verres. Quelqu'un se déplaça avec un bruit
d'éperons. Une porte claqua.

— Timoféy ! Où est le samovar ? Dépêche-toi un
peu ! Apporte encore quelques assiettes ! Eh bien, messieurs ? En bons chrétiens, buvons un petit verre... Jolie
demoiselle, des petits gâteaux, je vous prie.

La fête battait son plein dans la chambre voisine. Je
cachai ma tête sous l'oreiller.

— Timoféy ? Si tu vois un grand blond avec une
pelisse d'ours, dis-lui de venir ici...

Je crachai, sautai du lit et tapai contre le mur. On se
tut. Je fermai de nouveau les yeux. Tout se remit en
mouvement. Les petites fourmis, les fourrures, la masse
cotonneuse... Mais hélas ! Les hurlements reprirent au
bout d'une minute.

— Messieurs ! criai-je d'une voix suppliante. C'est
révoltant, à la fin ! Je vous en prie ! Je suis malade et
j'ai besoin de dormir.

— Dormez, personne ne vous en empêche, et si vous
êtes malade, voyez le médecin ! « Les chevaliers ne
connaissent que l'amour et l'honneur... » entonna une
voix de baryton.

— Mais c'est stupide ! dis-je. Complètement stupide ! C'est même incorrect !

— Assez de discussions ! dit une voix de vieillard de
l'autre côté de la cloison.

— C'est curieux ! Qui vous a donné le droit de
commander ici ? En voilà un oiseau ! Qui êtes-vous
donc ?

— Trêve de discussion !

— Malotrus ! Ils se bourrent de vodka et ils gueulent !

— Assez discuté ! répéta une dizaine de fois la voix éraillée du vieillard.

Je me retournais dans mon lit. L'idée que ces oisifs en goguette m'empêchaient de dormir me mettait peu à peu en fureur. Maintenant on dansait à côté.

— Si vous ne vous taisez pas, m'écriai-je écumant de rage, je vais chercher la police ! Hé ! Garçon ! Timoféy !!!

— Trêve de discussion ! cria une fois de plus la voix du vieillard.

Je bondis et me précipitai comme un fou chez mes voisins. Je voulais coûte que coûte avoir raison.

Ils festoyaient... Des personnages aux yeux exorbités comme ceux des écrevisses étaient assis autour d'une table jonchée de bouteilles. Un vieillard chauve se prélassait sur un canapé, au fond de la pièce, avec sur son épaule la tête blonde d'une cocotte bien connue. Il regardait ma cloison et égrenait d'une voix éraillée :

— Pas de discussions !

J'avais à peine ouvert la bouche pour proférer des injures que, oh horreur ! je reconnus dans le vieillard le directeur de la banque où je travaillais. Mon envie de dormir, ma rage, mon arrogance disparurent en un clin d'œil. Je quittai précipitamment la chambre de mes voisins.

Durant un mois entier le directeur ne m'accorda ni un regard ni une parole... Nous nous évitions. A la fin du mois, il s'approcha de mon bureau et me dit, la tête baissée et les yeux au plancher :

— Je pensais... j'espérais que vous comprendriez vous-même... Mais je vois que vous n'avez pas l'intention... Hum... Ne vous énervez pas ! Vous pouvez même vous asseoir... Je pensais que... Il nous est impossible de travailler ensemble... Votre conduite à l'hôtel Boultkhine... Vous avez tellement fait peur à ma nièce... Vous comprendrez... Transmettez vos dossiers à Ivan Nikititch...

Et, relevant la tête, il s'éloigna.

C'en était fait de moi.

LA VISITE RATÉE

Un jeune gandin entre tout guilleret dans une maison où il n'a jamais mis les pieds... Il vient rendre visite et tombe dans le vestibule sur une fillette d'une quinzaine d'années en robe d'indienne et petit tablier blanc.

— Ils sont là ? lui demande-t-il avec désinvolture.

— Oui.

— Oh, charmante ! Madame aussi est chez elle ?

— Oui, répond la fillette, et elle rougit, sans raison apparente.

— Elle est à croquer, cette petite coquine ! Où dois-je poser mon chapeau ?

— Où vous voudrez. Laissez-moi... Je ne comprends pas...

— Allons, pourquoi rougis-tu ? Ne fais pas tant d'histoires, je ne vais pas te manger.

Et le gant du visiteur va claquer la taille de la fillette.

— Mais elle n'est pas mal du tout, cette petite ! Va m'annoncer.

La jeune fille devient rouge comme un coquelicot et disparaît.

— Elle est encore jeunette ! conclut le gandin, et il entre dans le salon.

Il y est accueilli par la maîtresse de maison. On s'assied, on bavarde...

Cinq minutes sont à peine passées que la fillette en tablier traverse le salon.

— Ma fille aînée ! dit la maîtresse de maison en montrant la robe d'indienne.

Rideau.

DEUX SCANDALES

— Arrêtez, que le diable vous emporte ! Si les ténors n'arrêtent pas de chanter comme des chèvres, je m'en vais. Il faut regarder la partition, la rouquine ! Vous, la rouquine, la troisième à partir de la droite ! Je vous parle ! Si vous ne savez pas chanter, pourquoi diable allez-vous vous fourrer sur la scène avec vos croassements de corbeau ? Reprenez au début !

Il tempêtait et faisait claquer sa baguette sur la partition. On pardonne bien des choses à ce monsieur hirsute, le chef d'orchestre. Comment pourrait-on faire autrement ? Car s'il jure, tempête et s'arrache les cheveux, c'est uniquement pour protéger un art qui lui est sacré et dont personne n'oserait se moquer. Il monte la garde, et s'il n'était là, qui donc se retiendrait de lancer ces affreuses notes discordantes qui viennent sans cesse déranger et tuer l'harmonie ? Il veille sur cette harmonie, et pour elle il est prêt à pendre tout le monde et à se pendre lui-même. On ne peut lui en vouloir. Mais s'il défendait ses propres intérêts, ce serait alors une tout autre histoire !

Une grande part de sa bile amère et écumante s'abattait sur la jeune fille rousse, la troisième à partir de la droite. Il était prêt à la dévorer, à la faire rentrer sous terre, à la mettre en miettes et à la jeter par la fenêtre. Elle détonnait plus que tous les autres, et il la méprisait et détestait, cette rouquine, plus que tout. Si elle avait disparu sous terre, si elle était morte à l'instant sous ses yeux, si le lampiste tout sale l'avait allumée à la place d'une lampe ou s'était mis à lui taper dessus en public, il en eût ri de bonheur.

— Que le diable vous emporte ! Comprendrez-vous, à la fin, que vous vous y entendez en chant et en musique comme moi à la pêche à la baleine ? C'est à vous que je parle, la rouquine ! Expliquez-lui que ce n'est pas un *fa* dièse mais un *fa* naturel. Apprenez les notes à cette ignare ! Allez, chantez toute seule ! Commencez ! Deuxième violon, allez au diable avec votre archet qui grince !

Elle, une jeune fille de dix-huit ans, restait là, les yeux fixés sur sa partition, et tremblait comme une corde pincée trop fort. Elle piquait fard sur fard et son petit visage flambait comme un incendie. Les larmes qui brillaient à ses yeux semblaient sur le point de rouler sur les petites têtes d'épingles noires des notes. Si seulement la masse soyeuse de ses cheveux d'or qui tombait sur ses épaules et sur son dos avait pu cacher son visage aux yeux du public !

Sous le corsage, sa poitrine se soulevait comme une vague. Là, sous le corsage, régnait au plus profond de sa poitrine une terrible agitation : chagrin, remords, mépris de soi, effroi... La pauvre enfant se sentait coupable et sa conscience déchirait son cœur. Elle était coupable envers l'art, envers le chef d'orchestre, envers ses camarades, envers l'orchestre, et sans doute elle le serait bientôt envers le public... Si on la sifflait, on aurait mille fois raison. Elle n'osait regarder personne, mais elle sentait que tout le monde la regardait avec du mépris et de la haine... Et lui en particulier ! Il était prêt à l'envoyer au bout du monde, le plus loin possible de ses oreilles de musicien.

« Mon Dieu, faites que je chante comme il faut ! » pensait-elle, et dans sa forte voix tremblante de soprano résonnait une note de désespoir.

Il ne voulait pas entendre cette note, et il tempêtait en s'arrachant les cheveux. Il s'en moquait, de sa souffrance, le spectacle était pour le soir. Peu lui importait le désespoir de qui que ce soit la veille du spectacle !

— C'est très mauvais ! La voix de chèvre de cette petite va me tuer ! Vous n'êtes pas une vedette, mais une blanchisseuse ! Enlevez à la rouquine sa partition.

La jeune fille aurait tout donné pour ne pas détonner. Du reste, elle savait chanter juste, elle connaissait à fond son métier. Etait-ce sa faute si ses yeux se refusaient à lui obéir ? Ses yeux, ses beaux yeux qu'elle maudissait, qu'elle maudirait jusqu'à sa mort, se refusaient à suivre la partition et la baguette. Ils s'attardaient sur les cheveux et les yeux du chef d'orchestre, ils ne quittaient pas ses mèches folles et son regard empli de flamme et effrayant. La pauvre petite aimait à la folie ce visage où se succédaient les nuages et les éclairs. Etait-ce sa faute si son petit cerveau, au lieu de se concentrer sur la répétition, la faisait penser à d'autres choses, des choses qui l'empêchaient de travailler, de vivre, de dormir en paix ?

Son regard quittait la partition pour la baguette, la baguette pour la cravate blanche, le menton pour les petites moustaches et ainsi de suite...

— Enlevez-lui sa partition ! Elle est malade ! cria le chef d'orchestre. Je ne continue pas !

— Oui, je suis malade !... murmura-t-elle, résignée, prête à se confondre en excuses.

On lui dit de rentrer chez elle et on la remplaça par une chanteuse qui n'avait pas une aussi jolie voix, mais qui possédait son métier et le faisait honnêtement, consciencieusement, sans penser à la cravate blanche et aux petites moustaches.

Même à la maison, l'image du chef d'orchestre ne la laissait pas en paix. En revenant du théâtre, prostrée sur son lit, la tête enfouie sous l'oreiller, elle revoyait dans les ténèbres de ses yeux clos la figure transformée par la colère du chef d'orchestre. Elle avait l'impression de recevoir des coups de baguette sur les tempes. Cet homme qui lui montrait tant d'indifférence était son premier amour !

Un premier amour malheureux.

Le lendemain, ses camarades vinrent prendre de ses nouvelles. On avait écrit sur les affiches et dans les journaux qu'elle était subitement tombée malade. Le directeur et le régisseur vinrent à leur tour lui témoigner leur respectueuse sympathie. Il vint aussi.

Quand il ne se trouve pas à la tête d'un orchestre, quand ses yeux ne sont pas rivés sur une partition, c'est un autre homme. Il est courtois, aimable et déférent comme un petit garçon. Un sourire suave et respectueux éclaire son visage. Non seulement il n'envoie plus personne au diable, mais il n'ose ni fumer, ni croiser les jambes en présence des dames. On aurait du mal à trouver un homme plus doux et plus correct.

Il vint donc, l'air soucieux, et lui dit que sa maladie était une perte terrible pour l'art et que ses camarades, ainsi que lui-même, étaient décidés à tout, pourvu que *notre petit rossignol** soit bien portant et heureux. Oh ! Ces maladies ! Elles ont fait bien des ravages parmi les artistes. Il faudrait prévenir le directeur que tous les artistes le quitteraient s'il n'entreprenait rien pour faire cesser les courants d'air sur scène. La santé est le plus précieux des biens. Puis il lui serra chaleureusement la main, poussa un soupir qui semblait sincère et partit en maudissant les maladies. Tout cela était vraiment sympathique ! Par contre, lorsqu'elle se déclara guérie et reparut sur le plateau, il fulmina comme par le passé et l'envoya au « fin fond des enfers ».

En réalité, c'était un homme tout à fait comme il faut. Un jour avant le spectacle, appuyée à un rosier aux fleurs de bois, la jeune fille suivait attentivement les faits et gestes de son idole. Son cœur débordait d'extase à la seule vue du chef d'orchestre qui, debout dans les coulisses, buvait du champagne avec Méphistophélès et Valentin. De ses lèvres, plus habituées aux injures qu'aux plaisanteries, coulait un jet continu d'histoires drôles. Il riait à gorge déployée. Ayant bu trois coupes, il quitta les chanteurs et se dirigea vers la fosse d'orchestre où les musiciens accordaient déjà leurs violons et leurs violoncelles. Il passa devant la jeune fille, lui adressa un sourire et un geste de la main. Il avait l'air satisfait, joyeux et sûr de lui. Qui oserait mettre en doute ses qualités de chef d'orchestre ? Personne. Elle rougit et lui sourit. A demi ivre, il s'arrêta près d'elle et lui parla.

— J'ai bu, mais mon Dieu, que je me sens bien, dit-il. Aujourd'hui, vous êtes tous tellement gentils ! Vos cheveux sont magnifiques ! Comment se fait-il que je n'ai jamais remarqué que le petit rossignol avait une si belle crinière ?

Il s'inclina, posa un baiser sur l'épaule recouverte de boucles flamboyantes et dit d'une voix incertaine :

— Ce maudit vin me fait tourner la tête. Cher rossignol, nous ne nous tromperons plus ? Nous chanterons avec beaucoup d'attention ? Pourquoi détonnez-vous si souvent ? Autrefois, cela ne vous arrivait pas, petit casque d'or !

Attendri par ses propres paroles, il lui baisa la main. Elle voulut répondre.

— Ne me grondez pas... Bien sûr que je... Vous me faites mourir avec vos reproches. Je ne pourrai pas supporter... je vous le jure !

Des larmes lui montaient aux yeux. Sans y prendre garde, elle s'appuya à son bras et s'y agrippa de toutes ses forces.

— Vous ne vous rendez pas compte... Parfois vous êtes tellement dur. Je vous jure...

Il s'assit sur le buisson et chancela... Pour éviter de tomber, il la saisit par la taille.

— La sonnerie, trésor, je vous vois au prochain entracte !

Après le spectacle, elle ne rentra pas seule. Le chef d'orchestre, toujours aussi ivre et joyeux, l'accompagnait. Dieu qu'elle était heureuse ! Blottie dans ses bras, elle croyait à peine à son bonheur. Quoi qu'il en soit, pendant une semaine entière, le public put lire sur l'affiche qu'elle et le chef d'orchestre étaient malades. Il ne la quitta pas de toute une semaine, qui leur parut brève comme l'éclair. La jeune fille ne le laissa partir que lorsqu'il leur parut gênant de se cacher plus longtemps et de rester ainsi sans travailler ni se montrer au théâtre.

— Il faut faire prendre l'air à notre amour ! dit-il. Je m'ennuie sans mon orchestre.

Le huitième jour, il brandissait à nouveau sa baguette et envoyait au diable tout le monde, y compris « la rouquine ».

Les femmes aiment comme des chattes. Malgré sa liaison et la vie commune avec son épouvantail, mon héroïne ne perdait pas ses stupides habitudes. Comme par le passé, au lieu de regarder la partition et la baguette, elle n'avait d'yeux que pour la cravate et le visage du maestro... Aux répétitions comme pendant les représentations, elle détonnait sans cesse, peut-être plus souvent encore qu'auparavant. Aussi, que n'entendait-elle pas ! Autrefois il ne l'injuriait que pendant les répétitions ; maintenant, il le faisait à la maison, après le spectacle, debout devant son lit. Petite sentimentale ! Il lui suffisait de regarder le visage chéri pour se mettre en retard d'une mesure ou pour ne plus dominer sa voix. Lorsqu'elle était sur scène, elle ne le quittait pas des yeux et quand elle ne jouait pas, elle restait dans les coulisses pour ne pas perdre de vue sa silhouette efflanquée. Pendant les entractes, ils se retrouvaient dans sa loge où, tout en se moquant des admirateurs de la jeune fille, ils buvaient du champagne. Quand l'orchestre attaquait l'ouverture, elle restait sur scène et le contemplait à travers un petit trou pratiqué dans le rideau. C'est par ce trou que les acteurs comptent les calvities du premier rang et évaluent le montant de la recette au nombre de têtes aperçues.

Cet orifice du rideau fut fatal au bonheur de notre jeune chanteuse. Il fut la cause d'un scandale. Un jour de Mardi Gras, le théâtre était moins vide que de coutume. On donnait *Les Huguenots*. Tandis que le chef d'orchestre se faufilait parmi les pupitres pour gagner sa place, elle se trouvait déjà, le cœur battant et l'œil aux aguets, à son poste derrière le rideau.

Le maestro prit son air sérieux, désabusé, et leva la baguette. Les premières mesures de l'ouverture retentirent. Le beau visage du chef d'orchestre était relativement calme... Puis, vers le milieu du morceau, son œil et sa joue droite furent parcourus comme par une décharge électrique. Le fait est qu'il se manifestait à droite un certain désordre : la flûte détonnait, tandis que le basson, pris d'une toux malencontreuse, ratait son entrée.

Peu après ce fut le tour de la joue gauche de rougir et de se crisper.

« Que d'expression, quelle flamme dans ce visage », se disait notre héroïne au comble de la félicité.

— Au diable le violoncelle, grommela le chef d'orchestre entre ses dents, d'une voix brève à peine perceptible.

Le violoncelliste connaît certes son métier, mais pour ce qui est du sentiment... Peut-on confier cet instrument aux sonorités si tendres, si délicates à des gens manquant à ce point de sensibilité ! Le visage du chef d'orchestre se contracta et sa main libre s'accrocha au pupitre. On ne pouvait pourtant pas rendre responsable le pupitre du fait que le violoncelliste jouait par intérêt et non pas par amour de l'art !

— Débarrassez le plateau ! dit une voix toute proche.

Tout à coup le visage du chef d'orchestre s'éclaira et rayonna de bonheur. Un sourire détendit ses lèvres. Les premiers violons venaient d'exécuter brillamment un passage difficile. Quelle joie pour un véritable artiste ! Mon héroïne aux cheveux d'or sentait son cœur se dilater de plaisir comme si elle tenait elle-même l'archet du premier violon ou la baguette. Mais si le maestro habitait son cœur, son cœur n'était pas celui d'un chef d'orchestre. En voyant le sourire satisfait de son amoureux, la « diablesse rousse » sourit à son tour... Elle aurait mieux fait de s'en abstenir car il se passait quelque chose d'insolite, de fabuleusement absurde.

Le trou avait subitement disparu. Où donc se cachait-il ? Elle entendit, venant d'en haut, un bruit semblable au souffle régulier du vent. Quelque chose lui frôla le visage... Que se passait-il ? Elle cherchait des yeux la silhouette de son bien-aimé, mais fut éblouie soudain par une lumière violente venant du plafond et du fond de la salle. Dans cette lumière elle discernait le scintillement d'une multitude de lustres et un nombre incalculable de têtes. Elle reconnut celle du chef d'orchestre qui la regardait frappé de stupeur. Cette stupeur fit place à une expression d'indicible épouvante et d'angoisse. Inconsciemment, elle fit un pas vers la rampe... Des rires fusèrent dans les deuxièmes galeries et, en un instant, tout le théâtre croula sous d'inextinguibles éclats de rire et sous les huées. Que diable, voilà qu'une dame gantée, chapeautée, vêtue à la dernière mode, venait chanter *Les Huguenots* !...

— Ha ! ha ! ha !

Les messieurs chauves des premiers rangs riaient eux aussi et s'agitaient. Un bruit terrible régnait dans la salle. Le visage du chef d'orchestre devenait vieux et ridé comme celui d'Esope. Ses traits respiraient la haine, il proférait des malédictions. Il tapa du pied et jeta par terre sa baguette de chef qu'il n'aurait pourtant pas échangée contre un bâton de maréchal. Pendant quelques instants, l'orchestre joua n'importe quoi, puis se tut... La jeune fille recula, et prête à s'évanouir regarda de côté... Sur le côté se trouvaient les coulisses, et elle y vit des figures blêmes et courroucées qui l'observaient. Elle crut voir des fauves grognants.

— Vous nous menez à la ruine ! siffla le régisseur.

Le rideau tombait lentement, se balançait, indécis, comme s'il ne savait pas où se poser. Elle chancela et se retint aux décors.

— Vous me perdez, dépravée, folle. Que le diable t'emporte, garce !

C'était la même voix qui, une heure avant, tandis que l'artiste s'apprêtait pour aller au théâtre, murmurait tendrement : « Comment ne pas t'aimer, petite fille ! Tu es mon bon génie ! Ton baiser vaut le paradis de Mahomet ! » Et maintenant ? Il n'y avait pas l'ombre d'un doute, elle était perdue !

Pendant que l'ordre revenait dans le théâtre et que le chef d'orchestre attaquait pour la deuxième fois l'ouverture, elle prenait le chemin de la maison. Elle se déshabilla en toute hâte et se glissa sous sa couverture. Il est plus facile de mourir couchée qu'assise ou debout, se disait-elle, persuadée que le remords et l'angoisse la tueraient. La tête sous l'oreiller, suffoquant de honte, chassant de sa tête toute pensée, elle s'agitait dans le lit. La couverture gardait l'odeur des cigares qu'il fumait.

Que dirait-il à son retour ?

Vers deux heures du matin, il rentra ivre mort. Le chagrin et la rage l'avaient poussé à boire. Ses mains et ses lèvres tremblaient comme des feuilles secouées par le vent, ses jambes refusaient de le porter. Sans enlever sa pelisse ni son chapeau, il s'approcha du lit et la contempla en silence. Elle retenait son souffle.

— On peut dormir tranquille après s'être couvert de honte devant le monde entier ! dit-il d'un ton persifleur. Nous autres, véritables artistes, savons nous mettre en paix avec notre conscience ! Une véritable artiste ! Ha ! ha ! Sorcière !

Il arracha la couverture et la lança vers la cheminée.

— Sais-tu ce que tu as fait ? Tu t'es moquée de moi, que le diable t'emporte ! Tu le sais ? Oui ou non ? Debout !

Il la tira violemment par le bras. Assise sur le bord du lit, elle cachait son visage sous sa chevelure défaite. Ses épaules tremblaient.

— Pardonne-moi !

— Ha, ha ! rouquine !

Il arracha sa chemise et aperçut une ravissante épaule blanche comme de la neige. Mais ce n'était pas l'heure de regarder les épaules.

— Je ne veux plus de toi dans ma maison ! Habille-toi ! Tu as empoisonné ma vie, misérable !

Elle s'approcha de la chaise sur laquelle gisait le tas informe de ses vêtements et commença à s'habiller. « Il a raison, pensait-elle, je lui ai empoisonné la vie ! Bien sûr, c'est ignoble et lâche d'empoisonner la vie d'un grand homme ! Je m'en irai, pour cesser cette infamie. Il y a bien assez de gens au monde pour empoisonner les existences... »

— Va-t'en d'ici ! Tout de suite ! criait le musicien en grinçant des dents, et il lui jeta son corsage à la figure.

Vêtue, elle s'arrêta devant la porte. Il se taisait. Mais le silence ne dura pas. Le chef d'orchestre titubait. D'un geste incertain, il lui indiqua la porte. Elle passa dans le vestibule. Il ouvrit la porte d'entrée.

— File, ordure ! dit-il en empoignant son dos étroit pour la pousser dehors.

— Adieu ! murmura-t-elle d'une voix pleine de repentir, et elle disparut dans l'obscurité.

La nuit était froide et brumeuse... Une petite pluie fine tombait du ciel.

— Va au diable ! cria-t-il, et il referma la porte, sans écouter le bruit de ses pas dans la boue.

Après avoir chassé son amie dans la nuit glaciale, il se fourra dans le lit encore tiède et sombra dans un sommeil profond, ponctué de ronflements.

— C'est bien fait pour elle ! dit-il le lendemain matin en se réveillant.

Mais... il mentait. Son cœur de musicien se serrait d'angoisse à la pensée de la rouquine, il était rongé de remords. Toute la semaine il vécut dans un état de demi-ivresse, souffrant de l'incertitude et guettant son retour. Il espérait la voir revenir et cette pensée le soutenait. Mais elle ne revint pas. Cela n'entrait pas dans son programme d'empoisonner l'existence de l'homme qu'elle chérissait plus que la vie. Elle fut rayée de la liste des artistes pour « inconduite ». On ne lui pardonnait pas le scandale ! On ne lui notifia pas son renvoi, ne sachant où la trouver. On ignorait tout, mais on supposait bien des choses.

« Elle est morte de froid ou elle s'est jetée à l'eau ! » se disait le chef d'orchestre.

Six mois après, on ne pensait plus à elle. Le maestro aussi l'avait oubliée. Les artistes, surtout quand ils sont beaux, ont trop de femmes sur la conscience pour pouvoir se souvenir de chacune d'elles.

Tout se paie en ce bas monde, disent les gens honnêtes et bien-pensants. Et le chef d'orchestre, a-t-il été puni ?

Oui, il l'a été.

Cinq ans plus tard, de passage dans la ville de X, réputée pour son Opéra, il s'y arrêta une journée pour faire connaissance avec les artistes. Il descendit dans le meilleur hôtel et reçut le lendemain une lettre qui témoignait de quelle popularité jouissait mon héros hirsute. On lui demandait de diriger *Faust*, car, son collègue étant tombé malade, la baguette de chef se trouvait disponible. Accepterait-il, disait la lettre, de saisir cette occasion pour régaler de son art les mélomanes de la ville de X ? Mon héros accepta.

Il prit donc la baguette, et les musiciens inconnus eurent l'occasion de voir son visage ombrageux et ses yeux où brillaient des éclairs. Les éclairs, il ne les ménageait pas et pour cause : le maestro devait faire briller son talent au spectacle sans avoir eu de répétition.

Le premier acte se passa sans incident. Le second de même. Mais, pendant le troisième, il se produisit un esclandre. Notre chef d'orchestre ne regardait jamais ni la scène ni quoi que ce soit d'autre. Il portait toute son attention sur la partition. Quand le soprano puissant et magnifique de Marguerite entonna la chanson du rouet, il sourit de satisfaction : cette dame chantait à ravir. Mais, lorsqu'elle se prit un retard d'une demi-mesure, des éclairs jaillirent de ses yeux et il regarda haineusement la scène. Mais pour les éclairs, ce fut un échec et mat !

Sa bouche s'ouvrit toute grande de stupéfaction, ses yeux s'écarquillèrent. Sur la scène, près du rouet, était assise la rouquine qu'il avait tirée naguère de son lit douillet pour la précipiter dans la nuit brumeuse et froide. Oui, il reconnaissait sa tignasse rousse, mais la femme assise près du rouet n'avait rien de commun avec celle qu'il avait chassée autrefois. C'était le même visage, bien sûr, mais la voix et le corps avaient changé. Elle avait acquis une grâce, une élégance et une liberté nouvelle dans ses mouvements.

La bouche toujours ouverte, blanc comme un linge, le chef d'orchestre faisait avec sa baguette des mouvements incohérents. Puis il s'arrêta de diriger et dit tout fort, en se mettant à rire :

— Mais c'est elle !

Son cœur débordait de surprise, d'animation et de joie. Sa rouquine, celle qu'il avait jetée à la rue, elle n'était pas morte, elle était devenue une grande artiste.

Quelle satisfaction pour son cœur de chef d'orchestre !
Un astre est né, et l'art, en sa personne, déborde de joie.

— C'est elle, elle !

La baguette restait toujours immobile. Désireux de rétablir la situation, le chef d'orchestre la leva enfin, mais elle lui échappa des mains et tomba à terre avec bruit. Le premier violon se baissa pour la ramasser. Croyant que le chef d'orchestre se trouvait mal, le violoncelliste s'arrêta de jouer, puis recommença, mais à contretemps. Un tourbillon de sons emplit les airs et, cherchant une issue à ce désordre, se fondit en une horrible cacophonie !

Elle, la rousse Marguerite, se leva d'un bond et mesura d'un regard indigné les « ivrognes » qui... Son œil s'arrêta sur le chef d'orchestre. Elle pâlit.

Le public, ne tenant compte de rien, sifflait et tapait des pieds : il avait payé.

Pour couronner le tout, la chanteuse poussa un cri strident et levant les bras au ciel se précipita vers la rampe. Elle venait de le reconnaître et ne voyait plus rien que les éclairs de ses yeux et les nuages accumulés sur son front.

— Maudite garce ! cria-t-il en donnant un coup de poing sur la partition.

Qu'aurait dit Gounod en voyant la façon dont on bafouait son œuvre ! Oh ! Gounod l'aurait tué et il aurait eu raison !

Il venait de commettre la première faute de sa carrière de chef d'orchestre, et il ne se pardonnait ni cette erreur ni le scandale qu'elle avait provoqué. Il quitta le théâtre en courant. Sa lèvre inférieure saignait. Arrivé dans sa chambre d'hôtel, il ferma la porte à double tour et resta enfermé trois jours et trois nuits, occupé sans doute à faire de l'introspection et de l'autoflagellation.

Les musiciens racontent qu'il a blanchi en trois jours et qu'il s'est arraché la moitié des cheveux...

— J'ai blessé son honneur ! pleure maintenant le chef d'orchestre quand il est ivre. Je lui ai gâché son rôle ! Je ne suis pas un artiste !

Pourquoi ne disait-il rien de semblable après l'avoir jetée dehors ?

L'IDYLLE INTERROMPUE

— Mon oncle est un homme merveilleux ! me disait souvent Gricha, le neveu sans fortune et l'unique héritier du capitaine Nacetchkine. Je l'aime de tout mon cœur... Passons le voir, mon vieux ! Il sera si content !

Les larmes montaient aux yeux de Gricha quand il parlait de son oncle. Il faut dire à son honneur qu'il n'avait pas honte de ces douces larmes et qu'il les versait en public ! Je cédai à ses prières et, la semaine dernière, j'allai rendre visite au capitaine. Lorsque j'entrai dans le vestibule et que je glissai un coup d'œil dans le salon, j'aperçus un tableau attendrissant. Le capitaine, un petit vieux maigrichon, était assis au milieu de la pièce dans un grand fauteuil et prenait le thé. Devant lui, Gricha, un genou à terre, remuait avec attendrissement le thé de son oncle avec une petite cuiller.

La fiancée de Gricha entourait de son joli bras le cou marron du vieillard... Le neveu pauvre et sa fiancée se disputaient le droit d'embrasser le tonton et ne lui ménageaient pas les baisers...

— Et à présent, embrassez-vous, les héritiers ! susurrait Nacetchkine, rayonnant de bonheur...

Entre ces trois êtres existait le plus enviable des liens... Moi, l'homme cruel, mon cœur se serrait de bonheur et d'envie en les regardant...

— Oui ! disait Nacetchkine. Je peux le dire, j'ai eu une vie bien remplie ! Tout le monde ne peut pas en dire autant ! Pour ne parler que d'esturgeons, Dieu sait combien j'en ai mangés ! Prenons par exemple l'esturgeon qu'on a mangé à Skopine ! Mmmm ! L'eau m'en vient encore à la bouche...

— Racontez-nous, racontez-nous, dit la fiancée.

— J'arrive à Skopine avec mes billets de mille, mes petits, et je file tout droit... hum... chez Rykov... chez M. Rykov. Un type... ah là là ! Un homme en or ! Un gentleman ! Il me reçoit comme un parent... rien ne l'y obligeait... Parole d'honneur... Il m'offre du café... après le café, des hors-d'œuvre. Quel choix !... Un étalage de victuailles à consommer sur place ou à emporter. Un esturgeon qui tenait toute la table... des homards... du caviar... Un vrai restaurant !

J'entrai dans le salon et interrompis Nacetchkine. On venait de recevoir à Moscou les premières nouvelles télégraphiques annonçant la faillite de la banque de Skopine.

— Ces enfants me rendent heureux, me dit-il après les premières effusions ; et, se retournant vers eux, il continua d'un ton vantard : Une société distinguée ! Des chefs de bureau, le clergé... des moines... des prêtres... Après chaque petit verre, on demandait leur bénédiction... Je portais toutes mes décorations... De quoi faire pâlir un général... On mange l'esturgeon... Aussitôt on en apporte un autre... Il y passe... Après, on sert une soupe de poisson... un faisan...

— A votre place, j'en aurais le hoquet et des brûlures d'estomac, rien qu'à penser à ces esturgeons. Et vous vous vantez, dis-je. Vous avez perdu beaucoup, chez Rykov ?

— Pourquoi ça, perdu ?

— Comment, pourquoi ? Mais la banque a sauté !

— Des blagues ! Vieille chanson... On nous a déjà fait peur plus d'une fois.

— Vous n'êtes donc pas au courant ? Mon bon monsieur ! Serapione Iégoritch ! Mais c'est, c'est... c'est... Lisez !

Je fouillai dans ma poche et en tirai un journal. Nacetchkine mit ses lunettes et, avec un sourire incrédule, se mit à lire. Plus il avançait, plus son visage pâlissait et s'allongeait.

— Sau... sau... sauté ! hurla-t-il en se mettant à trembler de tous ses membres. Pauvre de moi !

Gricha rougit, parcourut le journal, pâlit... Sa main tremblante se tendit vers son chapeau. La fiancée tituba...

— Messieurs ! Est-il possible que vous ne l'appreniez que maintenant ? Tout Moscou en parle ! Messieurs ! Du calme !

Une heure après, j'étais seul, tout seul devant le capitaine et je me perdais en consolations.

— Voyons, Serapione Iégoritch ! Qu'y a-t-il de grave ? L'argent est perdu, mais les enfants vous restent !

— C'est vrai... L'argent n'est que vanité... Les enfants... C'est exact.

Mais hélas ! Je rencontrai Gricha la semaine suivante.

— Passez donc voir votre oncle, mon cher, lui-dis-je. Pourquoi n'y allez-vous pas ? Vous avez complètement abandonné le pauvre vieillard !

— Eh bien, qu'il aille au diable ! Que voulez-vous que je fasse de ce vieux démon ? L'imbécile ! Ne pouvait-il pas trouver une autre banque ?

— Allez-y tout de même. C'est votre oncle, après tout !

— Lui ? ah ! ah ! Vous voulez rire ? Où avez-vous pris ça ? C'est un cousin au troisième degré de ma belle-mère. Un cousin à la mode de Bretagne ! On est aussi peu parents que possible.

— Alors, envoyez-lui au moins votre fiancée !

— Parlons-en ! Le diable vous a poussé à montrer ce journal avant le mariage comme si vous ne pouviez pas attendre avec vos nouvelles ! Elle fait la dégoûtée... Elle aussi, elle lorgnait le magot de l'oncle... Idiote de malheur... Elle est déçue à présent.

J'avais ainsi, sans le vouloir, détruit le plus uni des trios... le plus enviable des trios...

LE BARON

Le baron est un petit vieux très maigre, d'une soixantaine d'années. Son cou forme avec sa colonne verté-
brale un angle obtus, qui deviendra bientôt un angle
droit. Il a une grosse tête anguleuse, des yeux ternes, un
nez camus, un menton violacé. Son visage est d'une couleur bleuâtre, sans doute due à l'alcool que l'accessoi-
riste enferme rarement à clé. En dehors de l'alcool du
théâtre, il arrive au baron de boire du champagne. Il en
reste souvent dans les loges, au fond des bouteilles et des
verres. Ses joues et les poches sous ses yeux sont molles
et flasques comme des chiffons sortant de la lessive. Son
crâne déplumé est verdâtre : c'est la faute de la doublure
de son bonnet de fourrure à oreillettes qui, lorsqu'il n'est
pas sur la tête du baron, est suspendu au bec de gaz hors
d'usage derrière la troisième coulisse. Sa voix est fêlée
comme un vieux chaudron. Et son costume ? S'il vous
fait rire, c'est que vous manquez de respect envers les
grands de ce monde, ce qui n'est guère à votre honneur.
Car la redingote brune démunie de boutons, aux coudes
lustrés et à la doublure effrangée, est un vêtement en tout
point remarquable. Elle pend sur les épaules étroites du
baron comme sur un portemanteau cassé, mais cela n'a
pas d'importance car elle a paré jadis le corps génial du
plus grand des comiques. Le gilet de velours à fleurs
bleues est percé d'une vingtaine de trous et agrémenté

d'innombrables taches. Mais il n'est pas question de s'en séparer, car il a été trouvé dans la chambre d'hôtel qu'habitait l'illustre Salvini, le lendemain de son départ. Personne n'oserait donc contester son authenticité. La cravate qui réchauffe le cou du baron n'est pas moins digne d'intérêt. Il en est fier, et pourtant, du point de vue hygiénique et esthétique, il conviendrait de la remplacer par une autre, plus solide et moins graisseuse. Cette cravate a été taillée dans la cape qui recouvrait autrefois les épaules d'Ernesto Rossi quand il jouait Macbeth et qu'il conversait avec les sorcières.

— Ma cravate a l'odeur du sang du roi Duncan ! disait souvent le baron en y cherchant des parasites.

Vous pouvez vous moquer tant qu'il vous plaira de son pantalon à rayures multicolores. Aucun personnage célèbre ne l'a jamais porté, mais les comédiens prétendent qu'il a été taillé dans les voiles du vapeur qui a transporté Sarah Bernhardt en Amérique. Le baron l'a acheté au gardien du vestiaire n° 16. Eté comme hiver, le baron porte d'énormes caoutchoucs afin de ne pas user ses chaussures et de mettre ses pieds rhumatisants à l'abri des courants d'air qui balaient le sol de sa cage de souffleur.

On rencontre le baron dans trois endroits : à la caisse, dans le trou du souffleur et dans la loge des artistes. On ne peut l'imaginer ailleurs qu'en ces trois endroits. La nuit, il dort dans le réduit réservé à la caisse, le jour, il y inscrit les noms des personnes qui viennent louer des loges et joue aux dames avec le caissier. Il n'y a que le vieux caissier scrofuleux qui écoute ce que dit le baron et réponde à ses questions. Dans le trou du souffleur, le baron accomplit sa tâche sacrée et gagne son pain quotidien. Seule la partie visible du trou est peinte en blanc ; à l'intérieur, les parois en sont tapissées de toiles d'araignées, trouées et mal rabotées. Tout y sent l'humidité, le poisson fumé et l'alcool. Pendant les entractes, le baron traîne dans la loge des comédiens. Les nouveaux venus éclatent de rire et applaudissent en le voyant. Ils le prennent pour un acteur.

— Bravo, bravo ! disent-ils. Vous avez un maquillage étonnant ! Vous vous êtes fait une drôle de tête ! Où avez-vous déniché un costume aussi original ?

Pauvre baron ! Les gens n'admettent pas que cette allure puisse être la sienne.

Dans la loge, il contemple amoureusement les vedettes et s'il n'y en a pas, s'enhardit jusqu'à glisser dans les conversations ses propres remarques, et Dieu sait qu'il n'en manque pas. Personne n'y prête attention, car elles ennuient tout le monde et n'ont rien de bien original. Elles entrent par une oreille et sortent par l'autre. Avec lui, pas de cérémonies. On ne se gêne pas pour le renvoyer quand on considère qu'il est de trop. Lorsqu'il souffle trop bas ou trop fort, on l'envoie au diable, on le menace d'une amende ou du limogeage. Il sert de cible à la plupart des bons mots et des calembours qui circulent dans les coulisses. On peut sans crainte exercer sur lui sa finesse d'esprit : il ne répondra pas.

Il porte depuis vingt ans le sobriquet de « Baron » et jamais il n'a protesté contre ce surnom. On peut lui faire copier des rôles et oublier de le payer. Il accepte tout. Il sourit, s'excuse et prend un air confus quand on lui marche sur le pied. Giflez en public ses joues ridées et, je vous en donne ma parole ! il n'ira pas se plaindre au juge de paix. Arrachez un morceau de doublure à sa célèbre redingote tout comme le fit récemment un *jeune premier**, il se contentera de battre des paupières et de rougir, tant il est habitué à la résignation et aux outrages. Personne ne le respecte. On le supporte tant qu'il est vivant, on l'oubliera immédiatement après sa mort. Pauvre créature !

Et pourtant il s'en est fallu de peu pour qu'il devienne l'égal, le frère de ces hommes auxquels il voue une admiration sans bornes, qui lui sont plus chers que la vie (il ne pouvait pas ne pas aimer ceux qui sont parfois

Hamlet ou Franz Moor). Il serait certainement monté sur les planches si une chose infime et ridicule ne s'y était opposée. Il avait du talent, de l'ambition et même quelques relations utiles. Mais il lui manquait une bagatelle — l'audace. Il lui semblait que le public, ce monstre aux têtes multiples qui occupait les cinq étages du théâtre, le remplissait de haut en bas, allait se mettre à rire et à le siffler dès qu'il paraîtrait sur scène. Muet de terreur, tour à tour pâle et rougissant, il répondait aux propositions des imprésarios :

— J'attendrai encore un peu.

Il a tellement attendu, que vieilli, à bout de ressources, il se trouva, et ceci grâce à l'intervention de ses amis, dans le trou du souffleur.

Le fait d'être souffleur ne l'affectait nullement. Il savait maintenant qu'on ne le mettrait pas à la porte du théâtre parce qu'il n'avait pas de billet : il y avait une fonction officielle. Placé devant le premier rang, il voyait mieux que tout le monde et ne payait rien. C'était la bonne solution. Il était satisfait et heureux.

Il remplissait ses fonctions à la perfection. Avant le spectacle il relisait plusieurs fois la pièce afin de ne pas se tromper et, au moment où retentissait le premier coup de sonnette, il était déjà à son poste et feuilletait son texte. Personne au théâtre ne mettait autant de zèle à son travail que le baron.

Et pourtant il faut le mettre à la porte du théâtre.

Le théâtre n'admet pas le désordre ; or le baron le provoquait souvent en faisant des esclandres.

Quand le jeu des acteurs était particulièrement brillant, il ne regardait plus son livret, et ne soufflait plus. Il interrompait souvent sa lecture pour s'exclamer : « Bravo ! Magnifique ! » et se permettait d'applaudir quand le public ne le faisait pas. Il alla un jour jusqu'à siffler, ce qui faillit lui faire perdre sa place.

Regardez-le quand, assis dans son trou puant, il est dans l'exercice de ses fonctions. Il rougit, pâlit, gesticule, souffle plus fort qu'il ne convient, il est hors d'haleine. On l'entend parfois jusque dans les couloirs où les messieurs du vestiaire bâillent à côté des manteaux. Il se permet de jurer et de donner des conseils aux acteurs.

— Levez le bras droit ! chuchote-t-il parfois. Vos paroles sont de feu, mais votre visage est de glace ! Ce rôle n'est pas fait pour vous ! Un blanc-bec ne peut pas tenir ce rôle ! Si vous aviez vu Ernesto Rossi ! A quoi rime cette caricature ? Ô mon Dieu ! Il a tout gâché avec ses manières de petit-bourgeois !

Voilà le genre de choses qu'il murmure au lieu de suivre son texte. On a bien tort de tolérer ce vieil original. Si on l'avait renvoyé en temps voulu, le public n'aurait pas été témoin du scandale qui éclata l'autre jour.

Voici ce qui s'est passé.

On jouait *Hamlet*. Le théâtre était plein. A notre époque, on écoute *Hamlet* avec autant de plaisir qu'il y a cent ans. Toutes les fois qu'on jouait du Shakespeare, le baron était au comble de l'excitation. Il buvait beaucoup, parlait sans arrêt, et ne cessait de se frotter les tempes comme pour en chasser une pensée obsédante. Une folle jalousie, le désespoir, la haine, les rêves perdus faisaient bouillonner sa vieille tête... C'est lui, le baron, qui aurait dû jouer Hamlet, malgré sa bosse et tout l'alcool absorbé au cours de son existence. C'est lui, et non ces pygmées capables de jouer indifféremment des laquais, des entremetteurs ou Hamlet. Il avait étudié près de quarante ans ce rôle, cher à tous les véritables artistes, qui ont partagé avec Shakespeare les lauriers que leur a apportés le prince danois. Oui, il lui avait consacré quarante ans de travail, d'espoirs et de souffrance. Et maintenant que la mort l'attendait, qu'elle le guettait pour l'arracher à jamais au théâtre, le désir de traverser le plateau vêtu de l'habit du prince le brûlait d'une flamme dévorante. Pouvoir dire ne fût-ce qu'une fois au bord de la mer près des rochers :

« Le site seul, sans plus de motif, dresse des images de désespoir en tout cerveau qui plonge à tant de brumes au-dessus de la mer et l'entend mugir sous lui[1]. »

Quel brasier consumerait le petit baron chauve si ce désir devenait réalité ?

Ce soir-là, le baron vouait au monde entier sa haine et sa jalousie. On avait confié le rôle d'Hamlet à un jeune rouquin à la voix perçante. Peut-on imaginer un Hamlet roux ?

Le baron se sentait dans son trou de souffleur comme sur des charbons ardents. Tant qu'Hamlet n'était pas sur scène, il arrivait à garder un calme relatif mais, dès que le jeune rouquin à la voix perçante faisait son apparition, il s'agitait, se tortillait sur sa chaise, il gémissait. Son chuchotement ressemblait davantage à une plainte qu'à une lecture. Ses mains tremblaient, les pages s'embrouillaient, il ne trouvait pas la bonne place pour sa bougie. Il fixait avidement Hamlet et oubliait de souffler.

« Poussons la caricature jusqu'au bout, se disait le baron pris d'une envie irrésistible d'arracher un à un les cheveux du jeune homme. Qu'Hamlet soit plutôt chauve que roux ! » Au deuxième acte, il ne soufflait plus du tout mais ricanait, poussait des « chut » indignés et lançait des insultes à l'adresse du comédien. Heureusement les acteurs savaient leurs rôles et ne remarquaient pas les défaillances du souffleur.

— Quel bel Hamlet ! invectivait-il. Il n'y a rien à dire ! Ah, ah ! Messieurs les militaires ne savent pas garder leur rang. Ils feraient mieux de faire la cour aux cousettes que de monter sur les planches ! Si Hamlet

---

1. *Hamlet*, édition de la Pléiade, traduction d'Eugène Morand et Marcel Schwob.

avait eu l'air aussi stupide, Shakespeare n'aurait sûrement pas écrit sa tragédie ?

Las d'injurier, le baron en vint aux conseils : il faisait des gestes, des grimaces, en assénant des coups de poing sur son livret, il exigeait que l'acteur lui obéisse. Shakespeare devait être sauvé de la profanation et le baron se sentait capable de provoquer pour son idole non pas un, mais mille scandales. Dans la scène avec les comédiens, l'Hamlet aux cheveux carotte était franchement mauvais. Il grimaçait comme « ce robuste gaillard aux longs cheveux » dont Hamlet lui-même disait : « Je serais bien capable de fouetter acteur pareil. » Le monologue du prince mit fin à la patience du vieillard. Hors d'haleine, martelant de son crâne chauve le plafond de la cabine, il posa la main gauche sur la poitrine, fit de la droite un geste majestueux et déclama de sa voix chevrotante en interrompant le jeune rouquin :

> Flambant de fureur et de peur,
> Tout rehaussé de sang coagulé,
> Les yeux semblables à des escarboucles,
>   l'infernal
> Pyrrhus
> Cherche le vieil ancêtre Priam[1].

Puis, à moitié sorti du trou du souffleur, il fit un signe de tête à l'artiste jouant le premier des comédiens et dit d'une voix devenue morne et éteinte :

— Enchaîne !

La réplique vint au bout d'un moment, durant lequel le théâtre resta plongé dans le plus profond des silences. Le baron rompit ce silence en heurtant de la tête le rebord de la cabine du souffleur. On entendit des rires.

— Bravo, la grosse caisse ! cria une voix au poulailler.

1. *Hamlet, op. cit.*

Les spectateurs avaient eu l'impression que l'auteur de l'incident était non le souffleur mais le vieux batteur de tambour qui sommeillait dans la fosse d'orchestre.

Ce dernier adressa un salut burlesque au poulailler, ce qui provoqua l'hilarité générale.

Le public est friand de bizarreries théâtrales et les payerait volontiers plus cher que les pièces habituelles. Enfin, le comédien ayant repris son rôle, le silence se rétablit peu à peu.

Quant au baron, en entendant les rires, il rougit de honte et se prit la tête à deux mains, oubliant sans doute qu'elle n'était plus garnie de ces cheveux qui, naguère, plaisaient tant aux jolies femmes. Il serait maintenant la risée de toute la ville, la pâture des revues humoristiques et, ce qui était bien plus grave, on allait le chasser du théâtre ! Brûlant de honte, furieux contre lui-même, il tremblait cependant de fierté : il venait de dire un monologue.

« De quoi te mêles-tu, vieille ferraille rouillée, se disait-il. Contente-toi de ton rôle de souffleur, si tu ne veux pas être rossé comme le dernier des laquais. C'est tout de même révoltant ! Ce blanc-bec de rouquin ne sait décidément pas jouer ! Est-ce possible d'interpréter ce passage comme il le fait ? »

Et, transperçant l'acteur de son regard méprisant, le baron se mit de nouveau à lui donner des conseils. Une fois de plus il ne réussit pas à se maîtriser et provoqua à nouveau le rire du public. Le vieil homme était décidément par trop nerveux. Au moment où Hamlet finissait le dernier monologue du deuxième acte, la voix du baron s'éleva encore une fois. C'était une voix méprisante, haineuse, pleine de ressentiment, mais, hélas ! affaiblie et brisée par les ans, qui disait :

> *Sanglant, immonde scélérat*
> *Ehonté, traître, lubrique, dégénéré, scélérat*
> *Oh, vengeance[1] !*

1. *Hamlet, op. cit.*

Après une dizaine de secondes de silence, le baron poussa un profond soupir et ajouta plus doucement :

— Quel âne je suis !

Cette voix aurait été celle du véritable Hamlet si la vieillesse n'y avait mis son sceau. L'âge gâte et gêne bien des choses.

Pauvre baron ! Il n'est ni le premier ni le dernier à en pâtir.

On va maintenant le mettre à la porte du théâtre. Avouez que cette mesure s'impose.

UN BRAVE TYPE

Des bottes d'hommes et des bottines de femmes garnies de fourrure glissent sur la glace pareille à un miroir. Les jambes sont si nombreuses que si nous étions en Chine, il n'y aurait pas assez de cannes de bambou pour chacune d'elles. Le soleil est particulièrement brillant, l'air particulièrement limpide, les joues plus éclatantes que de coutume et les yeux plus prometteurs qu'il ne le faut... En un mot, être humain, vis et jouis. Mais...

« Des noix ! » dit le Destin en la personne... d'un brave type de ma connaissance.

Je suis assis sur un banc, loin de la patinoire, sous un arbre dépouillé, et je bavarde avec « elle ». Elle est tellement jolie que j'ai envie de la croquer, avec son petit chapeau, sa pelisse et ses petits pieds sous lesquels brillent les patins ! Je souffre et, en même temps, je suis heureux ! O Amour ! Mais... « des noix » !

Voilà que passe devant nous notre « ouvreur et fermeur de la porte d'entrée » du bureau, notre Argus et notre Mercure, notre pâtissier et garçon de courses, Spevsip Makarov. Il serre dans ses mains des caoutchoucs d'homme et de femme qui appartiennent probablement à Leurs Excellences. Il touche sa visière pour me saluer et, avec un regard attendri et affectueux, s'arrête tout près de notre banc.

— Il fait froid, Votre Grand... Grandeur. Un petit sou pour du thé ! Hé ! Hé !

Je lui donne vingt kopecks. Cette gentillesse le touche au plus haut point. Il redouble de clignements d'yeux, regarde autour de lui et dit à voix basse :

— Je vous plains beaucoup, Votre Honneur, et puis c'est vexant !... C'est fou ce que je vous plains ! Comme si vous étiez mon fils... Vous êtes un homme en or ! Quel cœur ! Quelle bonté ! Un homme si doux ! L'autre jour, quand *il*, c'est-à-dire Son Excellence, s'est jeté sur vous, j'ai été pris de cafard. Je vous le jure. Je me suis dit, pourquoi il l'attrape comme ça ? Tu es un fainéant, un blanc-bec, je te ficherai à la porte, et ainsi de suite... Et pourquoi ? Lorsque vous êtes sorti de chez lui, vous n'aviez plus figure humaine. Je vous le jure ! Et moi, je regarde et ça me fait pitié... Oh, j'ai toujours de bons sentiments pour les fonctionnaires !

Et, s'adressant à ma voisine, il ajoute :

— C'est que Monsieur ne s'y retrouve guère dans les papiers... C'est pas son rayon, les papiers intellectuels... Il aurait dû se consacrer au commerce... ou à la religion... Parole d'honneur ! Pas un papier n'est fait comme il faut ! Tout à refaire ! Alors, on se fait taper sur les doigts... Et *lui*, il l'a pris en grippe... *Il* veut le vider... Moi, ça me fend le cœur. C'est que Monsieur est si gentil...

Elle me regarde dans les yeux avec un air de compassion offensant au possible.

— Va-t'en ! dis-je à Spevsip, le souffle coupé.

Je sens que mes caoutchoucs eux-mêmes ont rougi. Il m'a couvert de honte, la canaille ! A quelque distance, derrière les buissons dénudés, se trouve le papa qui nous écoute et nous mange des yeux pour que je n'ose même pas penser au... avant d'être nommé « conseiller en titre ». De l'autre côté, derrière d'autres buissons, se promène de long en large sa maman et elle « la » surveille. Je sens ces quatre yeux... et suis prêt à mourir.

UNE VENGEANCE

On donnait ce jour-là un spectacle au profit de notre *ingénue**.

Il était à peine dix heures du matin, mais le comique frappait déjà de ses gros poings à la porte de l'actrice en prêtant l'oreille au moindre bruit venant de sa chambre. Il fallait à tout prix qu'il voie l'Ingénue. Il était résolu coûte que coûte à la faire sortir de dessous sa couverture, quitte à interrompre son sommeil le plus profond.

— Ouvrez donc, que diable ! Faut-il que je gèle encore longtemps dans ce courant d'air ? Si vous saviez qu'il y a vingt degrés en dessous dans votre couloir, vous ne me feriez pas attendre davantage ! N'auriez-vous pas de cœur ?

A dix heures et quart, le comique entendit un profond soupir, suivi du grincement d'un lit et d'un bruit de pantoufles.

— Que désirez-vous ? Qui est là ?

— C'est moi...

Le comique n'avait pas besoin de se nommer. Il était facile de reconnaître sa voix chevrotante et rauque comme celle des diphtériques.

— Attendez, je m'habille...

Au bout de trois minutes, la porte s'ouvrit. Il entra, baisa la main de l'*ingénue** et s'assit sur le lit.

— Je viens vous voir pour affaires, dit-il en allumant un cigare. Je ne fais que des visites d'affaires, je laisse les autres à ces messieurs les désœuvrés. Mais, venons au fait. Je joue le rôle du comte dans la pièce que nous donnons ce soir. Vous le savez certainement ?

— Oui.

— Du vieux comte. Au deuxième acte, j'entre en scène en robe de chambre. J'espère que vous le savez aussi ?

— Oui.

— Parfait. Je pécherais contre la vérité si je ne paraissais pas en robe de chambre. Sur scène comme partout, la vérité avant tout ! Du reste, *mademoiselle**, à quoi bon vous le répéter ? Le but de tous les hommes est la recherche de la vérité.

— Oui, bien sûr !

— Vous voyez donc, d'après ce qui vient d'être dit, qu'une robe de chambre m'est absolument indispensable. Or je n'en possède pas qui puisse convenir à un comte. La scène perdrait beaucoup si je me montrais au public dans ma robe de chambre d'indienne. Il y aurait comme une tache sur votre gala.

— Je peux vous aider ?

— Oui. Après le départ de votre ami, il vous est resté une très belle robe de chambre bleue avec un col de velours et des glands rouges. Une splendide, une magnifique robe de chambre !

Notre *ingénue** s'empourpra. Ses yeux s'embuèrent, battirent et se mirent à briller comme des perles de verre dans un rayon de soleil.

— Prêtez-moi cette robe de chambre pour la représentation de ce soir.

L'ingénue se mit à aller et venir dans la pièce. Ses cheveux défaits tombaient en désordre sur son visage et ses épaules. Elle remuait ses lèvres et ses doigts s'agitaient...

— Non, je ne peux pas ! dit-elle.

— C'est bizarre... hum... Peut-on savoir pourquoi ?

— Pourquoi ? Ah, mon Dieu ! C'est bien compréhensible ! Comment pourrais-je ?... Non... Non ! Jamais ! « Il » s'est mal conduit envers moi, il a tous les torts, c'est entendu... Il s'est comporté comme le dernier des goujats... Je suis d'accord ! Il m'a abandonnée pour la simple raison que je ne gagnais pas assez et que je ne savais pas plumer les hommes ! Il voulait que j'accepte de l'argent de ces messieurs et que je le lui donne — il le voulait ! C'est vil, c'est abject ! Il n'y a que des êtres vulgaires et sans conscience pour avoir de telles prétentions !

L'ingénue se laissa tomber sur un fauteuil sur lequel était posée une chemise fraîchement repassée. Elle se cacha le visage dans ses mains et le comique put voir des points lumineux qui perçaient entre ses petits doigts : c'était la fenêtre qui se reflétait dans ses larmes.

— Il m'a volée ! continuait-elle en sanglotant. Je veux bien, mais est-ce une raison pour m'abandonner ? Pourquoi ? Que lui ai-je fait ? Qu'est-ce que je t'ai fait ?

Le comique se leva et s'approcha d'elle.

— Ne pleurons pas. Laissons les larmes aux lâches. Chaque instant peut apporter une consolation... Calmez-vous ! Vous trouverez la meilleure consolation dans votre art.

Mais la meilleure consolation n'y fit rien.

Une crise de nerfs succéda aux larmes.

— Ça passera, dit le comique. J'ai le temps.

En attendant qu'elle soit dans de meilleures dispositions, le comique fit les cent pas dans la chambre, bâilla et enfin s'allongea sur le lit. C'est un lit de femme, mais il n'est pas aussi moelleux que ceux où dorment les *ingénues** des théâtres dignes de ce nom. Un ressort s'enfonçait dans le flanc du comique et des plumes qui passaient timidement à travers la taie d'oreiller rose chatouillèrent sa calvitie. Les bords du lit étaient froids comme de la glace... Tout cela n'empêchait pas l'insolent de s'étirer avec volupté. Bon Dieu, que les lits de femmes sentent bon !

Pendant que le comique se prélassait sur le lit, les épaules de l'*ingénue** continuaient à tressaillir. Des gémissements entrecoupés s'échappaient de sa poitrine, et ses doigts nerveux déchiraient sa blouse de flanelle... Le comique lui avait rappelé la plus triste page d'un de ses plus tristes romans. La crise de nerfs dura une dizaine de minutes. Enfin calmée, l'ingénue rejeta ses cheveux en arrière, parcourut la pièce du regard et se remit à parler :

— Il est incorrect de rester affalé quand une dame vous parle. La politesse avant tout.

Le comique poussa un grognement, se releva et s'assit.

— Il s'est conduit d'une façon malhonnête, poursuivait-elle, mais cela n'implique pas que je doive vous donner sa robe de chambre. Malgré sa conduite lamentable, je l'aime toujours et cette robe de chambre est l'unique objet qui me reste de lui ! Quand je la vois, je pense à lui et... je pleure.

— Je n'ai rien contre vos louables sentiments, dit le comique. A l'époque matérialiste et bassement terre à terre où nous vivons, il est, au contraire, agréable de voir quelqu'un qui a du cœur et une âme sensible. Si vous me prêtiez cette robe de chambre pour un soir, je sais, vous feriez un sacrifice... mais l'art ne mérite-t-il pas un sacrifice ?

Après une courte réflexion, il ajouta avec un soupir :

— D'autant plus que je vous la rapporterai dès demain...

— Pour rien au monde !

— Mais pourquoi ? Je ne la mangerai pas, je vous la rendrai ! Vous êtes... vraiment bizarre !

— Non, non ! Pour rien au monde !

L'ingénue courait à travers la chambre en faisant de grands gestes.

— Pour rien au monde ! Vous voulez me priver du seul objet précieux que je possède ! Plutôt mourir que de la donner ! Je l'aime encore, cet homme !

— Je comprends parfaitement, mais il y a une chose que je n'arrive pas à saisir, madame : comment l'Art ne prime-t-il pas une robe de chambre ? Vous êtes pourtant une artiste !

— Pour rien au monde ! N'en parlons plus !

Le comique rougit et gratta sa tête chauve.

— Vous ne la donnerez donc pas ? demanda-t-il après un silence.

— Pour rien au monde.

— Hum... J'appelle ça de la camaraderie... Il n'y a que des camarades pour agir ainsi !...

Le comique soupira et reprit :

— C'est dommage, que diable ! Je regrette que nous soyons camarades en paroles et pas en fait. Du reste, le désaccord entre les paroles et les actes est très caractéristique de notre temps. Voyez, par exemple, la littérature. C'est regrettable ! Le manque de solidarité et de vraie camaraderie nous tue… nous autres artistes. Il nous tue, c'est le cas de le dire ! Du reste, cela prouve tout simplement que nous ne sommes ni de vrais comédiens ni des serviteurs de l'Art. Nous ne sommes rien d'autre que les valets du public. Nous montons sur les planches pour montrer des bras et des épaules nues... pour faire les yeux doux... pour chatouiller les instincts du poulailler... Vous ne la donnez pas ?

— Pas pour tout l'or du monde.

— C'est votre dernier mot ?

— Oui...

— Charmant...

Le comique mit son chapeau, salua cérémonieusement et sortit de la chambre de l'ingénue... Rouge comme une écrevisse, tremblant de colère, proférant des injures, il partit droit vers le théâtre. En marchant, il donnait des coups de canne sur la chaussée gelée. Avec quel délice il eût transpercé ses abjects camarades de cette canne noueuse ! Plus encore, il eût embroché la terre entière sur sa canne d'artiste ! S'il avait été astronome, il eût su prouver que c'était la pire des planètes !

Le théâtre se trouvait au bout de la rue, à trois cents pas de la prison. Il était peint en rouge brique. La peinture avait tout recouvert, sauf les fissures béantes qui prouvaient que le théâtre était en bois. Jadis, ce théâtre avait été une grange où l'on entreposait des sacs de farine. La grange avait été promue au rang de théâtre non pour quelque mérite particulier, mais parce que c'était la plus haute de toute la ville.

Le comique se dirigea vers la caisse. Son ami Stamm, un Allemand qui se faisait passer pour un Anglais, y était installé devant une table crasseuse en bois blanc.

Le caissier est très myope, il est bête et il est sourd, mais tout cela ne l'empêche pas d'écouter ses camarades avec l'attention nécessaire.

Le comique entra dans le réduit, fronça les sourcils et s'arrêta devant le caissier dans l'attitude d'un boxeur, les bras croisés sur la poitrine.

Il resta un instant silencieux, puis secoua la tête et s'exclama :

— Comment faut-il appeler ces gens, d'après vous, mister Stamm ?

Le comique donna un coup de poing sur la table et, dans son indignation, se laissa tomber sur le banc en bois. Ce n'est pas un torrent, mais un océan de mots fielleux, désespérés et furieux qui se déversa de sa bouche bordée d'une barbe de deux jours. Qu'il trouve au moins la compassion du caissier ! Cette gamine, cette mijaurée sentimentale avait repoussé la prière de celui qui empêchait cette sale grange de s'écrouler ! Refuser une complaisance (je ne parle même pas de rendre un service) au premier comique, qui avait été invité il y a dix ans dans un théâtre de la capitale ! C'est révoltant.

Cependant il fait pis que froid dans ce misérable théâtre. Il ne fait pas plus froid dans un chenil. Le vieux caissier a bien raison de rester en pelisse et en bottes de feutre. Sur la fenêtre, il y a de la glace, et le sol est balayé par un vent à faire envie au pôle Nord. La porte ferme mal, et ses bords sont blanchis par le givre. Le diable emporte la baraque ! Il fait même trop froid pour se fâcher.

— Elle se souviendra de moi ! s'exclama le comique pour conclure sa philippique.

Il posa ses pieds sur le banc et les recouvrit des pans de la pelisse qu'il avait héritée douze ans auparavant d'un acteur de ses amis mort de tuberculose. Il se tut et se pelotonna plus étroitement dans le manteau en soufflant sous l'étoffe pour se réchauffer.

Sa langue était muette, mais son cerveau travaillait. Ce cerveau cherchait un moyen. Car il fallait se venger de cette gamine effrontée et irrespectueuse !

Le comique n'avait pas abrité ses yeux dans sa pelisse, il les laissait libres de regarder où ils voulaient. D'ailleurs, eux, ils n'ont pas froid. Dans la caisse, il n'y a rien d'intéressant à voir. Près de la cloison en bois, la table ; devant la table, un banc ; sur le banc, le vieux caissier dans sa pelisse en poil de chien et ses bottes de feutre. Tout est grisâtre, banal, vieillot. Même la saleté est vieille. Un carnet de billets non entamé est posé sur la table. Il n'y a pas de clients. Ils commenceront à arriver au moment du repas. A part la table, le banc, les billets et un tas de papiers dans un coin, il n'y a rien. Quelle affreuse misère, quel affreux ennui !

Au fait, je m'excuse : il y a dans la caisse un unique objet de luxe. Cet objet traîne sous la table avec les vieux papiers, qu'on ne balaye pas à cause du froid. Et puis le balai a disparu.

Sous la table traîne une grande feuille de carton poussiéreuse et déchirée. Le caissier la piétine de ses bottes de feutre et crache dessus sans aucune cérémonie.

L'objet de luxe en question, le voilà. Le carton porte en gros caractères : « Tous les billets pour le spectacle de ce soir sont vendus. » Jamais encore cette pancarte n'a été suspendue au-dessus du guichet et aucun spectateur ne peut se flatter de l'avoir vue. Il est beau, ce carton, mais bien ironique. Dommage qu'il n'ait pas d'emploi. Le public ne l'aime pas, mais tous les artistes lui vouent un véritable culte.

Le regard du comique, qui errait sur les murs et le plancher, pouvait-il ne pas tomber en arrêt devant ce trésor ? L'artiste n'est pas très intelligent, mais cette fois il a saisi. En voyant le carton, il se frappa le front et s'exclama :

— J'ai trouvé ! Formidable !

Il se baissa et tira la pancarte de sous la table.

— Epatant ! Admirable ! Voilà qui va lui coûter plus cher que la robe de chambre bleue aux glands rouges !

Dix minutes après, pour la première et la dernière fois de toute son existence la feuille de carton était suspendue au guichet et... disait un mensonge.

Elle mentait, mais le public la crut. Le soir, notre ingénue, prostrée sur son lit, sanglotait à faire trembler les murs de l'hôtel.

— Le public ne m'aime pas !... répétait-elle.

Seul, le vent prenait la peine de lui montrer de la compassion. Ce vent au grand cœur pleurait dans la cheminée, le long des tuyaux d'aération, il pleurait sur tous les tons et, sans doute, il était sincère. Ce même soir, le comique, assis dans une brasserie, buvait de la bière. Il buvait de la bière — et voilà tout.

UNE ÉPREUVE

Etude psychologique

C'était le Nouvel An. J'allai dans le vestibule.

Là, en plus du portier, se trouvaient encore quelques-uns des nôtres : Ivan Ivanitch, Piotr Kouzmitch, Gueorgui Sidoritch... Ils étaient tous venus signer la feuille qui s'étalait majestueusement sur la table (c'était du reste du papier bon marché, du n° 8).

J'y jetai un coup d'œil. Que de signatures, et... Oh, duplicité ! Oh, hypocrisie ! Où êtes-vous, fioritures, enjolivures, accroche-cœurs, queues en tire-bouchon ? Toutes les lettres sont bien rondes, bien égales, et bien nettes comme des joues roses. Je vois des noms connus sans les reconnaître. Tous ces messieurs ont-ils changé d'écriture ?

Je trempai délicatement la plume dans l'encrier, et sans raison apparente, je me troublai, je retins mon souffle et inscrivis mon nom avec circonspection. D'habitude, quand je signe, j'escamote la dernière lettre. Cette fois, je ne l'escamote pas : je la trace du début jusqu'à la fin.

— Veux-tu que je te perde ? me souffle à l'oreille la voix de Piotr Kouzmitch.

— De quelle manière ?

— Si je le veux, je te perds. Oui. Tu veux ? Hé-hé-hé !...

— Ce n'est pas l'endroit pour plaisanter, Piotr Kouzmitch. N'oubliez pas où vous vous trouvez. Les sourires y sont moins que de mise. Excusez-moi, mais je suppose... C'est une profanation, un manque de respect, pour ainsi dire...

— Tu veux que je te perde !

— De quelle manière ? demandai-je.

— De quelle manière ? Comme l'a fait von Klausen il y a cinq ans à mon égard... Hé-hé-hé... Très simple... Tiens, je colle un tortillon à ta signature. J'y fais un paraphe, hé-hé-hé ! et je la rends irrévérencieuse. Tu veux ?

Je pâlis. Effectivement, ma vie était entre les mains de cet homme au nez bleuâtre. Je regardai avec appréhension et avec un certain respect ses yeux sinistres...

Comme il faut peu de choses pour faire tomber un homme !

— Ou bien, je peux laisser tomber une goutte d'encre à côté de ta signature. Je fais une tache... Tu veux ?

Nous nous taisions tous deux, lui, conscient de sa force, imposant, fier, le poison meurtrier à la main ; moi, conscient de mon impuissance, pitoyable, prêt à sombrer... Il fixait mon visage pâle de ses quinquets luisants, moi je fuyais son regard.

— Je plaisantais, dit-il enfin. N'aie pas peur !

— Oh, je vous remercie ! dis-je, et, plein de reconnaissance, je lui serrai la main.

— Je plaisantais... Cependant, je peux tout de même... Penses-y... Va-t'en... Pour le moment, je plaisantais. Mais qui sait ce que je peux faire après...

FRAUDEURS MALGRÉ EUX

Fantaisie du jour de l'An

Zachar Kouzmitch Diadetchkine donne une soirée. On fête le Nouvel An et l'anniversaire de la maîtresse de céans, Malania Tikhonovna.

Il y a beaucoup d'invités. Tous des gens honorables, posés, sobres et sérieux. Pas une seule fripouille. Sur leurs visages, on lit l'attendrissement, la satisfaction, et le sentiment de la dignité. Dans le salon, sur le divan recouvert de molesquine sont installés Goussiev, le propriétaire de l'immeuble, et l'épicier Razmakhalov, chez lequel les Diadetchkine ont un compte. Ils parlent de fiancés et de leurs filles.

— De nos jours, dit Goussiev, il est difficile de trouver un homme qui ne boive pas et qui est sérieux... un homme qui est travailleur... C'est difficile !

— La première chose, dans une maison, c'est l'ordre, Alexey Vassilitch ! Et il n'y en aura pas tant qu'il n'y aura pas dans une maison... heu... quelqu'un... qui... l'ordre, dans la maison...

— S'il n'y a pas d'ordre dans la maison, alors... tout va n'importe comment... Il y a tant de sottises en ce monde... A notre époque, comment voulez-vous avoir de l'ordre ? Hum...

Assises près d'eux sur des chaises, trois vieilles femmes écoutent avec attendrissement, suspendues à leurs lèvres.

Leurs yeux expriment l'étonnement devant tant d'intelligence. Dans un coin, debout, le compère Gouri Markovitch examine les icônes.

Il y a du vacarme dans la chambre à coucher des maîtres ; ces demoiselles et leurs cavaliers y jouent au loto. Un kopeck la mise. Un lycéen de sixième, Kolia, se tient debout à côté de la table et pleure. Il voudrait jouer au loto, mais on ne lui permet pas de prendre place. Est-ce que c'est sa faute s'il est petit et s'il n'a pas un kopeck ?

— Ne pleure pas, bêta ! l'exhorte-t-on. Allons, assez pleuré ! Tu veux que ta maman te fouette ?

— Qui c'est qui chiale ? Kolia ? (C'est la voix maternelle qui parvient de la cuisine.) Je ne l'ai pas assez fouetté, le polisson... Varvara Gourievna, tirez-lui les oreilles !

Deux demoiselles en robe rose se sont installées sur le lit des maîtres de maison recouvert d'une couverture d'indienne passée. Kopaïski, un jeune homme d'environ vingt-trois ans, employé dans une compagnie d'assurances, se tient debout devant elles ; *en face**, il ressemble tout à fait à un matou. Il fait sa cour.

— Je n'ai pas l'intention de me marier, dit-il en se pavanant et en tirant sur son faux col qui lui scie le cou. La femme est un point lumineux dans l'esprit de l'homme, mais elle peut mener l'homme à sa perte. Malfaisante créature !

— Et les hommes ? L'homme ne sait pas aimer. Il fait toutes sortes de grossièretés.

— Ce que vous êtes naïves ! Je ne suis ni cynique, ni sceptique, mais je sais cependant qu'un homme se tiendra toujours sur le sommet le plus haut en ce qui concerne les sentiments.

Quant à Diadetchkine et à Gricha, son premier-né, ils rôdent d'un coin à l'autre de l'appartement comme des loups en cage. Ils ont le diable au corps. Ils ont beaucoup bu pendant le dîner et, maintenant, ils éprouvent le besoin urgent d'avaler un verre pour se remettre d'aplomb. Diadetchkine va à la cuisine et trouve la maîtresse de maison en train de saupoudrer un gâteau avec du sucre.

— Malacha, lui dit-il, on devrait servir les hors-d'œuvre. Les invités mangeraient volontiers quelque chose...

— Ils attendront... Vous allez tout boire et tout manger en un clin d'œil, et moi, qu'est-ce que je vous servirai à minuit ?... Vous n'en mourrez pas. Va-t'en... Ne tourne pas en rond devant mon nez !

— Un petit verre seulement, ma chérie... Tu n'auras aucun déficit... On peut ?

— Quel poison ! Fiche le camp, on te dit ! Va tenir compagnie aux invités ! Qu'as-tu à traînailler comme ça dans la cuisine ?

Diadetchkine pousse un profond soupir et sort. Il va regarder l'heure. Les aiguilles marquent onze heures huit minutes ; il reste encore cinquante-deux minutes avant l'instant désiré. C'est affreux ! L'attente de la boisson est la plus dure de toutes les attentes. Il est moins pénible d'attendre un train par un froid glacial durant cinq heures, que d'attendre cinq minutes le moment de boire... Diadetchkine jette un regard haineux sur la pendule et, après avoir fait quelques pas, avance la grande aiguille de cinq minutes... Et Gricha ? Si on ne lui donne pas à boire tout de suite, il ira se désaltérer au café. Il n'a pas envie de mourir de tristesse...

— Petite mère, dit-il, les invités ne sont pas contents que vous ne serviez pas les hors-d'œuvre ! C'est franchement dégoûtant... Faire mourir les gens de faim... On pourrait leur servir un petit verre !...

— Vous attendrez... Il reste peu de temps... C'est bientôt... Ne traîne pas dans la cuisine !

Gricha fait claquer la porte et va, pour la centième fois, regarder la pendule. La grande aiguille est impitoyable. Elle est presque à la même place qu'auparavant.

« Elle retarde », se dit Gricha pour se consoler, et, de l'index, il avance la grande aiguille de sept minutes.

Kolia passe en courant devant l'horloge. Il s'arrête et s'efforce de lire l'heure... Il a une envie terrible de voir arriver l'instant des « Hourra ! »... L'immobilité de l'aiguille le pique en plein cœur. Il grimpe sur une chaise, regarde timidement autour de lui et ravit cinq minutes à l'éternité.

— Allez voir, *quelle heure est-il** ? demanda une des demoiselles à Kopaïski. Je meurs d'impatience. Vous vous rendez compte, une nouvelle année ! Du nouveau bonheur !

Kopaïski claque des talons et s'élance vers l'horloge.

— Le diable l'emporte ! grommelle-t-il, les yeux sur les aiguilles. Il y a encore longtemps à attendre ! J'ai une ces faims !... Je ne manquerai pas d'embrasser Katka au moment des hourras.

Kopaïski s'écarte de l'horloge, s'arrête... Après un instant de réflexion, il revient et raccourcit l'année finissante de six minutes. Diadetchkine boit deux verres d'eau, mais... son âme se consume ! Il va et vient, tourne en rond... Sa femme le chasse tout le temps de la cuisine. La vue des bouteilles rangées sous la fenêtre lui arrache le cœur. Que faire ? Il n'a plus la force d'endurer ça ! Il a de nouveau recours aux moyens extrêmes. La pendule est à ses ordres ! Dans la chambre d'enfants, où elle est accrochée, Diadetchkine tombe sur un tableau qui déplaît à son cœur paternel : Gricha debout devant l'horloge avance l'aiguille.

— Toi... toi... Que fais-tu là ? Hein ? Pourquoi tu as avancé l'aiguille ? Espèce d'imbécile ! Hein ? Pourquoi ça ? Hein ?

Il tousse, piétine, fronce les sourcils et fait un geste désespéré.

— Pourquoi ? Aha-a-a... Oui, avance-la donc, et... qu'elle en crève, la coquine ! dit-il, et écartant son fils, il avance l'aiguille.

Il reste onze minutes jusqu'à l'année nouvelle. Le père et Gricha vont dans le salon et commencent à préparer la table.

— Malacha ! crie Diadetchkine. Ça va être la nouvelle année !

Malania Tikhonovna sort en hâte de la cuisine et va vérifier les dires de son mari. Elle regarde longuement l'horloge : son mari n'a pas menti.

— Que faire ? murmure-t-elle. Mes petits pois pour le jambon ne sont pas encore cuits ! Hum. Misère de misère. Comment je vais faire ?

Après quelques instants de réflexion, d'une main tremblante, Malania Tikhonovna fait reculer la grande aiguille. L'année finissante retrouve ainsi les vingt minutes perdues.

— Ils attendront ! dit la maîtresse de maison, et elle court à la cuisine.

TABLE

Impression réalisée sur Presse Offset par

BRODARD & TAUPIN

GROUPE CPI

La Flèche (Sarthe), 23797

Dépôt légal : mai 2004
N° d'édition : 3597

Imprimé en France